MARCHÉS INTERNATIONAUX DES CAPITAUX

MARCHÉS INTERNATIONAUX DES CAPITAUX

2e édition

François Leroux

1994

Presses de l'Université du Québec
2875, boul. Laurier
Sainte-Foy (Québec)
G1V 2M3

HEC-CETAI
5255, avenue Decelles
Montréal (Québec)
H3T 1V6

Données de catalogage avant publication (Canada)

Leroux, François, 1945 -

  Marchés internationaux des capitaux

  2ᵉ éd. –

  Comprend des réf. bibliogr. et un index.
  Publ. en collab. avec : HEC-CETAI.

  ISBN 2-7605-0773-4

  1. Finances internationales. 2. Marché financier. 3. Change.
4. Euro-obligation, Marché des. I. École des hautes études
commerciales (Montréal, Québec). Centre d'études en administration
internationale. II. Titre.

HG3381.L45 1994   332'.042   C94-941046-2

Révision linguistique : Marie-Noëlle GERMAIN

Mise en pages : Composition Monika

ISBN 2-7605-0773-4

Dépôt légal – 3ᵉ trimestre 1994
Bibliothèque nationale du Québec
Bibliothèque nationale du Canada
Imprimé au Canada

Avant-propos

La rédaction d'un ouvrage sur les marchés internationaux des capitaux est une entreprise délicate à cause de l'ampleur du sujet abordé, parce que les mutations qui affectent les marchés sont continuelles et rapides et parce que l'on doit avoir recours à des généralisations alors que les transactions qui s'y opèrent ont souvent un caractère unique.

Ne cherchant pas à être exhaustif, conscient du danger d'obsolescence et acceptant les risques de la simplification, j'ai entrepris ce travail en faisant, à priori, quelques choix. Premièrement, le livre s'efforce de présenter les instruments et les acteurs autant que les marchés proprement dits. Deuxièmemement, l'émergence, le développement et le déclin de certains segments des marchés sont mis en perspective. Troisièmement, l'optique de ce livre est plus pratique que théorique. Ceci a entraîné un choix de présentation: les chapitres, en général assez courts, relèguent en annexe des compléments et des illustrations.

Ce projet a pu être mené à bien grâce à l'aide reçue du Centre d'études en administration internationale et du service de la recherche des Hautes Études commerciales. De plus, certaines études préliminaires ont été entreprises grâce aux ressources du fonds Marcel-Faribault.

De nombreux intervenants sur le marché m'ont fourni, sur une base informelle, des appréciations et des commentaires ou m'ont aidé dans la collecte de l'information. Maryse Flibotte a assuré le traitement de texte des versions successives du manuscrit avec compétence, célérité et bonne humeur. Enfin, le livre a grandement profité du travail de préparation réalisé par Patricia Larouche. À tous, j'exprime ma gratitude.

Le Centre d'études en administration internationale (CETAI)

École des Hautes Études Commerciales

En 1975, dans le cadre d'un programme de création, au Canada, d'un réseau de centres d'excellence en gestion internationale, le ministère fédéral de l'Industrie et du Commerce s'associait au ministère de l'Éducation du Québec pour mettre en place, à l'École des Hautes Études Commerciales (HEC), le Centre d'études en administration internationale.

À l'École des HEC, le CETAI a la responsabilité de la recherche et de l'enseignement dans le domaine de la gestion internationale et assure la réalisation des projets internationaux à l'École.

Depuis la création du Centre, les recherches ont principalement porté sur l'industrie et les marchés des matières premières, sur les problèmes d'activités et de développements technologiques, sur le fonctionnement et les instruments des marchés internationaux de capitaux, sur l'économie internationale et sur la gestion comparée. La recherche débouche sur des activités de diffusion sous forme de publications scientifiques, de journées d'études et de colloques internationaux.

CETAI, 5255, avenue Decelles, Montréal, Québec   H3T 1V6

Table des matières

Première partie
Marchés internationaux des capitaux et environnement international

Deuxième partie
Financements bancaires internationaux

Troisième partie

Les marchés obligataires internationaux et les programmes d'émission d'effets à court et à moyen termes

Quatrième partie

Les produits dérivés

Introduction

Les opérateurs sur les marchés des capitaux pourraient revendiquer l'image du village global. Les progrès en matière de télécommunications, l'efficacité de la circulation des fonds, l'interdépendance des économies et l'effacement graduel des réglementations ont conduit à l'émergence de ce qui ressemble, de plus en plus, à un marché global des capitaux à l'échelle mondiale.

Emprunteurs et investisseurs d'une certaine envergure ne peuvent ignorer cette réalité. L'optimisation des conditions de financement et la gestion efficace de portefeuille passent par la reconnaissance de l'élargissement des horizons, de la multiplication des opportunités et de la diversité des options. Les intermédiaires financiers ont rapidement perçu cette internationalisation des marchés et y ont activement participé. Ils y ont été incités par les besoins de leurs clients, mais ils y ont aussi été poussés par la pression de la concurrence. L'attrait des nouveaux marchés, la crainte de ne pas participer à un changement majeur de leur industrie ou le simple comportement moutonnier expliquent leur véritable engouement pour les activités internationales.

La reconnaissance par de nombreux opérateurs qu'il était vital de jouer un rôle dans cette internationalisation des marchés des capitaux a précédé de beaucoup la prise de conscience des conséquences qu'une telle implication pouvait avoir. En particulier la globalisation des marchés a réduit de beaucoup la possibilité d'endiguer les difficultés apparaissant sur un segment du marché et d'en limiter la propagation.

L'internationalisation des marchés des capitaux est d'ailleurs, en grande partie, un phénomène spontané résultant de la volonté d'expansion des opérateurs, mais c'est aussi une réponse aux conditions nouvelles de l'environnement. Les déficits continuels de la balance des paiements américaine, l'apparition du phénomène des eurodevises, l'extraordinaire bouleversement engendré par la crise énergétique, le recyclage des pétrodollars sont autant de facteurs qui ont joué des rôles décisifs. Par ailleurs, le volume d'activités sur les différents marchés est volatil: les aléas de la conjoncture, l'évolution des taux d'intérêt et les modifications durables ou passagères des caractéristiques de l'offre et de la demande de fonds ont une influence directe sur leur taille relative.

La présentation des marchés est faite dans ce livre en quatre parties.

La première est consacrée à l'environnement des marchés internationaux des capitaux: on y traite du système monétaire international, des eurodevises, du marché interbancaire et du marché des changes.

La deuxième partie traite des prêts bancaires internationaux.

La troisième partie présente les marchés obligataires internationaux et les programmes d'émission d'effets à court et moyen termes.

Quant à la dernière partie, elle est consacrée aux produits dérivés dont l'influence n'a cessé d'augmenter sur les différents segments des marchés internationaux des capitaux.

Première partie
Marchés internationaux des capitaux et environnement international

La première partie de ce livre est composée de six chapitres.

Dans le premier, on présente les marchés internationaux des capitaux comme étant essentiellement un système de flux monétaires et financiers transnationaux nécessitant, dans la plupart des cas, la présence d'intermédiaires financiers.

Le chapitre deux s'intéresse à l'évolution du système monétaire international qui constitue la toile de fond contre laquelle se sont développés les marchés des capitaux.

Le chapitre trois présente le phénomène des euromarchés et des eurodevises.

Le marché interbancaire international, souvent vu comme le poumon des marchés internationaux, est examiné au chapitre quatre.

C'est au marché des changes qu'est consacré le chapitre cinq. Ce marché sert de lien entre les différents segments des marchés internationaux des capitaux.

Enfin, cette première partie se termine par un chapitre qui fournit un certain nombre de points de repères chronologiques et conjoncturels.

Chapitre 1
Les marchés internationaux des capitaux : définitions et caractéristiques

Les marchés internationaux des capitaux sont des marchés où se créent, s'échangent, circulent et s'effacent des créances et des actifs monétaires et financiers liés à des opérations qui dépassent le cadre national d'un État. Nous restreindrons quelque peu ce champ en excluant des transactions telles que le financement des importations et des exportations, pour nous concentrer sur les transactions de financement ou de circulation internationale des capitaux.

Dans ce premier chapitre, nous nous interrogerons tout d'abord sur le rôle des marchés des capitaux, puis nous présenterons une typologie de ces différents marchés en montrant comment ils servent à la circulation des flux monétaires et financiers à l'échelle mondiale.

1.1 Le rôle des marchés des capitaux

1.1.1 Les marchés des capitaux domestiques

Dans une économie, les marchés des capitaux domestiques mettent en rapport des agents économiques détenteurs ou générateurs de fonds et des agents économiques ayant des besoins de fonds. Les agents économiques spécialisés dans la production d'actifs non financiers, c'est-à-dire des biens et des services, ont généralement des besoins de fonds; ceux qui les consomment sont habituellement des détenteurs de fonds. Ainsi, le secteur financier de l'économie est à la fois demandeur et offreur de fonds.

Les agents économiques ayant des surplus de fonds ont besoin de titres financiers pour constituer et gérer leurs portefeuilles et ceux qui ont besoin de fonds émettent de tels titres. Les marchés des capitaux assurent la mise en rapport d'agents économiques ayant des demandes et des offres de titres ou de fonds. Si les opérations portent sur des instruments ayant une maturité de moins d'un an, on parle de marché monétaire, autrement il s'agit de marché financier.

Les unités à surplus peuvent être mises en contact avec les unités à déficit soit directement, soit indirectement par l'intermédiation financière.

Dans le cas du *financement direct*, les mécanismes du marché et les instruments utilisés sont tels que les agents ayant des surplus de fonds sont en contact avec d'autres ayant des besoins de fonds. Les institutions financières (banques et maisons de courtage) ne jouent un rôle que dans l'émission des titres et leur distribution. Dans ce cas, les emprunteurs et les prêteurs utilisent essentiellement la compétence technique des institutions et leur capacité de placer et de transiger les titres de créances émis. Les institutions ne prennent pas part au financement proprement dit; elles sont rémunérées sous forme de commissions.

Dans d'autres cas, entre les détenteurs de fonds et les utilisateurs apparaissent des *intermédiaires financiers*. Ils acceptent les surplus (émettant en retour des reconnaissances de dette sous forme de certificats de dépôt, par exemple) et utilisent ces surplus pour effectuer des prêts. Leur présence s'explique par le fait que: 1) les fonds prêtables n'ont pas systématiquement les caractéristiques des fonds demandés; et 2) l'information n'est pas parfaite entre les demandeurs et les offreurs.

Les intermédiaires financiers assurent la transformation des échéances et tirent avantage de leur capacité à la fois de drainer des fonds et d'être approchés par les utilisateurs. Ils assument les risques que ne peuvent ou ne veulent prendre les détenteurs de fonds. Les institutions financières (principalement les banques), dans ce cas, prennent part directement au financement; elles sont rémunérées principalement par la différence entre le coût des fonds qu'elles recueillent et le coût des fonds qu'elles prêtent.

D'un pays à un autre, la part relative du financement direct par rapport au financement indirect dépend de la disponibilité des fonds, du développement des institutions financières, de la réglementation, du degré de financement public ou des caractéristiques traditionnelles de la composition des portefeuilles des agents à surplus de fonds.

Les marchés domestiques sont affectés par des tendances à long terme qui voient alterner des périodes de croissance et des périodes de décroissance de l'intermédiation financière. Dans les périodes de stabilité, de croissance économique, de confiance, les agents à surplus sont habituellement plus disposés à s'engager directement; dans les périodes d'incertitude, d'instabilité, on aura plus tendance à faire appel aux intermédiaires financiers.

1.1.2 Les marchés internationaux des capitaux

La fonction première des marchés internationaux des capitaux consiste à mettre en contact, directement ou indirectement, des offreurs et des demandeurs de fonds. Mais les opérations dépassant le cadre restreint d'un État et impliquant des agents économiques de nationalités différentes, un certain nombre d'éléments rendent les transactions sur les marchés internationaux plus complexes et plus risquées que celles sur les marchés domestiques.

D'abord, la complexité additionnelle par rapport aux marchés domestiques est engendrée par la *monnaie de dénomination* des instruments utilisés. Souvent l'emprunteur et le prêteur utilisent une monnaie autre que celle dans laquelle ils font leurs principales opérations. Il s'ensuit donc une plus grande incertitude pour les utilisateurs de ces marchés car, en raison des fluctuations de la valeur des monnaies les unes par rapport aux autres, les opérations engendrent des *risques de change* pour l'une ou l'autre partie (ou pour les deux à la fois). Ces risques ne peuvent pas toujours être couverts.

En outre, sont également associés à ces opérations de financement transnationales des *risques de contrôle de change* limitant la liquidité des titres émis ou empêchant la circulation future des fonds, contrepartie des titres émis.

L'*information* nécessaire pour que se fasse l'allocation des fonds entre les offreurs et les demandeurs est à la fois plus volumineuse, plus dispersée et moins standardisée. Ainsi, l'évaluation de la *qualité du crédit de l'emprunteur* est plus difficile à apprécier et à suivre une fois que l'on a prêté des fonds.

Enfin, la *circulation des fonds*, malgré les progrès considérables des communications, reste moins immédiate que dans un marché domestique.

1.1.3 Les attraits des marchés internationaux des capitaux

Même si les opérations sur les marchés internationaux engendrent des coûts et des risques additionnels, les détenteurs de fonds, les emprunteurs et les intermédiaires y ont vu des avantages justifiant la croissance de ces marchés.

Du point de vue des détenteurs de fonds:

- Certains pays sont naturellement des pays à surplus; leurs économies ne peuvent absorber toute l'épargne détenue ou générée et les détenteurs de fonds trouvent à l'étranger de nouvelles possibilités de placement.
- La rémunération retirée du placement à l'étranger peut excéder celle obtenue sur le marché domestique.
- Les détenteurs de fonds peuvent délibérément s'exposer au risque de fluctuation de change pour bénéficier de la réévaluation de la monnaie dans laquelle les instruments utilisés sont libellés.
- La théorie du portefeuille met en évidence les gains qui peuvent être engendrés par la diversification internationale.
- Le placement à l'étranger peut être, pour les investisseurs, l'occasion de tirer avantage d'un traitement fiscal plus favorable.

Du point de vue des emprunteurs:

- La possibilité d'emprunter ou d'émettre de la dette hors du marché domestique constitue, pour les demandeurs de fonds, une occasion de diversifier leurs sources et de réduire leur dépendance à un marché dont la dimension peut être limitée ou peut se contracter par suite des décisions des autorités gouvernementales.
- Les émetteurs de dettes peuvent trouver sur les marchés internationaux des occasions de réduire leurs coûts effectifs de financement.
- Ils peuvent aussi réduire leurs risques en contrebalançant des opérations internationales non financières avec du financement dans la même unité monétaire.

- Ils peuvent tirer avantage de la souplesse et de l'absence de réglementation sur certains marchés internationaux.
- Des considérations fiscales et les possibilités offertes par le traitement comptable de certaines opérations peuvent les conduire à préférer le marché international au marché domestique.

Du point de vue des intermédiaires :

- Les marchés internationaux sont l'occasion d'étendre leurs activités.
- Ils présentent des possibilités de diversifier leurs sources de fonds et leurs portefeuilles de prêts.
- Les différentes conditions sur les marchés offrent des possibilités d'arbitrage de taux d'intérêt.
- Les particularités de certains segments du marché sont l'occasion d'échapper au carcan réglementaire domestique et de tirer avantage de la fiscalité différente d'un pays à l'autre.
- Ils sont en meilleure position que les investisseurs pour apprécier le risque additionnel lié aux opérations internationales.

1.2   Les marchés internationaux des capitaux et la circulation des flux monétaires et financiers

Les marchés des capitaux peuvent être considérés comme l'extension des marchés domestiques nationaux. C'est d'ailleurs sur cette base qu'historiquement les mouvements de capitaux se sont développés. Mais le phénomène des euromarchés a eu comme conséquence que les marchés internationaux des capitaux évoluent de plus en plus en dehors du domaine d'intervention et de contrôle des gouvernements.

1.2.1   Les marchés étrangers

Par marchés étrangers, on entend les marchés sur lesquels les non-résidents peuvent se financer dans la monnaie nationale du pays concerné. Ainsi, une entreprise allemande émettant des obligations en livres sterling à Londres, en dollars à New York ou en yen à Tokyo se finance sur les marchés étrangers.

Dans les années 1950, les emprunteurs internationaux n'avaient à leur disposition qu'un nombre limité de marchés pour trouver des fonds. Sur ces marchés, les titres qu'ils pouvaient émettre étaient en compétition avec les titres émis par les résidents et étaient, la plupart du temps, soumis à une réglementation rigoureuse; à tout moment, les autorités gouvernementales pouvaient restreindre le volume des émissions étrangères et même décider de fermer le marché.

Les pays ayant un compartiment étranger se greffant sur le marché domestique étaient relativement peu nombreux. La Suisse a toujours été une source de fonds et son marché, étroitement surveillé par la Banque nationale de Suisse, a régulièrement mis des surplus à la disposition des demandeurs de fonds. La part du Royaume-Uni à la fin de la guerre était importante en raison, en bonne partie, des positions acquises et des traditions bien établies du marché londonien. Cependant, ce volume s'est rapidement amenuisé et le marché étranger a été pratiquement fermé vers 1968, la détérioration se faisant au rythme des difficultés de la livre sterling et de l'économie britannique en général[1].

À partir de 1955, il y eut une accélération de la demande de financement en dollars. New York était en train de se substituer à Londres à mesure que le dollar devenait la monnaie internationale par excellence. Cependant, les déséquilibres de la balance des paiements des États-Unis ont directement et indirectement freiné la croissance du marché étranger à New York au moment où se développait le marché des eurodollars (voir les chapitres 2 et 3).

Vers 1958, l'Allemagne a ouvert un compartiment étranger en deutsche mark. Ce marché est depuis ouvert en permanence. Quelques autres pays européens avaient aussi, dans les années 1960, des compartiments étrangers, mais ces marchés étaient très étroits et il faudra attendre la fin des années 1970 pour que s'ouvre et se développe un marché étranger en yen à Tokyo.

1.2.2 Les euromarchés

Parallèlement aux marchés étrangers, se sont développés, à partir des années 1960, les euromarchés, constituant pour les emprunteurs internationaux des sources de fonds alternatives. Véritable phénomène de «génération spontanée», ces marchés ont joué un rôle moteur dans le développement et la croissance des marchés internationaux des capitaux.

a) Qu'est-ce que l'eurodollar?

Pour des raisons liées, d'une part, à l'évolution du système monétaire international et au déficit de la balance des paiements américaine et, d'autre part, à l'évolution de l'internationalisation des banques et aux restrictions réglementaires existant aux États-Unis, des volumes de plus en plus importants de dollars ont quitté les États-Unis à partir des années 1960. On peut, dans un premier temps, considérer les eurodollars comme étant les dollars détenus par des non-résidents américains en dehors des États-Unis. Comme la plupart de ces dollars n'étaient pas gardés en liquide, mais plutôt déposés sans conversion dans des banques (situées principalement

---

1. La réouverture de ce marché n'aura lieu que dans les années 1980.

en Europe), on peut définir plus précisément les eurodollars comme étant l'ensemble des dépôts en dollars effectués auprès de banques situées à l'extérieur des États-Unis.

Ces dépôts, effectués dans une monnaie autre que la monnaie locale, ne se limitent pas au seul dollar ni seulement à l'Europe, c'est pourquoi on parle d'*eurodevises*, c'est-à-dire de «dépôts en monnaie convertible effectués dans des banques situées à l'extérieur du système monétaire de la devise considérée[2]». Ainsi, des dépôts en deutsche mark détenus par une banque japonaise à Singapour sont des eurodevises; il en est de même des dépôts en yen faits au Luxembourg à la filiale d'une banque hollandaise[3].

b)   Les eurocrédits et les euro-obligations

Selon la définition que nous avons donnée de l'eurodollar (ou eurodevise), il s'agit essentiellement d'une source de fonds. La contrepartie, ce sont les utilisations qui ont été longtemps limitées à des crédits bancaires. Les banques font des avances libellées en eurodevises aux emprunteurs; on parle alors d'*eurocrédits*. Par ailleurs, on a assisté au développement de marchés sur lesquels les emprunteurs émettent des titres, à moyen ou à long terme, dans une monnaie autre que la monnaie du pays d'émission et de placement des titres; on parle alors d'*euro-obligations*.

c)   Les caractéristiques des euromarchés

Trois facteurs caractérisent essentiellement les euromarchés. Ce sont:

- la dissociation entre la monnaie de transaction et la localisation de l'institution effectuant l'opération;
- la capacité pour les institutions financières engagées dans ces marchés de se soustraire aux contraintes réglementaires imposées par des autorités gouvernementales;
- la capacité pour les institutions financières d'évoluer dans un contexte fiscal favorable (et à la limite d'éliminer la fiscalité).

---

2.   DE LA BRUSLERIE, H., *Euro-obligations et marché international des capitaux*, Clet, Paris, 1984, p. 21.

3.   D'un point de vue pratique, on utilise les termes «eurodollar» et «eurodevise» pour décrire la même réalité. Le préfixe «euro» rappelle simplement qu'à l'origine ces dépôts étaient principalement localisés en Europe. En utilisant l'appellation générique «eurodollar», on souligne que la devise américaine a été à l'origine de ce marché et qu'elle y joue encore un rôle primordial. Certains observateurs du marché se sont efforcés d'imposer le terme «xénodevises», mais cette appellation n'a pas connu un grand succès.

1.2.3   Le marché des changes : lien entre les marchés des capitaux

Comme les marchés internationaux concernent des transactions transnationales et le plus souvent impliquent des opérations entraînant la conversion d'une monnaie en une autre, le marché des changes joue un rôle important dans la circulation des fonds sous-jacente à ces transactions :

- il assure un lien entre les différents segments du marché international ;
- il permet de comparer (et peut-être d'uniformiser) les conditions offertes dans les différents segments du marché ;
- les fluctuations auxquelles sont soumis les marchés des changes ont des implications directes sur le coût, la rentabilité et la disponibilité des fonds ;
- les instruments qui circulent sur les marchés internationaux empruntent de plus en plus aux marchés des changes leurs techniques de transaction.

1.2.4.   Un système de circulation de flux

Les différentes composantes des marchés des capitaux et les liaisons existant entre elles peuvent être représentées par un graphique de flux pouvant exister entre les offreurs et les demandeurs de fonds dans deux pays (A et B).

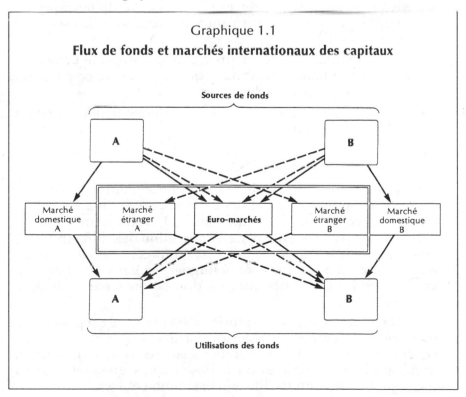

Graphique 1.1

Flux de fonds et marchés internationaux des capitaux

Les flèches continues indiquent des flux en monnaie nationale, celles discontinues, des flux nécessitant la conversion par le biais du marché des changes.

Le marché localisé dans chacun des deux pays est divisé en deux compartiments: le marché domestique et le marché étranger (où aboutissent les flux provenant de l'extérieur convertis en monnaie nationale et d'où partent les flux en monnaie nationale vers l'extérieur). Les marchés internationaux des capitaux ne se limitent pas aux deux marchés étrangers A et B; ils comprennent aussi les euromarchés. Ils recueillent, venant de A et B, des fonds soit en monnaie nationale soit en devise. Il en va de même pour les utilisateurs de fonds qui obtiennent sur le marché euro des fonds en devise ou en monnaie nationale.

Ce système de flux pourrait être étendu à plus de deux pays; cependant, le nombre de relations serait théoriquement très élevé, rendant impossible la représentation graphique. Toutes les relations présentées dans le graphique 1-1 ne se matérialisent de façon significative que pour un nombre limité de pays et de monnaies et ce pour plusieurs raisons.

- Pour qu'il y ait des flux du secteur national vers le secteur extérieur, il faut que la monnaie nationale soit convertible.
- Pour des raisons de politique économique, les gouvernements peuvent souhaiter isoler le marché domestique des marchés extérieurs, contrôlant (ou interdisant) les sorties et les entrées de fonds.
- Pour que puisse se développer de façon durable un secteur étranger de financement dans un pays donné, ce pays doit avoir un surplus de financement.
- Seul un nombre limité de monnaies donne lieu à des opérations sur les euromarchés.

1.2.5   Le marché ou les marchés?

Conscient de tous ces liens, on peut se demander s'il faut parler du marché international des capitaux ou des marchés internationaux des capitaux. Le singulier aurait l'avantage de mettre en évidence, d'une part, la tendance à l'intégration des différents compartiments existants (tendance qui s'est renforcée tout au cours des années 1980) et, d'autre part, de souligner les liens que l'on peut observer entre les différents marchés domestiques par le biais du marché international.

Si l'on préfère utiliser le pluriel, c'est que: 1) il est possible de repérer quelques grandes catégories d'actifs financiers internationaux; 2) historiquement, les opérations sur ces différents actifs financiers se sont développées sur la base de la segmentation; et 3) cette compartimentation facilite la présentation et l'analyse.

* * *

Quatre facteurs peuvent servir de repères pour classer les différents instruments utilisés et donc pour identifier des marchés ou des segments de marché.

- *La monnaie de dénomination de l'instrument*

  On pourra identifier des compartiments des marchés en dollars, en yen, en deutsche mark, etc. Chacun de ces marchés a une profondeur et un degré de liquidité propres. Les intervenants, les réglementations, les procédures, les modes d'accès au marché diffèrent.

- *Le terme des instruments employés*

  Certains instruments correspondent à des actifs ou des engagements à court terme (moins de 18 mois), d'autres correspondent à des actifs ou des engagements à moyen terme (jusqu'à 6 ou 7 ans), d'autres enfin ont des échéances à long terme (pouvant aller jusqu'à 20 ans).

- *Le type d'intermédiation*

  Certains instruments utilisés nécessitent l'intermédiation bancaire, d'autres matérialisent des engagements directs entre les utilisateurs et les pourvoyeurs de fonds (ce qui n'exclut pas un rôle pour les intermédiaires). On pourra donc opposer, par exemple, le marché des crédits bancaires internationaux au marché des obligations extérieures.

- *La localisation du marché*

  On pourra toujours opposer des opérations sur les marchés étrangers aux opérations sur les euromarchés. Ainsi, si une firme allemande émet des obligations en dollars à New York, on parlera d'une émission étrangère; si elle émet des obligations en dollars à Londres, on parlera d'une euro-émission.

* * *

En présentant les marchés internationaux des capitaux, on gardera à l'esprit les éléments suivants:

- Les marchés se sont développés par *phases successives* en fonction du rôle international joué par certaines monnaies, au rythme du développement de certaines places financières, en fonction des innovations émanant des institutions financières et d'après les aléas de la conjoncture.
- Ces marchés sont caractérisés par le *pragmatisme et la souplesse d'adaptation* aux besoins changeants des offreurs et des

demandeurs de fonds et en fonction des conditions changeantes des marchés (taux d'intérêt, perception du risque, liquidité générale ou crise de confiance).

- Ces marchés sont soumis à des *tendances opposées* : d'une part, une tendance à la standardisation des procédures et des pratiques, à l'uniformisation des clauses et au respect des conventions d'usage pour l'utilisation de certains instruments, sur la base de l'expérience et pour assurer la rapidité d'exécution; d'autre part, une tendance inverse à la compétition intense poussant à l'innovation, à la transformation, à la sophistication et à la spécificité des instruments financiers.

- Ces marchés tels qu'on les connaît aujourd'hui ont largement subi l'*influence des marchés des capitaux des États-Unis*, en raison de l'importance du dollar et du rôle moteur joué par les filiales des banques américaines.

- Ces marchés sont largement dominés par une conception des rapports contractuels entre les agents et un cadre juridique hérités du *droit britannique*.

RÉFÉRENCES BIBLIOGRAPHIQUES

Livres :

- BITO, C. et FONTAINE, P., *Les marchés financiers internationaux*, Que sais-je?, 1989.
- CLARK, E., LEVASSEUR, M. et ROUSSEAU, P., *International Finance*, Chapman-Hall, 1993.
- DUFEY, G., GIDDY, I., *The International Money Market*, Prentice Hall, 1978.
- DUFLOUX, C. et MARGULICI, L., *Finance internationale et marchés de gré à gré*, Economica, 1991.
- GRABBE, J. O., *International Financial Markets*, Elsevier (seconde édition), 1991.
- SIMON, Y., *Techniques financières internationales*, 4e édition, Economica, 1991.
- TOPSACALIAN, P., *Principes de finance internationale*, Economica, 1992.

Articles :

- KERTUDO, J. M., «Les marchés internationaux des capitaux, concepts, définitions et statistiques», *Banque*, n° 380, janvier 1979.
- LEROUX F., «Sur les marchés financiers, la mondialisation est un fait acquis», *Gestion*, septembre 1990.

Chapitre 2
L'environnement monétaire international

Le système monétaire international (SMI) est la toile de fond contre laquelle s'effectuent toutes les transactions du marché international des capitaux. Le volume des liquidités internationales, les conditions assurant la circulation des capitaux, la valeur relative des monnaies les unes par rapport aux autres sont autant d'éléments qui dépendent du fonctionnement du SMI et des accords entre les parties prenantes à la constitution du cadre général aux transactions internationales.

Il ne s'agit pas ici d'étudier toutes les facettes du SMI, mais de mettre en évidence les éléments susceptibles d'avoir une influence sur les marchés internationaux des capitaux. Ce chapitre est divisé en trois parties : la première présente l'évolution du système monétaire international, la seconde analyse les conséquences de cette évolution, enfin la troisième s'intéresse au système monétaire européen.

2.1 Évolution du système monétaire international

Parler du système monétaire international revient à s'interroger sur la façon dont sont définies les parités des monnaies (et donc à s'interroger sur l'existence d'un étalon ou de plusieurs étalons), sur le mode de défense et d'ajustement des parités et sur l'existence d'instruments de réserve et de paiement à l'échelle internationale.

2.1.1 Le système monétaire avant Bretton Woods

Les principes régissant les transactions monétaires internationales au début du siècle n'étaient pas le résultat d'une action délibérée pour mettre en place un système proprement dit. On constatait qu'il existait un étalon, que les parties étaient défendues et ajustées et qu'il y avait des instruments de réserve et de paiement au plan international.

Les pays industrialisés les plus importants définissaient leurs monnaies par rapport à l'or en raison des propriétés physiques de ce métal et, en particulier, de son homogénéité entre les pays. Toutes les monnaies étant définies par rapport à un même étalon, elles avaient entre elles des *parités fixes*, tant et aussi longtemps qu'un pays ne changeait pas la définition de sa monnaie par rapport à l'étalon commun. Les États n'avaient pas intérêt à changer cette définition ne serait-ce que pour faire accepter et circuler la monnaie fiduciaire. Les ajustements des balances de paiement entre les pays se faisaient par l'entrée ou la sortie d'or qui jouait tout à la fois un rôle d'étalon, un rôle d'instrument de réserve et de moyen de paiement international entre les États.

Durant la Première Guerre mondiale, les parités des principales monnaies avaient été maintenues. Cependant à la fin du conflit, la France, l'Allemagne et l'Angleterre durent dévaluer leur monnaie par rapport à l'or et donc par rapport au dollar. Une période d'incertitude sur les taux de change s'ensuivit, marquée entre autres par l'effondrement total de la monnaie allemande, puis la réévaluation de la livre sterling au taux d'avant-guerre.

Pendant cinq ans, de 1926 à 1931, on eut l'illusion d'être retourné à un système de taux de change fixe. La crise économique allait avoir raison de cet état de fait et, à partir de 1931, on connut une certaine anarchie des changes marquée par des dévaluations concurrentes des principales monnaies et par des périodes de flotte-ment; ainsi la livre sterling flotta de 1931 jusqu'à la Deuxième Guerre mondiale, le dollar en fit autant en 1933 et 1934 et le franc subit le même sort de 1936 à 1938.

Cette période de crise monétaire intermittente fut désas-treuse et ne fit qu'augmenter l'incertitude dans une période écono-mique particulièrement difficile. Malgré l'échec de la conférence de Londres (1933), le temps était venu de mettre en place un cadre formel au système monétaire international. C'est ce qui fut réalisé en 1944 à Bretton Woods.

2.1.2   Les accords de Bretton Woods

La conférence monétaire internationale, qui se tint en juillet 1944 dans le New Hampshire, aboutit à la signature d'accords qui allaient régir le système monétaire jusqu'en 1971 et à la création du Fonds monétaire international.

Ces accords tournent autour d'un certain nombre de grands principes.

- Toutes les monnaies sont définies par rapport à l'or ou par rapport au dollar américain équivalent à l'or (au prix de 35 $ l'once).
- Le système mis en place affirme l'attachement des signatai-res à un système de taux de change fixes. Les pays membres doivent s'assurer que leur monnaie ne s'écarte pas de plus ou moins 1 % de la parité officielle.
- Les parités officielles des monnaies sont révisables sur noti-fication au Fonds monétaire international ou avec son accord si le réajustement est de plus de 10 %.
- Les pays signataires souscrivent au principe de la converti-bilité générale des monnaies et donc abolissent les contrôles des changes.

Au-delà de ces principes, les *Accords de Bretton Woods* instau-rent des mécanismes de consultation et de coordination monétaires dans le cadre du Fonds monétaire international.

Organisme supranational, le FMI reçoit des contributions sous forme de quotas de la part des États membres. Selon des modalités spécifiées à l'avance, le Fonds pourra mettre ses ressour-ces à la disposition des États membres faisant face à des difficultés de balance de paiements ou procédant à l'ajustement de leur écono-mie. Aux termes des *Accords de Bretton Woods*, le FMI n'avait pas de pouvoir de création monétaire: ce n'était pas une banque créant de la liquidité internationale, mais un organisme disposant des res-sources en or et en monnaies des pays membres, agissant comme une «caisse de secours» en cas de difficulté de change et d'ajuste-ment structurel d'un pays membre.

En fait, les *Accords de Bretton Woods* consacraient la suprématie du dollar. En effet, si toutes les monnaies étaient définies par rapport à l'or, la responsabilité de la défense des parités pour assurer la pérennité des taux de change fixes n'était pas une responsabilité multilatérale. Chaque pays devait défendre sa parité par rapport au dollar, les États-Unis se trouvant *dans les faits* soustraits à cette obligation puisque leur monnaie jouait le rôle d'étalon. En cas de tensions, les pays ayant des monnaies fortes devaient réévaluer, les pays avec des monnaies faibles devaient dévaluer, le dollar restant immuable à 35 $ l'once d'or.

Par ailleurs, comme la majeure partie de l'or monétaire était concentrée aux États-Unis[1], les banques centrales, au moment de la mise en place du système, n'avaient pas de crainte quant à la convertibilité. Dès lors, elles exprimèrent une forte préférence à détenir leurs avoirs en dollars plutôt qu'en or : cela facilitait le règlement des opérations d'importation et d'exportation, d'autant plus que le dollar avait remplacé la livre sterling comme monnaie pour les transactions internationales ; et les interventions sur les différents marchés des changes pouvaient se faire plus facilement en devise américaine qu'en or. Enfin, les avoirs en dollars rapportaient des intérêts (ce que ne faisait pas l'or) en étant placés à court terme sur le marché de New York.

Le système mis en place à Bretton Woods donnait l'impression d'être centré sur l'or. Mais en fait le dollar y jouait le rôle majeur en étant (directement ou indirectement) étalon, instrument de réserve et instrument de paiement au niveau international.

2.1.3   De Bretton Woods à la suppression de la convertibilité du dollar en or (15 août 1971)

À Bretton Woods, trois paris avaient été pris : un pari sur les taux de change fixes, un pari sur la convertibilité or-dollar et un pari sur le volume des liquidités internationales.

a)   Pari sur les taux de change fixes

De 1946 à 1971, le pari des taux de change fixes a été gagné. Certes, il y eut quelques ajustements majeurs dont celui de la parité de la livre sterling en 1949. (La livre dévalua de 30,5 %.) Mais la devise anglaise ne sera pas réajustée avant 18 ans. Le franc dut dévaluer plusieurs fois, mais ceci était conforme au principe des taux de change fixes mais révisables. Le yen (au taux de 360 yen pour un dollar) ne bougera pas durant toute la période. Les cas de réévaluation seront peu nombreux (le deutsche mark et le florin réévalueront de 5 % en 1961 et le deutsche mark à nouveau de 9 % en 1969).

---

1.   En 1944, près de 25 000 tonnes d'or étaient conservées à Fort Knox.

Le principe de défense des parités était en fait biaisé et concernait beaucoup plus les dévaluations que les réévaluations. En outre, rien n'avait été prévu à Bretton Woods en cas de surévaluation du dollar. Or, vraisemblablement le dollar, avec la parité immuable de 35 $ l'once d'or, était surévalué dès 1949. Mais cela ne mit pas le système en péril car:

- Il y avait une forte demande mondiale pour le dollar (afin de financer les programmes de reconstruction et l'expansion du commerce mondial).

- Il y avait une asymétrie dans la défense des taux de change fixes au profit du dollar. En effet, si le dollar était surévalué, les monnaies de ses principaux partenaires (l'Allemagne et le Japon) avaient tendance à s'apprécier. Or, d'après les principes de Bretton Woods, les Banques centrales d'Allemagne et du Japon devaient défendre leur parité et, de ce fait, elles achetaient la devise américaine pour contenir les pressions à la hausse de leur monnaie, ce qui contribuait au déficit de la balance des paiements américaine sans qu'il y ait de pressions apparentes sur le dollar surévalué.

La plus notoire exception au système de taux de change fixes durant toute cette période fut le dollar canadien. Le Canada eut en effet un taux de change flottant de 1950 à 1962 puis à nouveau à partir de 1970.

b)   Pari sur la convertibilité or-dollar

Dans les années qui suivirent la mise en place du système de Bretton Woods, ce pari ne fut pas difficile à tenir du fait de la pénurie de la devise américaine tout d'abord et de la préférence pour le dollar ensuite. Mais pour que cette situation se maintienne, il était nécessaire que le cours de l'or soit stable et que la confiance dans la conversion se perpétue.

Les premières poussées inflationnistes aux États-Unis et les fluctuations de la demande et de l'offre rendaient difficile la stabilité du prix de l'or. En 1960, le cours de l'or sur le marché libre de Londres approcha les 40 $ l'once. Pour maintenir le prix sur ce marché aux alentours du prix officiel, les huit banques centrales des pays les plus importants formèrent le «pool de l'or» qui intervint jusqu'en 1967 sur le marché.

Par ailleurs, la préférence pour le «dollar toujours convertible» commença à s'effriter quand on constata que les réserves détenues aux États-Unis diminuaient, alors que les engagements des États-Unis vers l'extérieur avaient augmenté de façon considérable. On arrivait donc à la situation paradoxale suivante: le dollar resterait toujours convertible en or, tant et aussi longtemps que les banques centrales ne demanderaient pas la conversion.

c)   Pari sur les liquidités internationales

À Bretton Woods, deux plans avaient été opposés: le plan Keynes qui prévoyait la création de liquidités internationales et le plan White qui n'en prévoyait pas. Le système qui émana de Bretton Woods fut en fait très proche du plan initial américain (le plan White). Le FMI n'est pas une banque, il ne crée pas de liquidités internationales. Dès lors, les liquidités internationales en dollars ne pouvaient venir que des déficits de la balance des paiements américaine. Or, ici aussi la situation était paradoxale: plus les États-Unis fournissaient des liquidités, plus s'accumulaient les déficits de leur balance de paiement et plus s'affaiblissait la confiance dans le dollar, pierre angulaire du système.

La création des Droits de tirage spéciaux (DTS) en 1969 par le FMI n'était qu'une timide réponse à un problème que l'on n'avait pas voulu aborder[2].

À partir de 1969, les tensions devinrent de plus en plus fortes à l'intérieur du système; elles s'amplifièrent lorsque certains gouvernements commencèrent à remettre en cause le «privilège exorbitant» des États-Unis et commencèrent à convertir en or leurs réserves en dollars. Les autorités américaines se trouvaient face à une situation impossible à défendre. La seule porte de sortie était la suppression de la convertibilité dollar-or. C'est ce qui s'est produit le 15 août 1971 lorsque le président Nixon annonça unilatéralement la suspension temporaire de la convertibilité. En fait, elle ne devait jamais être rétablie.

2.1.4   L'évolution depuis 1971

Avec la suppression de la convertibilité du dollar en or, c'est un élément majeur du système de Bretton Woods qui disparaissait. Sans doute aurait-il été souhaitable qu'à cette époque une nouvelle conférence internationale se tienne pour mettre en place un nouveau système. Mais c'est une autre voie qui a été choisie: celle de l'adaptation progressive en réponse aux problèmes rencontrés. Plutôt que de recommencer des négociations et faire des arbitrages difficiles, on a choisi le *pragmatisme* et les solutions provisoires tendant à devenir permanentes.

D'août à décembre 1971, plusieurs pays abandonnèrent un autre élément majeur du système de Bretton Woods et laissèrent flotter leur monnaie, mettant en évidence la surévaluation du dollar américain. En décembre 1971, une dernière chance fut donnée aux taux de change fixes. Dans le cadre de ce que l'on a appelé les *Accords du Smithsonian Institute*, les États-Unis acceptaient de dévaluer (l'or passait officiellement à 38 $ l'once) et les marges de

---

2.   Les DTS ainsi créés n'étaient que des instruments de réserve circulant entre banques centrales et pouvaient donc se substituer à l'or ou au dollar.

fluctuations acceptables autour des nouvelles parités étaient por-
tées de 1 % à 2,5 %. Mais dès le milieu de 1972, de nouvelles tensions
apparaissaient sur le marché des changes et plusieurs pays laissèrent à nouveau flotter leur monnaie. Le 13 février 1973, le dollar
dévalua à nouveau de 10 %. La situation rappelait alors celle des
années 1930 avec ses crises de change et ses dévaluations concurrentes. Petit à petit, les pays ne se sentirent plus obligés de soutenir leur
monnaie et les *Accords de Kingston* (janvier 1976) ne firent qu'entéri-
ner une situation de fait en permettant le *flottement des monnaies*.

Tableau 2.1
Évolution du système monétaire international

Quelques points de repère	
Février 1934 :	Le prix de l'or est fixé à 35 $ l'once
Juillet 1944 :	Conférence internationale de Bretton Woods
28 juillet 1968 :	Cration du DTS (1 DTS = 1 dollar)
15 août 1971 :	Suspension de la convertibilité du dollar en or
18 décembre 1971 :	Les *Accords du Smithsonian Institute* et première dévaluation du dollar
13 février 1973 :	Seconde dévaluation du dollar
1er juillet 1974 :	Le DTS est défini comme un panier de 16 monnaies
8 janvier 1976 :	Les *Accords de Kingston*
13 mars 1979 :	Entrée en application du SME
1er janvier 1981 :	Le DTS est défini comme un panier de 5 monnaires

Les *Accords de Kingston*, par ailleurs, ont abouti à la *démonétisation* de l'or : l'or n'avait plus de rôle officiel dans le système monétaire international et son prix était abandonné aux forces du marché.
En outre, il n'était plus possible pour un pays de définir officiellement sa monnaie par rapport à l'or. Confirmant cette volonté de
démonétisation, le FMI vendit, à cette époque, une partie de ses
réserves en or.

Les *Accords de Kingston* ont de plus confirmé la place centrale
du DTS au sein du système monétaire. Défini au point de départ par
rapport au dollar, il avait subi une mutation profonde le 1er juillet
1974, alors qu'il était défini par rapport à un panier monétaire. Dans
un effort louable de neutralité, ce panier était, à l'origine, composé
de seize monnaies, ce qui en faisait un instrument peu pratique.
Cependant, un pas important était franchi dans l'acceptation officielle du concept de panier monétaire. Sa composition fut ramenée
à cinq monnaies en 1981. Il s'agit des cinq devises les plus importantes : le dollar, le yen, le deutsche mark, la livre sterling et le franc
français. Les pondérations des cinq monnaies sont révisées tous les
cinq ans. On trouvera dans l'encadré ci-joint des extraits du Communiqué de presse du FMI annonçant les nouvelles pondérations
retenues le 1er janvier 1991.

Tableau 2.2

Le FMI révise la pondération appliquée au calcul du DTS

Communiqué de presse n° 90/55 :

Le FMI a arrêté la liste et déterminé la nouvelle pondération des monnaies qui composent le panier servant à calculer la valeur du DTS. La liste des monnaies reste la même, mais à partir du **1er janvier 1991**, la pondération appliquée au calcul du montant de chaque monnaie dans le panier sera la suivante :

Monnaie	Pourcentage
Dollar É.-U.	40
Deutsche mark	21
Yen	17
Franc français	11
Livre sterling	11

Le montant de chaque monnaie est révisé conformément à la décision du FMI du 17 septembre 1980 *(Communiqué de presse n° 80/66)*, qui stipule que le panier servant à déterminer la valeur du DTS doit être révisé à compter du 1er janvier 1986 et le premier jour de chaque période quinquennale subséquente, à moins que le Conseil d'administration du FMI n'en décide autrement. Les nouveaux montants de chacune des cinq monnaies incluses dans le panier seront calculés le 31 décembre 1990 conformément à la nouvelle pondération indiquée ci-dessus. Le calcul sera effectuée sur la base des taux de change moyens de ces monnaies durant les trois mois s'achevant à cette date de manière à ce qu'au 31 décembre 1990, la valeur du DTS exprimée dans ces monnaies soit la même, qu'elle soit établie sur la base du panier révisé ou du panier actuel.

Le panier servant au calcul du DTS se compose des monnaies des cinq États membres dont les exportations de biens et de services ont été les plus importantes durant les cinq années précédant la révision, en l'occurrence la période 1985-1989. La pondération des monnaies qui composent le panier reflète l'importance relative de ces monnaies dans le commerce et les finances nternationales pendant cette période, et est établie sur la bse de la valeur des exportations de biens et de services des États membres émetteurs de ces monnaies et du montant de ces monnaies détenu officiellement par les membres du FMI.

La pondération précédente, révisée en 1986 sur la base des données relatives à la période 1980-1984 qui ont servi à déterminer le montant de chaque monnaie dans le premier actuel, était la suivante : 42 % pour le dollar É.-U., 19 % pour le deutsche mark, 15 % pour le yen et 12 % respectivement pour le franc français et la livre sterling.

Ce qui reste aujourd'hui du système monétaire international imaginé à Bretton Woods est essentiellement le résultat de ces accords successifs qui ont enregistré le fait accompli ou l'abandon de principes directeurs. De temps à autre, des voix se font entendre pour que reprennent des négociations afin de formaliser et repenser l'ensemble du système. Mais en fait, depuis les *Accords de Kingston*, ces efforts n'ont pas connu beaucoup de succès.

Investisseurs, emprunteurs et opérateurs sur les marchés internationaux des capitaux constatent cet état de fait et ont appris à travailler dans le contexte qui en résulte.

2.2   Les implications de cette évolution

On peut grouper les implications de cette évolution en quatre catégories: on constate que les modes de rattachement des monnaies sont très hétérogènes, que les taux de change sont devenus très instables et que l'influence individuelle des banques centrales s'est beaucoup estompée; enfin, on enregistre que la pression des circonstances et l'évolution des rapports de force conduisent sans doute à l'émergence d'un système multidevise.

2.2.1   L'hétérogénéité des modes de rattachement des monnaies et des régimes de changes

Les *Accords de Kingston* prohibaient la définition des monnaies par rapport à l'or et laissaient chaque pays choisir son mode de définition ou son mode de rattachement. Se côtoient donc des monnaies à flottement indépendant, rattachées à une autre monnaie ou rattachées à un groupe de monnaies, et des régimes de taux de change fixes, des régimes de taux de change dirigés et des régimes de taux de change flottants.

Tableau 2.3	
Les modes de rattachement des monnaies et les régimes de change (au 30 septembre 1993)	
Monnaie dont le taux est établi par rapport:	
au dollar	20
au franc français	14
au rouble russe	5
à une autre monnaie	7
au DTS	4
à un ensemble d'autres monnaies	26
Régime comportant une flexibilité limitée par rapport à une seule monnaie	4
Mécanisme de coopération monétaire	9
Régime d'ajustement du taux de change en fonction d'un ensemble d'indicateurs	4
Régime de flottement dirigé	27
Régime de flottement indépendant	52
Total	**172**

2.2.2   La grande instabilité des taux de change

Personne n'aurait pensé en 1973 qu'en entrant dans un régime de taux de change flottants, on entrait dans une phase d'instabilité des taux de l'ampleur de celle que l'on allait connaître au cours des 20 ans qui ont suivi.

Cette volatilité a caractérisé autant les mouvements à court terme que les mouvements à plus long terme.

Tableau 2.4
Régime des changes
(au 30 septembre 1993)

Monnaie dont le taux est établi par rapport:						Régime prévoyant une flexibilité limitée par rapport à une seule monnaie ou à un groupe de monnaies		Régime prévoyant une plus grande flexibilité		
au dollar É.-U.	au franc français	au rouble russe	à une autre monnaie	au DTS	à un ensemble d'autres monnaies	Une seule monnaie	Mécanismes de coopération monétaire	Ajusté en fonction d'un groupe d'indicateurs	Autres régimes de flottement dirigé	Régime de flottement indépendant
Angola Antigua-et-Barbuda Argentine Bahamas Barbade Belize Djibouti Dominique Grenade Iles Marshall Iraq Libéria Oman Panama Rép. arabe syrienne Sainte-Lucie Saint-Kitts-et-Nevis Saint-Vincent-et-Grenadines Suriname Yémen, Rép. du	Bénin Burkina Faso Cameroun Comores Congo Côte-d'Ivoire Gabon Guinée équatoriale Mali Niger Rép. centre-africaine Sénégal Tchad Togo	Arménie Azerbaïdjan Bélarus Kazakhstan Turkménistan	Bhoutan (roupie indienne) Estonie (deutsche mark) Kiribati (dollar australien) Lesotho (rand sud-africain) Namibie (rand sud-africain) Saint-Martin (lire italienne) Swaziland (rand sud-africain)	Lybie Myanmar Rwanda Seychelles	Algérie Autriche Bangladesh Botswana Burundi Cap-Vert Chypre Fidji Hongrie Iles Salomon Islande Jordanie Kenya Koweit Malawi Malte Maroc Maurice Mauritanie Népal La Papousie Nouvelle-Guinée Samoa-Occidenta Samoa-Occidenta Thaïlande Tonga Vanuatu Zimbabwe	Arabie Saoudite Bahrein Émirats arabes unis Qatar	Allemagne Belgique Danemark Espagne France Irlande Luxembourg Pays-Bas Portugal	Chili Colombie Madagascar Nicaragua	Cambodge Chine, Rép. pop. Corée Croatei Égypte Équateur Grèce Guinée Guinée-Bissau Indonésie Israel Malaisie Maldivse Mexique Pakistan Pologne Rép. dém. pop. lao São Tomé-et-Principe Singapour Slovénie Somalie Sri Lanka Tunisie Turquie Uruguay Venezuela Viet Nam	Afghanistan État islamique Afrique du Sud Albanie Australie Bolivie Brésil Bulgarie Canada Costa Rica El Salvador Éthiopie Finlande Gambie Géorgie Ghana Guatemala Guyana Haïti Honduras Inde Iran, R. I. Italie Jamaïque Japon Lettonie Lituanie Moldova Mongolie Mozambique Nigéria Norvège Nouvelle-Zélande Ouganda Paraguay Pérou Philippines Rép. dominicaine Rép. kirghize Roumanie Royaume-Uni Russie Sierra Leone Soudan Suède Suisse Tanzanie Trinité-et-Tobago Ukraine Zaïre Zambie

Source: FMI, Statistiques financières internationales

À court terme[3], on a constaté que les opérateurs sur les marchés des changes pouvaient extrêmement facilement renverser leurs positions et s'efforcer de tirer profit des changements d'anticipation à l'égard d'une monnaie ou d'une autre.

Ces mouvements à court terme ont pris beaucoup d'ampleur en 20 ans pour plusieurs raisons. Tout d'abord, comme jamais auparavant, une attention soutenue est accordée aux données conjoncturelles qui sont publiées selon des calendriers préétablis. Une annonce sensiblement différente de celle «généralement attendue» entraîne une réaction immédiate. Par ailleurs, la mondialisation de l'économie et de l'information a eu comme conséquence d'augmenter sensiblement le nombre d'acteurs susceptibles d'être affectés par des annonces ou des changements d'anticipation; la qualité des réseaux de communication permet à un plus grand nombre d'opérateurs d'intervenir sur le marché des changes. Enfin, le mimétisme et les comportements moutonniers, qui caractérisent les intervenants sur le marché des changes, accentuent les fluctuations à court terme.

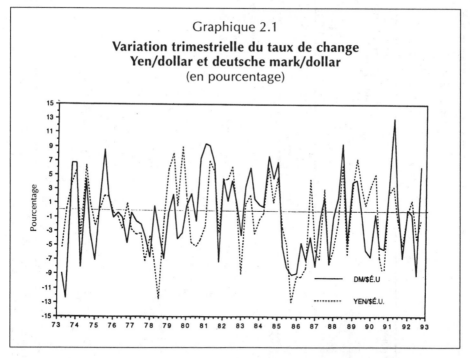

Graphique 2.1

**Variation trimestrielle du taux de change
Yen/dollar et deutsche mark/dollar**
(en pourcentage)

---

3.   Au milieu des années 1970, les banques centrales considéraient comme journées de crise celles où les mouvements des principaux taux de change dépassaient 1 %. Or, «en 1982 et 1983 le nombre mensuel moyen des journées répondant à cette définition a été de l'ordre de 1 ou 2 (pour le rapport livre sterling/dollar) et de 2 ou 3 (pour le rapport dollar/deutsche mark). Ces chiffres ont presque doublé en 1984. En 1985, durant le mois d'avril le nombre de journées durant lesquelles le taux du dollar en termes de deutsche mark a varié de 1 % ou plus a été de 11; pour la livre sterling, il a été de 14.» CAMDESSUS, M., «Réflexions sur l'actualité monétaire internationale», *Bulletin trimestriel de la Banque de France*, Sept. 1985.

À plus long terme, c'est l'ampleur des fluctuations sur le dollar[4] qui a été impressionnante. Le graphique 2.1 met en évidence que les fluctuations trimestrielles de la parité yen/dollar et deutsche mark/dollar ont été très marquées tout au cours de la période 1973-1992.

2.2.3 La perte d'influence des banques centrales

Les banques centrales exercent aujourd'hui beaucoup moins de contrôle sur le marché des changes. Leurs interventions sont beaucoup plus ponctuelles et visent surtout à ralentir des mouvements sur le marché plutôt que d'essayer de les renverser. Cette attitude est en partie le résultat d'un certain réalisme acquis suite à des expériences malheureuses. La croissance extraordinaire des marchés des capitaux et la masse impressionnante des fonds en jeu ont contraint les banques centrales à baisser pavillon. Leur taille relative n'a fait que diminuer par rapport à celle des principaux acteurs sur le marché des changes. De plus, certaines banques centrales[5] ont adopté comme philosophie que les forces du marché seules devaient déterminer la valeur relative d'une monnaie par rapport à une autre: toute exagération des fluctuations dans une direction ne peut qu'engendrer à terme une réaction en sens inverse qui rétablira l'équilibre.

Pour rester crédible, l'action des banques centrales doit aujourd'hui être concertée et simultanée, ce qui nécessite, tout au moins implicitement, des objectifs communs et une coordination des interventions.

2.2.4 Le glissement vers un système multidevise

Les *Accords de Bretton Woods* ont présidé au passage d'un système or à un système dollar. On doit se demander si, insensiblement, nous ne sommes pas en train de glisser vers un système multidevise.

Des signes précurseurs de ce changement majeur sont déjà apparents. Peu à peu émergent trois pôles monétaires: le pôle dollar, le pôle écu (ou européen) et le pôle yen, et cette transformation reflète l'évolution des rapports de force au niveau international: le succès du système monétaire européen et la crédibilité de l'écu ont permis de créer une zone de relative stabilité des changes en Europe. Cette création d'un «système à l'intérieur du système» est certainement l'une des innovations les plus significatives depuis l'effondrement partiel du système de Bretton Woods. D'un autre côté, la montée remarquable de l'économie japonaise s'accompagne de la croissance des institutions financières nippones dont la

---

4. Sur les fluctuations du dollar, on se référera au chapitre 6.

5. On pense ici spécialement à la Réserve fédérale américaine dont les interventions sur le marché ont été extrêmement limitées tout au long des années 1980.

présence se fait de plus en plus sentir au niveau des marchés des capitaux. Longtemps les autorités japonaises ont résisté à l'internationalisation du yen, mais le mouvement dans cette direction semble irréversible. Si l'on ne peut, sur une base géographique, repérer une «zone yen» comme on repère actuellement la zone européenne, la place de cette devise ne peut que croître dans le futur système monétaire international.

2.3   Le système monétaire européen

L'une des conséquences indirectes de l'abandon du système de taux de change fixes, d'une certaine forme d'anarchie qui s'est établie sur les marchés des changes et aussi de la faiblesse du dollar à la fin des années 1970 a été la mise en place du système monétaire européen (SME).

2.3.1   Un précédent : le serpent monétaire européen

Dès la création de la Communauté européenne, les pays européens se sont efforcés de mettre en place des mécanismes pour assurer une harmonisation de leurs politiques économiques et monétaires. Un tel objectif, pour beaucoup, ne peut être atteint que si l'Europe refuse des fluctuations de change trop importantes entre les monnaies des différents pays de la Communauté. Dans le cadre des taux de change fixes, les pays européens tentèrent, à partir de 1970, de réduire les marges de fluctuations de leurs monnaies. Ils s'engagèrent à essayer de maintenir les fluctuations des monnaies européennes à ±0,6 %. Cette marge de fluctuation plus étroite se situait entre les bornes de ±1 % du système monétaire international. On parla, à l'époque, d'un serpent à l'intérieur du tunnel.

Cet effort fut néanmoins pris dans la tempête de l'année 1971 qui se termina par la définition de marges de fluctuations plus importantes à l'intérieur du SMI (±2,5 % au lieu de ±1 %) et par l'abandon des parités fixes deux ans plus tard. Les Européens tentèrent de garder un serpent élargi, mais cette construction se révéla trop fragile et, tour à tour, la livre sterling, la lire italienne, le franc français et les couronnes norvégienne et danoise sortirent du serpent[6].

2.3.2   Les éléments constitutifs du système monétaire européen (SME)

Cette première tentative, qui se soldait par un échec, allait néanmoins aider à la mise en place d'un système plus ambitieux et en même temps plus réussi : le SME. Ce système est né d'une volonté

---

6.   Sur la tentative du serpent européen, on pourra consulter entre autres : DAVID, J.H. «Système monétaire européen : un succès incontestable», *Banque*, février 1984.

politique: les principaux partenaires de la Communauté européenne décidèrent, en juillet 1978 à Brême, de mettre en place un système qui favoriserait la stabilité des monnaies européennes. Il entra en vigueur le 13 mars 1979.

Le SME repose sur une unité monétaire commune, l'écu, *European Currency Unit*, et sur un certain nombre de mécanismes de coopération et de stabilisation des changes.

a)   L'écu

La monnaie centrale du SME est un panier monétaire de même nature que le DTS. Ce panier est constitué de quantités fixes des monnaies des États membres de la Communauté européenne. Les poids relatifs des monnaies sont le reflet de l'importance des pays et de leur participation au commerce international.

L'écu a été créé officiellement en 1978. Il prenait la succession de l'Unité de compte européenne. Sa composition changea légèrement en 1984 pour inclure la drachme suite à l'entrée de la Grèce dans la Communauté européenne, puis à nouveau en 1989 lorsque l'Espagne et le Portugal devinrent membres[7].

Tableau 2.5 Composition de l'écu			
	13 mars 1979	17 sept. 1984	17 sept. 1989
Franc belge	3,66	3,71	3,301
Couronne danoise	0,217	0,219	0,1976
Franc français	1,15	1,31	1,332
Mark	0,828	0,719	0,6242
Livre irlandaise	0,00759	0,00871	0,008552
Lire italienne	109,0	140,0	151,8
Franc luxembourgeois	0,14	0,14	0,13
Florin	0,286	0,256	0,2198
Livre sterling	0,0885	0,0878	0,08784
Drachme	—	1,15	1,44
Peseta	—	—	6,88500
Escudo	—	—	1,393

b)   Le mécanisme de change à l'intérieur du SME

Conformément à l'esprit ayant présidé à la création du SME, les parités entre les monnaies sont stables mais ajustables. À l'intérieur du SME toutes les monnaies ont un cours central par rapport à l'écu et chaque monnaie peut varier par rapport à ce cours central (ou cours pivot).

---

7.   Statutairement la composition de l'écu est révisée tous les cinq ans.

À l'origine, il a été convenu que la marge de fluctuations par rapport au cours pivot serait de ±2,25 %. Cependant, pour tenir compte de circonstances particulières, la marge peut être de ±6 % pour certaines monnaies[8]. En fonction des fluctuations des taux de change, on peut calculer pour chaque monnaie un «indicateur de divergence» permettant de repérer les monnaies qui s'écartent le plus de leurs taux centraux. Le pays dont la monnaie diverge se doit d'intervenir pour éviter de s'écarter des marges permises. Le seuil de divergence est fixé à 75 % de la marge maximale. Mais l'intervention n'est pas unilatérale. En effet, pour les pays participant au *mécanisme de change européen,* l'accord instituant le SME a prévu que ce sont tous les membres dont les monnaies divergent qui doivent intervenir pour défendre les parités. Ils peuvent bénéficier des facilités de soutien mises à leur disposition par leurs partenaires dans le cadre du *Fonds européen de coopération monétaire* (ou FECOM).

Lorsque les marges ne peuvent plus être respectées, lorsqu'une monnaie dépasse son taux plancher ou son taux plafond, les autorités monétaires européennes procèdent, après concertation avec les pays membres, à un réalignement monétaire, c'est-à-dire à la définition de nouveaux cours centraux par rapport à l'écu.

2.3.3   L'expérience du système monétaire européen

On peut apprécier le fonctionnement effectif du SME en regardant ce qui s'est passé d'abord depuis sa création jusqu'en 1987, puis dans les années qui ont suivi 1987.

a)   Le SME jusqu'en 1987

Même si certains observateurs avaient exprimé des doutes sur les chances de succès du SME, à cause des disparités en matière d'inflation entre les pays membres et du fait de l'instabilité généralisée du marché des changes, cette initiative européenne se révéla très positive.

Grâce au SME, les fluctuations à l'intérieur de la zone européenne ont certainement été réduites. Cependant, les efforts concertés des participants n'ont pas été suffisants pour empêcher la réalisation de 11 réalignements (voir tableau 2.5); mais il fut remarquable que ceux-ci furent effectués dans le cadre prévu à cet effet par les accords instituant le système.

Par ailleurs, ces réalignements successifs ne remirent pas en cause l'écu, qui, petit à petit, commença à être reconnu sur les marchés et fut de plus en plus utilisé dans les transactions privées ou comme monnaie de soutien pour des financements internationaux.

---

8.   Ce fut le cas par exemple pour la lire entre 1979 et 1990, pour la livre sterling jusqu'en 1992 et pour la peseta et l'escudo depuis l'adhésion de l'Espagne et du Portugal à la Communauté européenne. La drachme n'a jamais fait partie du mécanisme de change.

Tableau 2.6

Changements de parités au sein du SME entre 1979 et 1987

1979

13 mars	Mise en œuvre officielle du système monétaire européen
24 sept.	Réévaluation du mark de 2 %
	Dévaluation de la couronne danoise de 2,9 %
30 nov.	Dévaluation de la couronne danoise de 4,8 %

1981

23 mars	Dévaluation de la lire de 6 %.
5 oct.	Réévaluation du mark et du florin de 5,5 %.
	Dévaluation du franc français et de la lire de 3 %.

1982

22 fév.	Dévaluation du franc belge et du franc luxembourgeois de 8,5 %.
	Dévaluation de la couronne danoise de 3 %.
	Réévaluation du mark et du florin de 4,25 %.
	Dévaluation du franc français de 5,75 %.
	Dévaluation de la lire de 2,75 %.

1983

21 mars	Réévaluation du mark de 5,5 %.
	Réévaluation du florin de 3,5 %.
	Réévaluation de la couronne danoise de 2,5 %.
	Réévaluation des francs belge et luxembourgeois de 1,5 %.
	Dévaluation du franc français et de la lire de 2,5 %.
	Dévaluation de la livre irlandaise de 3,5 %.

1985

2 juillet	Révaluation du mark, du florin, de la couronne danoise, du franc français, du franc belge, du franc luxembourgeois et de la livre irlandaise de 2 %.
	Dévaluation de la lire de 6 %.

1986

7 avril	Réévaluation du mark et du florin de 3 %.
	Réévaluation du franc belge, du franc luxembourgeois et de la couronne danoise de 1 %.
4 août	Dévaluation du franc français de 3 %.
	Dévaluation de la livre irlandaise de 8 %.

1987

12 janvier	Réévaluation du mark et du florin de 3 %.
	Réévaluation des francs belge et luxembourgeois de 2 %.

Source : BNP, Regards sur les changes.

---

b)   Le SME depuis 1987

Après le réalignement du 12 janvier 1987, le SME va connaître cinq ans de très grande stabilité dans la définition des cours pivots puisque seule la lire changea sa parité en janvier 1990 (tableau 2.6).

La construction européenne, qui sous-tend toute l'initiative du SME, connut une période euphorique. Tour à tour, on assista à l'entrée de la peseta dans le système, à l'acceptation de marges de fluctuations de ±2,25 % par l'Italie et à l'adhésion de la Grande-Bretagne au mécanisme d'échange européen.

En fait, le climat avait changé avec la décision, prise en 1985, de viser avant la fin du siècle la création d'une union économique et monétaire, et donc à la reconnaissance de l'écu comme monnaie unique.

La ratification du Traité de Maastrich, signé en février 1992, devait consacrée ce grand rapprochement européen. En fait, ce fut le signal d'une année fort mouvementée pour le SME. En effet, la politique anti-inflationniste en Allemagne[9] entraîna, durant l'automne, des tensions très fortes à l'intérieur du système, ce qui aboutit à une cascade de dévaluations et surtout à la suspension de la participation de la livre sterling au mécanisme de change, après que la Banque d'Angleterre eut perdu une de ses plus rudes batailles contre la spéculation.

L'année 1993 fut aussi marquée par des événements majeurs. Durant l'été, le franc français, qui avait résisté aux événements de l'automne précédent, fut attaqué à nouveau, et la seule parade trouvée par les autorités de Bruxelles fut de proposer un élargissement temporaire des marges de fluctuation à ±15 %.

Tableau 2.7
Principaux événements et changements de parités au sein du SME depuis 1987

	1989
19 juin	Entrée de la peseta dans la SME.
	1990
5 janvier	Réduction de la marge de fluctuation de la lire de 6 % à ±2,25 %, avec ajustement implicite du cours pivot à la baisse de 3,7 %.
8 oct.	Adhésion de la livre sterling au mécanisme de change du SME. (MCE).
	1992
6 avril	Adhésion de l'escudo au MCE.
14 sept.	Dévaluation de la lire de 3,5 %. Réévaluation des autres monnaies de 3,5 %.
16 sept.	Suspension de la participation de la livre sterling au MCE.
17 sept.	Dévaluation de la peseta de 5 %. Suspension temporaire des interventions obligatoires de la Banque d'Italie au titre du MCE.
23 nov.	Dévaluation de la peseta et de l'escudo de 6 %.
	1993
30 janvier	Dévaluation de la livre irlandaise de 10 %.
13 mai	Dévaluation de la peseta de 8 % et de l'escudo de 6,5 %.
2 août	Élargissement à ±15 %, des marges de fluctuation de toutes les monnaies.

Source: BNP, idem.

---

9.   On reviendra sur ces développements conjoncturels au chapitre 6.

Cette mesure fut présentée par certains comme un constat d'échec du SME; elle fut perçue par d'autres comme une mesure nécessaire pour sauver le système face à une situation exceptionnelle.

Ces événements, survenus en 1992-1993, eurent néanmoins un effet très négatif sur l'écu qui tout au cours de cette période perdit la part de marché qu'il avait conquis comme monnaie de soutien des émissions obligataires internationales.

* * *

Ainsi l'Europe a déployé des efforts soutenus pour créer une zone de stabilité relative des changes dans le cadre de la Communauté européenne. Les efforts contrastent avec l'absence de facteurs nouveaux sur le front du système international.

En fait, la réunion d'une nouvelle conférence du type de celle de Bretton Woods ne semble pas l'approche retenue pour régler ce que certains qualifient de désordre sur les marchés de change.

Investisseurs, emprunteurs et opérateurs sur les marchés des capitaux constatent que les gouvernements cherchent plutôt à harmoniser l'activité économique et coordonner les politiques de change, par le biais de «sommets» économiques ou à l'occasion des réunions du groupe des 7, mais ils constatent aussi que ces efforts de concertation portent exclusivement sur la recherche de solutions à des problèmes de court terme.

Les observateurs, quant à eux, enregistrent que le climat d'incertitude et la fragilité du cadre général de l'activité internationale n'ont pas empêché la croissance remarquable des marchés internationaux des capitaux; ils attribuent même l'extraordinaire développement des marchés de produits dérivés, dans les années 1980, à cet environnement peu stable.

RÉFÉRENCES BIBLIOGRAPHIQUES

Livres:

- Conseil économique du Canada, *Les marchés financiers canadiens et la mondialisation*, 1990.
- FRATIANNI, M., Von HAGEN, J. et WALLER, C., «The Maastrich Way to EMU», *Essays in International Finance*, Princeton, 1992.
- GIOVANNINI, A., «The Transition to European Monetary Union», *Essays in International Finance*, Princeton, 1990.
- KOLB, R., *The International Finance Reader*, Kolb Publishing Company, 1991.
- LELART, M., *Les opérations du fonds monétaire international*, 2e édition, Economica, 1988.
- LELART, M., *La construction monétaire européenne*, Dunod, 1994.
- SAMUELSON, A., *Relations financières internationales*, 2e édition, Dalloz, 1987.
- WILLIAMSON, J., *The Exchange Rate System*, Institute for International Economics, septembre 1983.

Articles:

- ADAM, N., «The Decline of the Central Banker», *Euromoney*, octobre 1985.
- AGLIETTA, M., «L'indépendance de la Banque de France», *Banque*, mai 1993.
- «An Analysis of Central Bank Independence in Some European Countries», *Ecu Newsletter*, juin 1993.
- B.R.I., Recent Developments in the Ecu Financial Markets, février 1992.
- CAMDESSUS, M., «Réflexions sur l'actualité monétaire internationale», *Bulletin trimestriel de la Banque de France*, septembre 1985.
- DADAS, A., «Système financier international: l'analyse de l'instabilité», *Banque*, mai 1993.
- FRANÇOIS, G., Peut-on reconstruire le système monétaire international?», *Banque*, février 1984.
- GENIÈRE (de la), R., «Critique du système monétaire international», *Banque*, mai 1990.
- *La Documentation française*, «L'Europe monétaire et financière», 1992.
- The Royal Bank of Canada, «The European Monetary System», *International Money Markets*, juillet 1991.
- *World Financial Markets*, «EMU off the Maastrich Launchpad», février 1992.

Chapitre 3
Eurodevises et financements internationaux

Les statistiques montrent que des volumes de plus en plus importants de dollars ont quitté les États-Unis à partir des années 1960. Leur destination première a été l'Europe, d'où le nom d'eurodollar qui leur fut donné. On les a retrouvés sous forme de dépôts d'abord auprès des filiales des banques américaines, puis auprès de d'autres banques, de toutes nationalités, établies principalement à Londres.

Si ces fonds « délocalisés » ont toujours été majoritairement des dollars, plusieurs devises se sont ajoutées à la monnaie américaine, dans d'autres centres financiers que Londres. C'est pourquoi on parle d'eurodevises pour décrire de façon générique tous ces dépôts en monnaies convertibles effectués dans des banques situées à l'extérieur du système monétaire de la devise considérée.

Dans la première partie de ce chapitre, on retracera l'origine des eurodevises, dans la seconde, on fera le lien entre le développement des euromarchés et l'internationalisation de l'activité des banques, on soulignera ensuite l'émergence de ce phénomène lié à la volonté des banques de travailler dans un cadre déréglementé et l'on s'intéressera à la spécificité des taux d'intérêt sur les euromarchés. Enfin, on présentera les conséquences de l'évolution récente des euromarchés.

3.1 L'apparition du marché des eurodollars

Le marché des eurodollars a pu se développer et prospérer parce qu'il répondait à des besoins économiques et financiers. Mais l'environnement politique et conjoncturel, ainsi que des changements réglementaires, ont présidé à son émergence.

3.1.1 La volonté de protéger les dépôts en dollars en période de tension internationale

Les observateurs ne s'accordent pas pour situer exactement dans le temps les premières manifestations tangibles de l'existence de ce marché; cela n'a rien d'étonnant dans la mesure où il s'est implanté sur une base essentiellement pragmatique. Toutefois, chacun convient du fait que le climat de «guerre froide» à la fin des années 1950 a joué un certain rôle.

Pour le financement d'une partie de son commerce international, l'Union soviétique disposait de fonds en dollars, placés aux États-Unis dans des banques américaines. Craignant de voir leurs actifs saisis ou gelés par les autorités américaines en cas de conflits ou simplement d'aggravation de la situation internationale, les autorités soviétiques décidèrent de déplacer ces fonds de New York vers Londres et Paris. L'Union soviétique disposait alors de banques dans chacune de ces places pour faciliter les opérations financières liées à leurs exportations et importations. Ainsi la Moscow Narodny Bank à Londres et la Banque commerciale pour l'Europe du Nord (dont le code de télex était Eurobank) se trouvèrent à disposer de fonds en dollars. En prêtant ces fonds, en dehors des États-Unis, ces banques alimentaient ce qui allait devenir le marché de l'eurodollar. Certains situent même avec précision la première transaction au 28 février 1957, lorsque la Moscow Narodny Bank effectua un prêt de 800 000 $ par l'intermédiaire d'une banque d'affaires de Londres[1].

---

1. On pourra trouver un compte rendu de ces développements de l'euromarché dans le chapitre écrit par HIGONNET, R.P. dans *Eurodollars and International Banking* édité par P. Savona et G. Sutija, St. Martin Press, New York, 1985. Dans un commentaire de ce chapitre, J.S. Little rappelle que ce marché existait de façon embryonnaire dès 1949, lorsque le nouveau gouvernement chinois avait placé ses avoirs en dollars auprès de banques suisses et de la Banque commerciale de l'Europe du Nord, et que les Russes furent incités à faire de même lorsque les Américains saisirent les actifs chinois détenus aux États-Unis au moment de la guerre de Corée.

De la même façon, en octobre 1956, au moment de la crise de Suez, le président américain, pour faire pression sur Israël, la France et la Grande-Bretagne, bloquait les avoirs en dollars que toutes les parties prenantes au conflit détenaient dans des banques aux États-Unis. Cette mesure ne fut appliquée que quelques semaines ; mais la démonstration était faite que des dollars détenus aux États-Unis par des non-résidents pouvaient devenir non liquides en cas de tensions internationales[2].

3.1.2   La crise de la livre sterling en 1957

L'émergence du marché des eurodollars allait aussi être facilitée indirectement par la crise de la livre sterling dans les années 1950. Ayant perdu son rôle international traditionnel, cette devise connut alors une longue suite de difficultés engendrées en grande partie par l'existence de livres sterling détenues hors du Royaume-Uni.

Dans le but de protéger la livre, la Banque d'Angleterre imposa en 1957 des limites aux crédits en livres sterling pour financer du commerce extérieur en dehors de la zone sterling. Parallèlement, la Banque d'Angleterre fit monter le taux directeur jusqu'à 7 % (ce qui était considérable pour l'époque). Les banques britanniques eurent alors recours au dollar, abondant, et commandant un taux d'intérêt beaucoup plus faible. Comme le souligne J.S. Little : « l'impact de ces restrictions fut sans doute beaucoup plus symbolique qu'effectif : c'était en fait un signal que le rôle de la livre sterling comme monnaie internationale était chose du passé, et que l'avenir de Londres reposait beaucoup plus sur sa capacité de tabler sur son expertise et sur son réseau de banques étrangères afin d'effectuer des transactions dans une autre unité monétaire que le sterling[3] ».

Cette volonté de la City de recycler son expertise et d'exploiter au mieux ses avantages, au moment où lui échappait son leadership traditionnel, a fait beaucoup pour le développement de l'euro-marché qui trouva à Londres tous les éléments nécessaires à son épanouissement. Le *rapport Radcliffe* de 1959 devait confirmer cet état de fait en soutenant qu'il était plus important que le commerce soit financé à Londres que d'être effectué en livres sterling.

3.1.3   Le rôle de la réglementation américaine

Le déplacement d'activités de financement international en dollars de New York à Londres allait en outre être facilité par certaines réglementations américaines.

---

2.   LELART, M., « Le phénomène de l'eurodollar », *Cahiers du CETAI*, n° 78-04, HEC, Montréal, 1978, p. 3-4.

3.   LITTLE, J.S., *op. cit.*, p. 53.

a) La réglementation Q

La Réserve fédérale américaine disposait, dans son arsenal destiné à contrôler le crédit, d'une arme dont les effets secondaires imprévus allaient jouer un rôle décisif dans le développement de l'euromarché: la réglementation Q.

Selon cette réglementation, les banques américaines ne pouvaient dépasser un certain nombre de plafonds pour la rémunération de leurs dépôts à court terme[4]. On pensait disposer ici d'un instrument puissant pour limiter l'expansion de l'activité des banques: en cas de hausse des taux d'intérêt au-delà de ces plafonds, les banques ne seraient plus en mesure d'attirer des dépôts, elles se trouvaient par le fait même limitées dans leur activité de prêts. Cet instrument aurait pu avoir les effets escomptés dans le cadre d'une économie fermée: peu d'attention lui avait par ailleurs été accordée dans la mesure où, durant toutes les années 1950 et au début des années 1960, les taux d'intérêt ont toujours été inférieurs aux taux maximaux prévus par la réglementation Q.

Mais en 1967, une politique restrictive de la Réserve fédérale fit monter les taux au-dessus des taux maximaux prévus par la réglementation Q. Dès lors, les déposants retirèrent leurs fonds auprès des banques à New York et allèrent les placer, en dollars, auprès des banques à Londres. De façon tout à fait remarquable, une partie des dépôts qui quittèrent des banques américaines à New York se retrouvèrent au bilan des filiales de ces mêmes banques à Londres[5]. Il y avait pour les banques un autre avantage: les filiales à Londres n'étaient pas soumises aux réserves obligatoires comme aux États-Unis.

Le décollage du marché de l'eurodollar à la fin des années 1960 peut être relié à cet effet secondaire et inattendu de la réglementation Q.

La Réserve fédérale constatant que les banques américaines, par le biais de leurs établissements londoniens, contournaient la réglementation, réagit en 1969, mais en fait l'euromarché avait beaucoup gagné en visibilité et en crédibilité. Dès cette phase préliminaire, il avait démontré son efficacité et sa capacité d'adaptation. Il est vraisemblable que, même sans la réglementation Q, l'euromarché se serait développé. Elle servit néanmoins de tremplin à son développement en accélérant, entre autres, l'internationalisation de l'activité des banques américaines. De plus, l'afflux de dépôts à Londres allait susciter une forte croissance de la demande de dollars sur l'euromarché. Lorsque la Réserve fédérale en 1970 abolit la

---

4. Ces plafonds étaient de 6,25 % pour les dépôts de 30 à 59 jours et de 7,5 % pour les dépôts d'un an et plus.

5. Une filiale d'une banque américaine à Londres est une banque de droit britannique; ainsi, un dépôt à Londres auprès d'une filiale américaine est un dépôt en eurodollars.

réglementation Q, supprimant a priori un des avantages à passer par Londres, le marché continua à prospérer. Il est vrai qu'au moment où le rôle de la réglementation Q s'estompait, les effets seconds d'une autre réglementation américaine allaient soutenir le développement de l'euromarché.

b)   L'IET

Cette réglementation, l'*Interest Equalization Tax* (IET), date de 1965. Cette taxe prélevée sur les contribuables américains, avait pour but de réduire le déficit de la balance des paiements des États-Unis, question qui, à l'époque, commençait à inquiéter à la fois les autorités américaines et le Fonds monétaire international.

L'une des causes de la sortie des dollars des États-Unis résidait dans les emprunts effectués par les entreprises étrangères à New York; elles y étaient attirées par la disponibilité de fonds et des taux d'intérêt favorables. En taxant les intérêts perçus par les résidents américains sur des prêts consentis aux non-résidents, l'administration américaine avait pensé enrayer cette hémorragie de dollars. La taxe (l'IET) devait conduire les prêteurs à exiger des taux d'intérêt plus élevés, afin que le rendement après impôt soit sensiblement le même que celui obtenu sur des prêts à des résidents. L'avantage du financement en dollars à des taux très bas disparaissait pour les emprunteurs non-résidents.

Ce mécanisme avait été conçu sans tenir compte de l'émergence de l'euromarché dont la présence allait produire des effets tout à fait opposés à ceux escomptés. En effet, le renchérissement du coût du financement sur les marchés financiers américains, conduisit les grandes entreprises étrangères et, en règle générale, les non-résidents à aller chercher les dollars là où ils étaient disponibles et à un coût moindre, c'est-à-dire sur l'euromarché. L'absence de réglementation et l'exonération fiscale rendaient les taux d'intérêt à Londres beaucoup plus attrayants. Le déplacement de la demande de dollars de New York à Londres eut comme effet secondaire d'accélérer les sorties de dollars vers les marchés européens, où ces dépôts alimentaient les eurobanques.

Lorsque les autorités américaines réalisèrent, un peu plus tard, que l'IET avait en fait les effets opposés à ceux escomptés, ils abolirent cette réglementation en 1974; le marché de l'eurodollar avait depuis bien longtemps gagné ses lettres de noblesse. Bientôt arriveraient les surplus pétroliers dont le recyclage allait donner une dimension nouvelle à ce marché.

c)   L'impact du VFCR

Une troisième réglementation américaine, instaurée en 1968, eut aussi un impact sur le développement de l'euromarché, mais cet impact fut sans doute moindre que ceux engendrés par la réglementation Q et l'IET. Il s'agit de la *Voluntary Foreign Credit Restraint* directive enjoignant les entreprises américaines d'éviter de faire sortir des capitaux en dollars pour financer leur expansion outremer. Comme pour l'IET, il s'agissait ici d'éviter d'accroître le déficit de la balance des paiements. Or, si sur une base volontaire les entreprises américaines acceptaient de se plier à ce programme, rien ne les empêchait de trouver les dollars nécessaires à leur expansion à l'étranger sur le nouveau marché non réglementé où ne s'appliquait pas la VFCR: l'euromarché. Sans qu'il soit possible de mesurer l'impact de cette directive, elle incitait indirectement les entreprises américaines à avoir recours à l'euromarché et conduisait ainsi au déplacement de l'activité de financement en dollars de New York vers l'Europe.

3.2   L'euromarché et l'internationalisation de l'activité bancaire internationale

Lorsque l'on s'intéresse à l'émergence de l'euromarché, on ne doit pas oublier qu'elle s'est effectuée parallèlement au développement de l'activité internationale des banques à travers le monde.

3.2.1   Le rôle moteur des banques américaines

Les banques américaines ont été les premières à s'engager massivement sur la voie de l'internationalisation. Elles l'ont fait tout d'abord pour suivre leurs clients et principalement les compagnies multinationales qui, dans les années 1950 et 1960, étaient essentiellement des entreprises d'origine américaine. Lors de leur implantation, elles furent d'ailleurs, dans bien des pays, contraintes de se limiter à ce genre de clientèle, la réglementation locale leur interdisant de participer à part entière aux marchés domestiques. Elles concentrèrent leur activité sur certains créneaux, là où leur taille et leur expertise jouaient en leur faveur: circulation des fonds à l'échelle mondiale, gestion de trésorerie, financements internationaux à long terme, etc.

Mais de ces activités de réseaux, elles passèrent rapidement à des activités d'intermédiation et d'arbitrage, et profitèrent de la demande de dollars par des institutions financières non américaines.

3.2.2   Un véhicule privilégié de développement pour les banques non américaines

Au cours des années 1970, on a assisté à une remarquable poussée des banques européennes (et canadiennes) sur les marchés internationaux des capitaux. Il s'agissait tout d'abord pour elles de rattraper l'avance prise par les banques américaines dans ce domaine; il s'agissait aussi d'assurer leur présence sur des marchés particulièrement rémunérateurs.

Cette volonté des banques commerciales européennes (et canadiennes) d'augmenter leur volume d'affaires internationales (et donc initialement leur volume d'affaires en dollars) a grandement favorisé l'expansion du marché euro. En effet, pour ces banques non américaines la question se posait de savoir où trouver les dollars dont elles avaient besoin. Elles auraient pu les obtenir en allant s'installer aux États-Unis ou en y accroissant leur présence. Mais une autre méthode s'est présentée: en collectant des fonds sur l'euromarché, en participant au marché interbancaire international et en prenant des participations dans des eurocrédits, elles aboutirent au même résultat, sans avoir à pénétrer sur le marché américain. Elles purent le faire à un coût moindre et dans un environnement où l'anonymat et l'absence de réglementation rendaient l'entrée moins visible qu'aux États-Unis.

Par ailleurs, les autorités gouvernementales des pays européens acceptèrent tacitement cette direction nouvelle de leurs banques commerciales; elles craignaient, en effet, que dans la nouvelle donne à l'échelle internationale, leurs banques ne soient exclues si elles ne participaient pas au développement des euromarchés.

Les observateurs enregistrèrent que cette attitude de laisser-faire à l'égard des activités internationales des banques contrastait singulièrement avec le maintien ou la mise en place, au plan domestique, de réglementations très restrictives (encadrement du crédit, plafonds, contrôles, limitations ou cloisonnements) qui s'accompagnaient souvent d'un système de taxation pénalisant dans un contexte de compétition internationale[6].

3.2.3   L'arrivée massive des banques japonaises, entre 1985 et 1990

Les succès impressionnants de l'économie japonaise, la puissance de ses entreprises et l'appréciation continuelle du yen à partir de 1985 ont beaucoup contribué à la richesse des banques nippones. Or, leur présence au plan international, au milieu des années 1980, n'était pas à la hauteur de leur taille et de leur puissance potentielle.

Tout allait changer en quelques années et, encore une fois, l'euromaché a joué un rôle déterminant dans le redéploiement planétaire de ces banques. Quelques chiffres donnent une idée de l'ampleur de cette avancée. À la fin de l'année 1985, les créances internationales étaient de 707 milliards de dollars, quatre ans plus tard elles étaient de 1 967 milliards de dollars[7]. Les banques nippones ont été responsables à elles seules de 90 % de la croissance de

---

6.   Cette contradiction était particulièrement frappante dans le cas des banques françaises, compte tenu du fait que les plus importantes d'entre elles étaient des banques nationalisées.

7.   Ces chiffres tiennent compte de la croissance de leur activité interbancaire.

l'ensemble des positions bancaires internationales en 1988 et de 40 % de leur accroissement en 1989; or, la moitié de cette croissance phénoménale l'a été par leurs filiales à l'étranger. Sans la souplesse et l'adaptibilité des euromarchés, elles n'auraient jamais pu soutenir un tel niveau d'activité.

3.3   La volonté de travailler dans un cadre déréglementé

Quand on regarde l'historique de l'apparition et du développement des euromarchés, on constate que leur émergence et leur expansion ne furent pas le résultat d'une action délibérée d'une quelconque autorité de tutelle qui aurait décidé de délocaliser l'activité financière de ses centres financiers naturels, c'est-à-dire de ses centres financiers domestiques. À bien des égards, il s'agit plutôt d'un phénomène de génération spontanée.

Or, les observateurs du phénomène des eurodevises et de nombreux économistes qui ont commenté et analysé ces nouveaux marchés, au moment de leur apparition à la fin des années 1960 et au début des années 1970, ont certainement mal compris ce qui était en train de se passer.

Parce que l'on était obnubilé par la question des déficits de la balance des paiements américaine, parce que l'attention était attirée par les problèmes du fonctionnement du système monétaire international et par les premiers signes de craquement de toute la construction imaginée à Bretton Woods, on eut tendance à analyser le phénomène des eurodollars d'un point de vue strictement macroéconomique. Un nombre impressionnant d'articles fut alors écrit autour de l'épineuse question du multiplicateur des eurodollars. Ce fut un belle querelle. Mais, en fait, on passait sans doute à côté de la question la plus importante pour expliquer ce qui était en train d'arriver et qui allait révolutionner les marchés internationaux des capitaux.

Le phénomène de l'eurodollar était en fait l'amorce d'un mouvement irréversible de l'industrie bancaire internationale qui cherchait à *faire passer de plus en plus d'activités du secteur réglementé au secteur non réglementé, c'est-à-dire du secteur domestique au secteur international.*

Et foncièrement cette volonté est la cause principale du développement des euromarchés. Bien des raisons militaient en faveur d'un développement à Londres; mais en particulier les banques, quelle que soit la nationalité de leur capital, pouvaient y recevoir des dépôts sans restrictions et n'avaient ni à respecter de plafond de taux d'intérêt ni à maintenir des réserves obligatoires tant et aussi longtemps que les dépôts reçus n'étaient pas en livres sterling. De plus, les autorités britanniques ne prélevaient pas de retenues à la source sur les paiements d'intérêt. Par ailleurs, tout au moins à l'origine, la surveillance exercée par la Banque d'Angleterre sur ces activités des banques étrangères n'était que très peu contraignante.

Il y a eu ainsi une remarquable concordance entre les stratégies d'expansion du système bancaire international et la volonté d'une place financière d'accueillir ce nouveau marché. Londres, dans un premier temps, a profité de cet état de fait; mais rapidement d'autres pays et d'autres places financières se rendirent compte de l'intérêt que présentait ce marché. L'euromarché a d'ailleurs toujours bénéficié de cette concurrence potentielle entre centres financiers prêts à consentir l'environnement réglementaire propice.

3.4   Les taux d'intérêt au cours de la période d'émergence et de croissance

3.4.1   Des taux propres à l'euromarché

Très rapidement après le démarrage des euromarchés, la pratique s'est répandue d'avoir recours à des taux spécifiques à ces marchés. Ainsi se sont imposés des taux d'intérêt servant de référence aussi connus et reconnus que les taux d'intérêt domestiques. Aujourd'hui le LIBOR (*London Interbank Offered Rate*) est aussi familier pour un emprunteur ou un gestionnaire de portefeuille que le taux préférentiel (*prime rate*) américain[8].

Il y eut donc des taux d'intérêt spécifiques aux marché euro, mais ils n'étaient pas coupés de ceux en vigueur sur les marchés nationaux. Après tout un dépôt en eurodollars à Londres ou un dépôt en dollars à New York, restent foncièrement des dépôts en dollars des États-Unis.

3.4.2   L'écart entre les taux d'intérêt du marché eurodollar et ceux du marché domestique, de 1972 à 1982

L'observation des taux d'intérêt au cours des premières années des marchés euro permet de constater qu'en général, la rémunération obtenue par les déposants sur l'euromarché était plus élevée que celle obtenue sur le marché domestique. Par ailleurs, les taux d'intérêt demandés aux emprunteurs étaient plus élevés sur les marchés domestiques que sur les marchés euro.

On peut donc schématiser en disant que généralement les taux créditeurs et débiteurs sur les euromarchés étaient compris à l'intérieur de la bande de fluctuations des taux créditeurs et débiteurs sur les marchés domestiques.

---

8.   Quelques autres taux ont été utilisés sur les euromarchés en différentes occasions: par exemple, pour certaines transactions on a eu recours aux taux suivants:
   – le Singapore Interbank Offered Rate (Sibor)
   – le Luxembourg Interbank Offered Rate (Luxibor)
   – le Bahrain Interbank Offered Rate (Bibor)
   – le Hong Kong Interbank Offered Rate, etc.

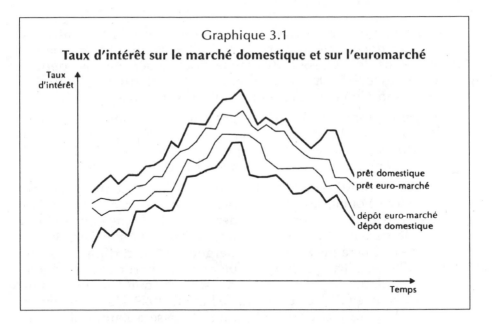

Graphique 3.1

Taux d'intérêt sur le marché domestique et sur l'euromarché

Taux d'intérêt

prêt domestique
prêt euro-marché

dépôt euro-marché
dépôt domestique

Temps

Ainsi la marge brute des eurobanques était, en général, plus faible que celle des banques opérant sur le marché américain.

Tous les commentateurs des euromarchés associaient cette marge plus étroite des eurobanques à leur efficacité et à leur avantage de coût. La source de cet avantage résidait principalement dans l'absence de réglementation et de réserves obligatoires[9]. De plus, on soulignait que les taux sur les dépôts devaient être plus élevés pour compenser pour le risque supérieur des eurobanques. Plusieurs raisons étaient avancées:

- les eurobanques étaient, en règle générale, nettement moins capitalisées que les banques domestiques;
- même si la plupart des eurobanques étaient des filiales de grandes banques internationales, elles étaient néanmoins juridiquement et administrativement autonomes;
- la responsabilité de la surveillance de l'activité des eurobanques était assez floue[10];
- il n'y avait pas de prêteur de dernier ressort pour les eurobanques[11].

---

9. À titre d'exemple, I.H. Giddy estimait qu'avec un taux d'intérêt de 15%, l'imposition d'un coefficient de réserve de 5% au niveau domestique se traduisait par un avantage de 70 points de base pour les eurobanques. Cf. GIDDY, I.H., «Eurocurrency interest rates and their linkages» in GEORGE, A.M. et GIDDY, I.H., *International Finance Handbook*, John Wiley and Sons, 1983.

10. LEROUX, F., «Évolution de la coordination dans la surveillance de l'activité internationale des banques: le nouveau concordat de Bâle», *Le Banquier*, avril 1984.

11. «National Lender of Last Resort in an International Banking System», *FMI Occasional Paper*, n° 17, 1983.

De nombreuses études ont mis en évidence l'écart entre les taux sur les dépôts au cours des années 1970[12]. Il est vrai que les comparaisons de taux sont plus faciles à effectuer pour les dépôts que pour les prêts. On peut en effet aisément trouver, pour les dépôts, des instruments identiques sur deux marchés.

Sur le graphique 3.2, on a représenté l'évolution du différentiel de taux entre les dépôts à trois mois en dollars à Londres et à New York. On constate aisément que sur la période 1972-1983, les déposants bénéficiaient d'un avantage très net à Londres.

L'écart entre les deux marchés n'a pas été constant ; il a connu une première pointe, jusqu'a 140 points de base, au moment du premier choc pétrolier, lorsque la demande de fonds était importante de la part des banques non américaines pour participer au marché des eurocrédits en pleine émergence. L'écart diminua entre 1975 et 1978, puis il augmenta sensiblement, en partie à cause d'une demande toujours très forte, mais aussi parce que les taux nominaux montèrent en flèche vers la fin de l'année 1979. L'écart redevint considérable pour atteindre 180 points de base à l'automne 1981. Ce fut un sommet à partir duquel il commença une désescalade incessante.

Par ailleurs, les observations statistiques faites sur cette période confirmaient que les taux consentis aux emprunteurs étaient sensiblement moins élevés sur le marché euro ; mais l'amplitude, là aussi, n'était pas constante[13].

3.5   Euromarchés et globalisation

La déréglementation des marchés financiers domestiques, la réduction très sensible des taux de réserves obligatoires et le début du mouvement de globalisation qui caractérisa le milieu des années 1980[14] firent perdre aux euromarchés une partie de leurs aspects distinctifs.

3.5.1   Succès et imitation

La délocalisation de l'activité bancaire connaissant un tel succès, les autorités dans plusieurs pays s'efforcèrent de recréer sur place des avantages dont bénéficaient les eurobanques. Mais en fait, elles durent aller plus avant et procéder à la déréglementation de leurs marchés domestiques.

---

12.   JOHNSON, R.B., «Some Aspects of the Determination of Eurocurrency Interest Rates», Bank of England, *Quarterly Bulletin*, March 1979.

13.   CORNELL, B. et SAND, O.C., «The Value of Base Rate Options in the Eurocredit Market», *Journal of Bank Research*, Spring 1985.

14.   On se référera au chapitre 6.

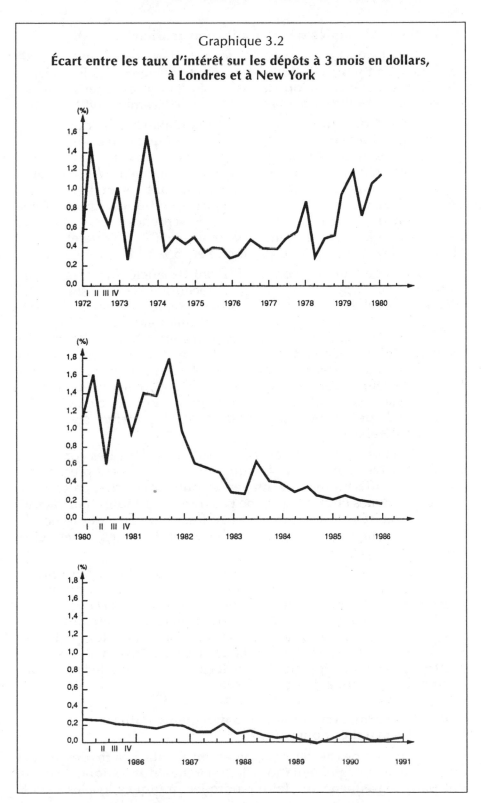

Graphique 3.2

Écart entre les taux d'intérêt sur les dépôts à 3 mois en dollars, à Londres et à New York

a)   Deux exemples de délocalisation artificielle

Au début des années 1980, les autorités américaines décidèrent qu'il était temps d'aider les places financières des États-Unis. Ceci aboutit à la création des Facilités bancaires internationales (*International Banking Facilities, ou IBF*), le 3 décembre 1981.

Le but poursuivi était d'offrir aux États-Unis mêmes un certain nombre d'avantages comparables à ceux que l'on pouvait obtenir à Londres, tout en protégeant le marché américain. Les IBF sont des entités, souvent localisées dans les bureaux mêmes des banques des grands centres financiers américains, faisant l'objet d'une comptabilité séparée et soumises à des règles spécifiques. En fait, toute institution recevant des dépôts peut entreprendre les démarches nécessaires à la création d'une IBF. Environ 50 % d'entre elles sont situées à New York, 15 % en Californie et 15 % à Miami.

Lors de leur création, les IBF ont bénéficié d'avantages importants par rapport au banques locales. C'est ainsi qu'elles n'étaient pas obligées de constituer des réserves, de payer des cotisations d'assurance-dépôt; elles étaient aussi exemptées des taxes locales et n'étaient soumises à aucune réglementation affectant les plafonds de taux d'intérêt. Cependant les IBF ne pouvaient recevoir de dépôts ou accorder des crédits aux résidents américains (sauf à l'égard de leur maison-mère, le cas échéant), elles ne pouvaient recevoir que des dépôts à terme et ne pouvaient donc émettre des certificats de dépôts négociables; de plus, elles étaient soumises à l'impôt fédéral américain.

Comme on le voit, les IBF travaillaient dans des conditions plus restrictives que les eurobanques, mais il s'agissait d'offrir des conditions suffisamment avantageuses pour permettre, en particulier, aux banques étrangères de ne pas transférer toutes leurs activités vers Londres ou les autres centres financiers offrant des conditions plus adaptées (du point de vue des banques), que celles prévalant à New York.

C'est aussi pour se rapprocher des conditions rencontrées sur l'euromarché que le 1er décembre 1986, les autorités japonaises permirent la création du marché offshore japonais (*The Japan Offshore Market, ou JOM*). En créant ce marché, le ministère des Finances permettait aux banques japonaises d'accorder des prêts aux non-résidents et de recevoir d'eux des dépôts, sans avoir à se soumettre à toute la réglementation locale et en bénéficiant d'une exemption d'impôt assez généralisée.

b)   Les euromarchés forcent la déréglementation des marchés domestiques

Au-delà de ces deux exemples, on assista, à la fin des années 1980, à une déréglementation des marchés domestiques, ce qui eut pour conséquence de faire tendre les pratiques locales vers le modèle de l'euromarché. Les succès de ce modèle, lui faisaient perdre, par imitation, une partie de sa spécificité.

Tous les pays ne se plièrent pas à ces nouvelles règles de la concurrence mondiale avec le même enthousiasme, mais il est facile de constater que les rapprochements des modes de fonctionnement et des structures des marchés bancaires et monétaires dans la plupart des pays industrialisés ont coïncidé avec la participation de plus en plus active de leurs banques respectives à l'euromarché.

3.5.2 Effacement de l'avantage en matière de taux

L'une des conséquences de ces rapprochements a été la diminution sensible, puis la quasi-disparition de l'écart entre les taux pratiqués sur chacun des segments.

Dans un premier temps, la réduction de l'écart se fit parallèlement à la baisse des taux nominaux. Comme on peut le voir sur le graphique 3.2, le différentiel était d'environ 30 points de base, en 1984; cinq ans plus tard, il était en moyenne d'environ 10 points; il devait tomber à trois points de base en 1992.

* * *

Ces profonds changements pouvaient faire craindre une diminution de l'activité sur les marchés en eurodevises. Ce n'est pourtant pas ce qui fut enregistré. Le succès persistant de ces marchés, et spécialement du marché londonien, tient beaucoup plus aujourd'hui à l'expertise accumulée, à l'environnement fiscal favorable et aux avantages liés à la taille qu'au seul différentiel de taux.

Annexe 3.A

Les instruments de dépôt sur les euromarchés

Les eurobanques reçoivent des dépôts qui leur permettent d'effectuer des prêts. Ceci se fait traditionnellement à l'aide de deux types d'instruments: les dépôts à terme et les certificats de dépôts. Ces deux instruments ont en commun d'avoir des échéances courtes. Les engagements des banques ne se limitent pas à ces deux seuls instruments, mais nous réservons leur présentation pour d'autres chapitres[15].

a) Les dépôts à terme

La façon la plus traditionnelle de recueillir des fonds pour les banques internationales a été d'accepter des dépôts pour une durée déterminée à taux fixe. L'échéance et le terme sont convenus entre les parties le jour du dépôt. Il s'agit d'un mode de placement de liquidités à court terme extrêmement simple où le déposant va pouvoir choisir ses échéances, au jour près, en fonction de son propre calendrier d'utilisation des fonds.

Les échéances sont habituellement entre 1 jour et 5 ans mais la majeure partie des dépôts se fait avec des échéances comprises entre 7 jours et 6 mois.

Même si, par définition, ces dépôts sont faits pour une période fixe et prédéterminée, la plupart des institutions offrent la possibilité de retraits anticipés, sous certaines conditions et moyennant une pénalité sur le taux d'intérêt payé sur toute la période courue. La pratique semble néanmoins démontrer que cette possibilité est peu utilisée; les déposants préfèrent emprunter pour de très courtes périodes quitte à utiliser les dépôts comme collatéral.

b) Les certificats de dépôt

Il s'agit de titres, généralement à court terme, émis par les banques et qui sont négociables en tout temps. Ces certificats de dépôt ont été introduits sur le marché de Londres en 1967, pour répondre aux besoins de flexibilité et de liquidité de détenteurs de dollars. On visait à l'origine des déposants non bancaires en particulier; on pensait offrir un instrument mieux adapté que les dépôts à terme aux besoins des trésoriers des firmes multinationales et des maisons spécialisées dans le commerce international.

---

15. On verra certains de ces instruments aux chapitres 10, 13 et 14.

La liquidité de ces certificats de dépôt est assurée par un marché secondaire très actif: ainsi un détenteur de certificat peut, en tout temps, obtenir les fonds dont il peut avoir besoin avant l'échéance de son certificat sans avoir à encourir une pénalité comme dans le cas des dépôts à terme. Les transactions sont facilitées par l'absence de documentation: les titres, en fait, sont émis au porteur. Plusieurs banques à Londres assurent le rôle de «market-makers» en étant toujours prêtes à acheter et à vendre les certificats des noms les mieux connus. La compensation se fait entre banques à Londres. Les eurobanques les plus actives sur le marché émettent sur une base régulière de ces certificats assurant toute une série d'échéances et de dénominations.

L'avantage de la liquidité accrue des certificats de dépôt par rapport aux dépôts à terme se reflète dans les taux d'intérêt respectifs de ces deux instruments. On peut estimer que pour une même échéance (disons 3 mois) le taux sur les CDs sera inférieur d'environ $1/8\%$ à celui offert sur les TDs.

Même s'il est surveillé par la Banque d'Angleterre, ce marché n'est pas l'objet d'une réglementation abondante. Par ailleurs, aucun impôt n'est retenu sur les intérêts versés.

En matière d'émission on distingue généralement deux types de certificats de dépôt: les «Tap CDs» et les «Tranche CDs».

Les «Tap CDs» sont des certificats de dépôt émis de façon sporadique par une banque, en fonction de ses besoins du moment. Le fait d'émettre ainsi sans avertissement, a pour conséquence que ces certificats de dépôt trouvent preneur essentiellement auprès des banques. Généralement ces titres se présentent en coupures importantes.

Les «Tranche CDs» se rapprochent des émissions plus classiques de titres. Les banques font connaître à l'avance leur programme d'émissions et les titres sont placés par l'intermédiaire de courtiers et de groupes de placement. Les émissions sont en conséquence de plus grande taille et ces certificats étant destinés à une clientèle plus vaste sont offerts en dénomination plus petite (jusqu'à 10 000 $ par exemple). Ces CDs, plus classiques, sont cotés et bénéficient d'une plus forte liquidité.

Annexe 3.B

Taille du marché des eurodevises
ou volume des financements internationaux?

Le repérage de la taille du marché des eurodevises a toujours posé de sérieux problèmes statistiques. Pendant longtemps, on disposait pour le faire de deux sources: la Morgan Guaranty Trust publiait des données dans *World Financial Markets* et l'on pouvait se référer aux séries publiées par la Banque des règlements internationaux (BRI) dans son rapport annuel.

Aujourd'hui, cette double source n'est plus disponible puisque la Morgan Guaranty ne publie plus de statistiques de cette nature, depuis la fin des années 1980, et la BRI, de son côté, s'attache beaucoup plus aux statistiques du marché international dans son ensemble, en partie parce que les frontières entre les segments euro et le reste du marché sont devenues, au cours des années 1980, de plus en plus floues.

Les comparaisons intertemporelles sont aussi devenues difficiles, en raison des distorsions engendrées par les variations de change et parce que la «zone déclarante» de la BRI a évolué au fil du temps. En 1963, elle ne couvrait que les pays suivants: Allemagne, Belgique, Luxembourg, France, Italie, Pays-Bas, Royaume-Uni, Suède, Suisse, Canada et Japon. Au début des années 1990, la zone déclarante comprend les pays du Groupe des 10 plus le Luxembourg, l'Autriche, le Danemark, l'Espagne, la Finlande, l'Irlande, la Norvège, les Antilles néerlandaises, les Bahamas, les îles Caïmans, Hong Kong, Singapour, ainsi que les succursales des banques américaines au Panama.

À titre indicatif, on peut retenir les chiffres suivants comme **estimation** de la taille[16] du marché des eurodevises entre 1973 et 1988, en milliards de dollars.

	Taille brute	Taille nette
1973	247	132
1978	912	377
1983	2050	875
1988	4480	1370

Aujourd'hui les statistiques de la BRI s'attachent beaucoup moins à la mesure du volume des eurodevises. Elles mettent plutôt

---

16. La différence entre la taille brute et la taille nette correspond à l'activité interbancaire.

en relief l'évolution des financements internationaux dans leur ensemble. Il est vrai que comme l'écrit J.M. Kertudo, de la BRI, «dans le processus de gommage des distinctions entre pays, marchés, institutions, échéances et instruments, de déconnection des risques de leur support de base, mais aussi de découplement des sphères réelle et financière, la question d'identification statistique de l'euromarché est tout à fait secondaire[17]».

On trouvera ci-après un exemple de la façon dont se présentent maintenant les tableaux synthétiques de la BRI.

Tableau 3.B
Financements nets sur les marchés internationaux (estimations)

Composante	Variation						Montant à fin 1992
	1987	1988	1989	1990	1991	1992	
			en milliards de dollars É.-U.				
Créances externes des banques déclarantes	601,8	436,1	684,9	608,3	−54,7	180,5	6 197,6
Créances internes en devises	163,0	74,8	122,2	105,9	−48,7	−24,7	1 154,0
Moins: dépôts interbancaires	444,8	250,9	397,1	249,2	−183,4	−39,2	3 691,6
A = Prêts bancaires internationaux nets	320,0	260,0	410,0	465,0	80,0	195,0	3 660,0
B = Tirages nets d'euro-effets	23,4	19,5	6,9	30,9	32,5	37,5	176,9
Émissions d'obligations internationales	180,5	221,6	264,7	239,8	319,7	340,0	
moins: amortissements et rachats	72,6	82,5	89,4	107,9	149,3	222,5	
C = Financement obligataire net	107,9	139,1	175,3	131,9	170,4	117,5	1 687,2
D = A + B + C = Total des financements	451,3	418,6	592,2	627,8	282,9	250,0	5 524,1
moins: duplications d'écritures	51,3	68,6	77,2	77,8	37,9	70,0	584,1
E = Financements internationaux nets	400,0	350,0	515,0	550,0	245,0	280,0	4 940,0

Source: BRI, 63e Rapport annuel, juin 1993.

---

17. Kertudo, J.M., «Champ planétaire et euromodèle», *Banque*, juin 1990, p. 637.

RÉFÉRENCES BIBLIOGRAPHIQUES

Livres:

- Conseil économique du Canada, *Le nouvel espace financier: les marchés canadiens et la mondialisation*, 1989.
- DUFEY, G. et GIDDY, I., *The International Money Market*, Prentice Hall, 1978.
- SAMUELSON, A., *Relations financières internationales*, Dalloz, 1987.
- SARVER, E., *The Eurocurreny Market Handbook*, New York Institute of Finance, 2ᵉ édition, 1990.

Articles:

- ALIBER, R. Z., «Eurodollars: An Economic Analysis», in SAVONA, P. et SUTIJA, G., *Eurodollars and International Banking*, St-Martin Press, 1985.
- AMMARA, A., «Processus et profils d'internationalisation des banques», *Cahier du CETAI 80-05*, mai 1980.
- CORNELL, B. et SAND, O. C., «The Value of Base Rate Options in the Eurocredit Market», *Journal of Bank Research*, printemps 1985.
- DUFLOUX, C. et MARGULICI, L., *Finance internationale et marchés de gré à gré*, Economica, 1991.
- JOHNSON, R. B., «Some Aspects of the Determination of Eurocurrency Interest Rates», *Bank of England Quarterly Bulletin*, mars 1979.
- KERTUDO, J. M., «Écu euromarché et globalisation», *Banque*, mai 1989.
- KERTUDO, J. M., «Les financements internationaux en 1989: champs planétaire et euro-modèle», *Banque*, mai 1990.
- LAMFALUSSY, A., «Innovations financières, politique monétaire et stabilité du marché», *Banque*, janvier 1986.
- LARRY, R., «Faut-il ralentir le développement du marché des eurodevises», *Banque*, mars 1980.
- LEROUX, F., «Évolution de la coordination dans la surveillance de l'activité internationale des banques: le nouveau concordat de Bâle», *Le Banquier*, avril 1984.

Chapitre 4
Le marché interbancaire international

La nature même des activités d'intermédiation et la mondialisation des marchés ont rendu nécessaire la mise en place d'un marché où circulent les fonds entre les banques indépendamment de leur localisation et de leur nationalité. Ce marché est le marché interbancaire international.

Ce chapitre est divisé en cinq parties. Dans la première, on présente le marché interbancaire international ; dans la seconde, on explique quelles sont les liaisons existant entre les différents participants ; dans la troisième, on s'arrête sur le rôle de ce marché ; la quatrième partie est consacrée à ses structures et à ses caractéristiques ; enfin, la dernière partie traite de la rentabilité et des risques sur ce marché.

4.1   Présentation du marché

Le marché interbancaire international est le marché où les banques actives à l'échelle internationale se prêtent mutuellement des fonds et trouvent en permanence des possibilités de déposer pour une courte période des avoirs en devises négociables.

Comme son nom l'indique, le marché est essentiellement un marché entre banques, mais on ne peut exclure d'autres intervenants :

- les courtiers dont le rôle est de faciliter les ajustements de l'offre et de la demande ;
- les grandes entreprises (surtout les multinationales) qui, en raison de leur taille, peuvent obtenir pour le placement de leurs liquidités à court terme des taux comparables à ceux obtenus par les banques. Leur pouvoir de négociation leur permet d'obtenir sur ce marché, directement ou indirectement, des taux inférieurs à ceux officiellement offerts aux meilleurs clients commerciaux ;
- les autorités monétaires et les banques centrales sont des acteurs importants sur le marché qu'elles utilisent occasionnellement pour placer leurs avoirs excédentaires.

Néanmoins ce marché est, par nature, un marché animé par les banques et les institutions financières ayant des activités internationales. Les transactions se font aussi bien entre banques de nationalités différentes localisées sur une même place financière qu'entre banques domiciliées partout dans le monde.

Le marché est cependant dominé par les guichets des banques les plus importantes au plan international, installées principalement à Londres, New York et Tokyo et aussi à Luxembourg, Zurich, Francfort, Paris et Singapour. Il s'agit d'un marché très efficace et rapide où s'effectue quotidiennement un volume important de transactions. Ce marché, qui est le poumon du marché des eurodevises, est majoritairement dominé par les transactions effectuées en devise américaine.

4.2   Les liaisons entre les participants

Les transactions sur le marché interbancaire international se font selon des modes et des procédures standard héritées des pratiques du marché interbancaire américain. Elles sont rendues possibles par la qualité des moyens de télécommunication modernes et grâce à un système de paiement efficace et sécuritaire.

4.2.1   Les liaisons électroniques entre les participants

Les liaisons entre les participants au marché interbancaire sont assurées par le biais de cotations indicatives affichées sur des moniteurs, par des lignes de téléphone directes et le service international de télex. Dans toutes les salles de marchés, les opérateurs ont accès à des moniteurs qui leur permettent de sélectionner les cotations affichées par les différentes banques partout dans le monde. Ces opérateurs, par ailleurs, utilisent ces mêmes écrans pour indiquer les prix auxquels ils ont l'intention de transiger. Tous ces moniteurs sont interconnectés afin d'assurer la circulation instantanée de l'information. Les principaux réseaux n'appartiennent pas à des banques, ils sont la propriété de grandes agences de nouvelles et d'agences financières spécialisées. Les plus connues et les plus utilisées sont Reuters et Telerate.

D'un point de vue pratique, les banques s'abonnent au réseau pour un certain montant mensuel et louent des «pages» où elles pourront indiquer leurs cotations, qu'elles peuvent faire varier autant de fois que bon leur semblera durant la journée. Les plus grandes banques disposent, en fait, de plusieurs pages pour le seul marché interbancaire, chacune correspondant à une localisation différente de leurs salles de transaction (typiquement Tokyo, Londres et New York) afin de couvrir en continu le marché indépendamment des décalages horaires.

Parallèlement à cette liaison par le biais des moniteurs Reuters ou Telerate, les opérateurs communiquent entre eux de façon directe par téléphone. En règle générale, un opérateur dispose de lignes directes avec les principales banques avec lesquelles il fait le plus souvent affaire; leur nombre dépend du volume de transactions effectuées quotidiennement et de la taille de la place financière à partir de laquelle il opère.

4.2.2   Le système de transferts de fonds et de paiements

Le marché interbancaire international peut fonctionner de façon efficace parce que les opérateurs bénéficient d'un système de paiement et de transferts de fonds bien rodé et très performant. La majorité des transferts est effectuée par le biais du système SWIFT (*Society for Worldwide Interbank Financial Telecommunication*). Il s'agit d'une société de type coopératif installée en Belgique et qui a des ramifications partout dans le monde; elle utilise trois centres principaux d'interconnexion situés à Bruxelles, Amsterdam et Culpeper (Virginie) aux États-Unis. Les banques en Amérique du Nord utilisent également le système CHIPS (*Clearing House Interbank Payment System*)[1].

---

1.   Ce système est la propriété d'un groupe de banques new yorkaises regroupées dans le New York Clearing House. La compensation se fait par le biais de comptes détenus par ces banques à la réserve fédérale de New York.

4.2.3   Les modes de transactions

Lorsqu'un opérateur décide d'effectuer une transaction sur le marché interbancaire, il consulte tout d'abord un certain nombre de pages de Reuters ou Telerate pour suivre l'évolution des transactions et des cotations. Ensuite, il prend contact avec la banque qu'il a sélectionnée et demande sa cotation.

Par convention, l'opérateur de la banque appelée donne deux taux: un taux acheteur (*bid*), qui est celui auquel il accepte les dépôts, et un taux vendeur (*offer*), qui est celui auquel il prête. Sauf indication contraire, les transactions envisagées portent sur un million de dollars. L'écart (ou *spread*) entre le taux acheteur et le taux vendeur est en période normale très étroit (typiquement 1/16 de 1 %). Ainsi, l'opérateur qui reçoit un appel et qui fait une cotation ne sait pas s'il va devoir prêter des fonds ou recevoir un dépôt.

Si les taux qui ont été cotés conviennent à l'opérateur qui a appelé, il peut recevoir un dépôt ou au contraire faire un dépôt selon ses besoins. Les deux opérateurs se mettent alors d'accord sur le lieu de livraison de la somme échangée. La transaction est ensuite confirmée par télex.

4.2.4   Transaction directe ou utilisation de courtier (*money broker*)

Même si les acteurs potentiels dans le marché sont au nombre de plusieurs milliers, le marché est en fait dominé par une cinquantaine de participants. Les banques ont une préférence pour les transactions directes (sans courtier) pour plusieurs raisons:

- on évite ainsi les commissions;
- on peut profiter de la réputation de la banque et de sa capacité de faire des transactions de grande taille pour obtenir des taux plus avantageux que ceux obtenus à l'abri de l'anonymat engendré par les *brokers*;
- ceci permet de rester en contact direct avec les clients;
- ceci permet également de mieux servir le marché et de s'adapter aux fluctuations très rapides.

Malgré ces avantages, beaucoup d'acteurs bancaires ne peuvent dépasser certaines limites de volume sans passer par des courtiers. À l'occasion d'enquêtes sur le marché interbancaire, quelques banques ont reconnu leur incapacité à faire plus de 30 % de leurs transactions sur une base directe.

Les «brokers» présentent également des avantages:

- ils peuvent grouper les positions des petites banques;
- leur présence rétablit l'équilibre entre les parties, en servant d'écran;
- leurs connexions internationales et leurs spécialisations peuvent être utiles, particulièrement lorsque le marché est étroit;

- ils permettent aux banques de n'être présentes que d'un côté du marché (offreurs ou demandeurs) et ainsi d'éviter d'avoir des positions non désirées en cas de fluctuations brusques des taux d'intérêt.

4.2.5　La cotation dans la presse financière

Il est facile de suivre l'évolution des taux d'intérêt sur le marché interbancaire international puisque la presse financière internationale (*Financial Times* ou le *Wall Street Journal*) et beaucoup de quotidiens de qualité donnent les cotations de ce marché pour plusieurs devises.

À titre indicatif, on trouvera, ci-après, les cotations *(bid-offer)* publiées par le *Financial Times*.

EURO-CURRENCY INTEREST RATES

Sep 9	Short term	7 Days notice	One Month	Three Months	Six Months	One Year
Sterling............	$5\frac{1}{2}$ - $5\frac{1}{4}$	$5\frac{3}{4}$ - $5\frac{5}{8}$	$5\frac{13}{16}$ - $5\frac{7}{8}$	$5\frac{13}{16}$ - $5\frac{13}{16}$	$5\frac{13}{16}$ - $5\frac{13}{16}$	$5\frac{3}{4}$ - $5\frac{5}{8}$
US Dollar.........	$3\frac{1}{16}$ - $2\frac{15}{16}$	$3\frac{1}{16}$ - $2\frac{15}{16}$	$3\frac{1}{8}$ - 3	$3\frac{3}{16}$ - $3\frac{1}{16}$	$3\frac{3}{8}$ - $3\frac{1}{4}$	$3\frac{9}{16}$ - $3\frac{7}{16}$
Can. Dollar......	$4\frac{1}{4}$ - 4	$4\frac{3}{8}$ - $4\frac{1}{8}$	$4\frac{1}{2}$ - $4\frac{1}{4}$	$4\frac{7}{8}$ - $4\frac{5}{8}$	$5\frac{1}{8}$ - $4\frac{7}{8}$	$5\frac{3}{8}$ - $5\frac{1}{8}$
Dutch Guilder.......	$6\frac{1}{16}$ - $6\frac{1}{16}$	$6\frac{1}{16}$ - $6\frac{1}{16}$	$6\frac{1}{2}$ - $6\frac{3}{8}$	$6\frac{1}{16}$ - $6\frac{1}{16}$	6 - $5\frac{7}{8}$	$5\frac{13}{16}$ - $5\frac{9}{16}$
Swiss Franc.......	5 - $4\frac{3}{4}$	5 - $4\frac{3}{4}$	$4\frac{7}{8}$ - $4\frac{3}{4}$	$4\frac{3}{4}$ - $4\frac{5}{8}$	$4\frac{5}{8}$ - $4\frac{1}{2}$	$4\frac{3}{8}$ - $4\frac{1}{4}$
D-Mark.............	$7\frac{1}{4}$ - $7\frac{1}{8}$	$7\frac{1}{4}$ - 7	$6\frac{3}{4}$ - $6\frac{5}{8}$	$6\frac{1}{2}$ - $6\frac{3}{8}$	$6\frac{5}{16}$ - $6\frac{3}{16}$	$5\frac{13}{16}$ - $5\frac{13}{16}$
French Franc.......	$7\frac{5}{8}$ - $7\frac{3}{8}$	$7\frac{5}{8}$ - $7\frac{3}{8}$	$7\frac{5}{8}$ - $7\frac{3}{8}$	$7\frac{3}{8}$ - $7\frac{1}{8}$	$6\frac{7}{8}$ - $6\frac{5}{8}$	$6\frac{1}{4}$ - 6
Italian Lira.......	11 - 9	$9\frac{3}{8}$ - $8\frac{7}{8}$	$9\frac{3}{8}$ - $8\frac{7}{8}$	$9\frac{1}{8}$ - $8\frac{5}{8}$	$8\frac{7}{8}$ - $8\frac{1}{2}$	$8\frac{1}{2}$ - $8\frac{1}{8}$
Belgian Franc.......	11 - $10\frac{1}{2}$	$11\frac{1}{4}$ - $10\frac{3}{4}$	11 - $10\frac{1}{2}$	$10\frac{1}{2}$ - 10	$9\frac{1}{8}$ - $8\frac{5}{8}$	$8\frac{1}{4}$ - $7\frac{3}{4}$
Yen.................	$2\frac{13}{16}$ - $2\frac{7}{8}$	$2\frac{13}{16}$ - $2\frac{3}{4}$	$2\frac{3}{4}$ - $2\frac{11}{16}$	$2\frac{5}{8}$ - $2\frac{9}{16}$	$2\frac{5}{8}$ - $2\frac{9}{16}$	$2\frac{13}{16}$ - $2\frac{11}{16}$
Danish Krone.......	$11\frac{1}{2}$ - $10\frac{1}{2}$	$11\frac{1}{2}$ - $10\frac{1}{2}$	$11\frac{1}{2}$ - $10\frac{1}{2}$	$10\frac{3}{4}$ - $10\frac{1}{4}$	$9\frac{5}{8}$ - $9\frac{1}{8}$	$8\frac{1}{2}$ - 8
Asian $Sing.......	$3\frac{1}{2}$ - $2\frac{1}{2}$	$3\frac{1}{2}$ - $2\frac{1}{2}$	$3\frac{1}{2}$ - $2\frac{1}{2}$	4 - 3	4 - 3	$4\frac{1}{2}$ - $3\frac{1}{4}$
Spanish Peseta.......	$10\frac{3}{8}$ - $10\frac{1}{8}$	$10\frac{1}{4}$ - 10	$10\frac{1}{4}$ - 10	10 - $9\frac{3}{4}$	$9\frac{3}{4}$ - $9\frac{1}{2}$	$9\frac{1}{4}$ - 9
Portuguese Esc.......	$10\frac{3}{4}$ - $10\frac{3}{8}$	$11\frac{1}{4}$ - $10\frac{7}{8}$	$11\frac{1}{2}$ - 10	$11\frac{1}{2}$ - 10	$11\frac{1}{4}$ - $10\frac{3}{4}$	$10\frac{5}{8}$ - $10\frac{1}{4}$

Long term Eurodollars: two years 4-$3\frac{7}{8}$ per cent; three years $4\frac{3}{8}$-$4\frac{1}{4}$ per cent; four years $4\frac{5}{8}$-$4\frac{1}{2}$ per cent; five years $4\frac{13}{16}$-$4\frac{11}{16}$ per cent nominal. Short term rates are call for US Dollar and Japanese Yen; others, two days' notice.

4.3　Rôle du marché interbancaire international

Le marché interbancaire international assure plusieurs fonctions.

4.3.1　Mécanisme d'allocation des fonds

L'activité d'intermédiation des banques consiste, entre autres, à ajuster l'offre et la demande de fonds. Beaucoup d'activités de dépôts sont concentrées à l'échelle internationale auprès de quelques guichets (les *money-centers*), sans qu'il y ait automatiquement une adéquation parfaite en termes de volume de fonds et de synchronisation entre les dépôts et les utilisations.

Le marché interbancaire permet aux institutions prêtant en dehors du système bancaire de trouver les fonds dont elles ont besoin. Les banques ayant des surplus et n'ayant pas immédiatement des utilisations peuvent instantanément les placer auprès d'autres banques par le biais de ce marché. Lorsqu'une banque accepte un dépôt effectué par une autre banque, elle peut avoir, au moment du dépôt, des utilisations immédiates de ces fonds ou, au contraire, ne pas avoir instantanément besoin de fonds ; dans ce cas, elle peut à son tour redéposer les fonds acquis auprès d'une tierce banque. Ce processus de dépôts successifs, dont le coût est minime, se poursuivra jusqu'à ce que les fonds trouvent un utilisateur final ; il explique en grande partie le fort volume d'opérations et la célérité des transactions.

Ainsi, entre la banque qui reçoit un dépôt initial en dollars et la banque qui les utilisera en dehors du système bancaire, il peut y avoir eu toute une série de dépôts interbancaires. Pour comprendre cet aspect des dépôts successifs, il faut avoir en tête que les banques les plus actives sur le marché se doivent d'être, en tout temps, présentes des deux côtés du marché. Leur réputation de «market-maker» les oblige à annoncer continuellement un taux offert ou un taux demandé. Ainsi, une eurobanque peut se trouver à recevoir des montants non désirés qu'elle devra redéposer. Par le biais des dépôts successifs, le marché interbancaire est un mécanisme fort efficace d'allocation des fonds.

Illustrons ceci à l'aide d'un exemple.

Une banque régionale américaine décide d'accroître ses activités internationales. La façon la plus simple de réaliser cet objectif est de prendre une participation dans un eurocrédit syndiqué[2]. Ne voulant pas remettre en cause son portefeuille domestique, la banque va emprunter sur le marché interbancaire international à Londres, au taux LIBOR. Comme il est fréquent que les eurocrédits soient consentis à un taux LIBOR + marge, le recours au marché interbancaire assure la banque régionale qu'elle n'a pas à supporter de risque de taux.

À l'inverse, une eurobanque à Londres, filiale d'une banque américaine, reçoit un dépôt de 100 millions d'eurodollars de la SAMA *(Saudi Arabia Monetary Authority)*. Si cette banque américaine (qui joue ici le rôle de *money-center*) n'a pas d'utilisation immédiate de ces fonds, elle déposera cette somme sur le marché interbancaire.

Bien sûr, la combinaison la plus simple c'est que la banque régionale reçoive le dépôt du *money-center* qui est excédentaire. Il faudrait, en fait, une coïncidence extraordinaire (ou l'intervention d'un courtier) pour que cela se produise. Sans doute faudra-t-il plusieurs dépôts successifs pour que, dans la même journée, les dollars du *money-center* arrivent à la banque régionale.

---

2.   Le mécanisme de la prise de participation dans un eurocrédit sera présenté au chapitre 7.

4.3.2   Rôle de dispersion du risque

Un marché interbancaire actif et facile d'accès a été un facteur déterminant pour permettre à des banques de taille moyenne ou à des banques n'ayant pas de base de dépôt en dollars américains de se lancer dans des activités internationales. Durant les années 1970, certaines grandes banques se plaignaient d'ailleurs de ce qu'elles assuraient directement et indirectement le financement de la totalité du marché, puisque les institutions de taille modeste dépendaient totalement du marché interbancaire. Aujourd'hui, avec le recul, on est plutôt porté à penser que ce marché a permis de disséminer le risque de l'intermédiation bancaire internationale à travers tout le système bancaire, en transformant un risque qui aurait pu être concentré sur quelques noms en un risque de système.

4.3.3   La gestion des liquidités à court terme

Une étude de la Banque des règlements internationaux sur le marché interbancaire[3] montre qu'il est difficile de cataloguer les banques sur la base de leur activité interbancaire. Elle souligne néanmoins que selon les circonstances, ce marché leur permet d'adapter rapidement leurs bilans pour répondre à des objectifs de rentabilité ou de respect de ratios financiers. Ainsi des banques peuvent réduire de façon quasi instantanée leur activité interbancaire (où la rentabilité est faible) pour respecter un ratio de fonds propres ou de rendement sur actif. À l'inverse, le marché interbancaire permet de rééquilibrer un portefeuille d'actifs en gonflant le volume d'opérations relativement peu risquées, en période normale, même si ceci se fait au détriment de la rentabilité. De plus les banques, par le biais de ce marché, s'offrent mutuellement des filets de sécurité, d'une part, en permettant le placement de fonds rapidement mobilisables, d'autre part, en fournissant un recours instantané aux fonds prêtables à très court terme.

4.3.4   Possibilités de prises de position

Ce marché est une source de gain pour les banques assumant des positions non appariées. Il permet de prendre des positions à court terme pour tirer profit de la structure des taux d'intérêt ou des anticipations entourant les changements de taux. Le marché interbancaire assure ainsi une certaine transformation temporelle. Par ailleurs, il permet aux participants de grande taille de tirer avantage de leur réputation. De la même façon, certaines banques tirent profit des écarts dans la perception du risque en fonction de la nationalité du participant. Le marché permet ainsi une certaine transformation géographique.

---

3.   Banque des règlements internationaux: «Le marché interbancaire international, étude descriptive», *Études économiques de la BRI*, n° 8, 1983, p. 14 et 15.

4.3.5   Circulation intrabancaire

Le volume d'opérations sur le marché interbancaire international est largement gonflé par les opérations faites entre les différents guichets d'une même banque à travers le monde. Cette activité intrabancaire peut s'expliquer par la volonté des banques de faire apparaître une partie de leurs opérations dans des zones géographiques où la demande est la plus forte, là où s'opèrent les syndications de crédits internationaux ou là où l'environnement fiscal est plus favorable. Par ailleurs, les banques ont des guichets spécialisés dans la collecte des dépôts, alors que les emplois se font sur une échelle mondiale. Enfin, certaines banques «excentrées» (comme les banques japonaises) se doivent de faire circuler des sommes considérables dans une même journée pour suivre le marché qui est fermé à Tokyo quand il s'ouvre à New York.

4.4   Structures et caractéristiques du marché

4.4.1   Taille du marché interbancaire international

Une étude de la Banque d'Angleterre estimait que le marché est passé de 150 milliards de dollars en 1973 à 800 milliards 1980[4]. Le tableau 4.2 donne une estimation plus récente de ce marché dont la taille a considérablement augmenté au cours des années 1980.

Tableau 4.2 Taille du marché interbancaire international (en millards de dollars)						
1986	1987	1988	1989	1990	1991	1992
2 572	3 017	3 268	3 665	3 914	3 730	3 691
Source: BRI.						

La proportion des créances interbancaires par rapport à l'ensemble des créances internationales se situe dans une fourchette de 58 % à 65 %, au cours des dernières années (tableau 4.3).

Tableau 4.3 Estimation du pourcentage des créances interbancaires par rapport à l'ensemble des créances internationales				
1988	1989	1990	1991	1992
65 %	64 %	60 %	59 %	58 %
Source: BRI.				

---

4.   Cf. «Eurobanks and the Interbank Market», Bank of England, *Quaterly Bulletin*, Sept. 1981.

4.4.2   Localisation du marché et devises utilisées

Par définition, le marché est totalement international, cependant la plupart des transactions s'effectuent dans l'un ou l'autre des grands centres financiers mondiaux. Le tableau 4.4 présente le volume de créances sur le marché interbancaire par pays.

À l'origine, la plus grande partie des transactions sur le marché interbancaire se faisait en dollars. Cependant, cette primauté de la devise américaine a été remise en question au cours des années 1980. Ainsi, au début des années 1990, environ 53 % des transactions se font en dollars, 12 % en deutsche mark, 9 % en yen, 6 % en livres sterling, 3 % en francs français et 3 % en francs suisses.

Pour mettre les choses en perspectives, la BRI[5] donnait les pourcentages suivants pour les principales devises au milieu des années 1980: dollar 73,8 %, deutsche mark 11,1 %, franc suisse 6,7 %, autres devises 8,4 %.

4.4.3   Positions nettes par nationalité sur le marché interbancaire

Les banques américaines ont joué au long des années 1970, période de développement des euromarchés, un rôle privilégié; ceci s'explique par la prédominance du dollar mais aussi par la nécessité de recycler tous les dépôts en dollars des pays producteurs de

Tableau 4.4 **Créances sur le marché interbancaire international[1] par pays au milieu de l'année 1991** (en milliards de dollars)			
Pays	**Total**	**Banques domestiques**	**Banques étrangères**
Japon	421	382	39
Royaume-Uni	507	98	409
États-Unis	116	32	84
France	241	163	78
Suisse	253 [2]	44	209 [2]
Allemagne	171	143	28
Luxembourg	135	22	113
Belgique	100	56	44
Hollande	89	68	21
Italie	67	64	3
Suède	10	10	—
Canada	13	8	5
Autres	150	102	48

Source : BRI.

1. À l'exclusion des encours interétablissements d'une même banque.

2. Y compris les fonds en fiducie déposés auprès des banques suisses.

---

5.   BRI, *op. cit.*, p. 29.

pétrole. La position nette créditrice des banques américaines était estimée à 90 millions de dollars au milieu de l'année 1983[6].

Mais ce rôle de bailleur de fonds a été continuellement en décroissant depuis ce sommet. Ainsi le degré de dépendance du marché interbancaire international a beaucoup varié dans le temps, d'une nationalité à l'autre, tout au cours des années 1980.

Le tableau 4.5 donne les positions nettes pour différentes nationalités de banque (en excluant les positions interétablissements d'une même banque), à la fin de 1985 et au milieu de 1991. On constate que les banques japonaises sont celles qui dépendent le plus du marché interbancaire international; on retrouve ensuite les banques italiennes, suédoises et françaises. Les banques qui contribuent le plus au marché interbancaire sont les banques allemandes (dont la position nette est passée de 24 milliards à 134 milliards), suivies de loin par les banques suisses et les banques anglaises. Il faut noter que les banques américaines, qui avaient une position nette de 55 millions de dollars (la plus importante en 1985), ont vu cette position réduite à 16 milliards de dollars au milieu de l'année 1991.

Tableau 4.5

Position nette des banques sur le marché interbancaire entre banques non reliées
(en milliards de dollars)

Pays d'origine des banques	Fin 1985	Milieu 1991
Japon	−54	−209
États-Unis	55	16
Allemagne	24	134
France	−11	−18
Italie	−11	−57
Royaume-Uni	10	28
Suisse	39	37
Hollande	6	19
Bel-Luxembourg	−7	1
Canada	−6	− 5
Suède	−9	−47
Autre	−16	136[1]

1. Y compris les fonds en fiducie déposés auprès des banques suisses.
Source: BRI.

6.   CLARKE, S.V., «American Banks in the International Interbank Market», Salomon Brothers Center for the Study of Financial Institution Monograph, 1983-1984, p. 11.

4.5   Rentabilité et risques sur le marché interbancaire

4.5.1   Rentabilité sur le marché interbancaire

Même si un certain nombre de banques, surtout les plus grandes, obtiennent des résultats positifs sur le marché interbancaire, les observateurs soulignent que les transactions génèrent peu de profit pour les participants en raison de l'étroitesse des marges et de la compétition entre les principaux guichets. De plus, il est difficile d'avoir une idée exacte de la rentabilité de ces opérations car, comme le souligne l'étude de la BRI, la plupart des «banques ne procèdent pas à un suivi de la rentabilité de leur activité interbancaire en tant que telle, mais examinent plutôt celle de l'ensemble de leurs opérations sur le marché monétaire[7]». En fait la rentabilité paraît secondaire, par rapport aux autres services rendus aux banques par ce marché.

4.5.2   Risques sur le marché interbancaire

La nature du marché interbancaire et la vitesse avec laquelle s'y opèrent les transactions expliquent que les positions des banques les unes vis-à-vis des autres peuvent varier rapidement.

Durant la période du développement de l'activité internationale des banques à la fin des années 1960, peu d'attention était accordée aux risques pouvant exister sur ce marché. Ceci pouvait s'expliquer par le nombre restreint de joueurs vraiment actifs à cette époque. L'attitude générale était que les risques sur ce marché étaient peu élevés, ce qui justifiait la faible rémunération pour les opérations. Le développement rapide du marché international des capitaux et quelques «accidents de parcours» allaient révéler que les risques étaient sans doute plus sérieux qu'on ne l'avait cru précédemment.

Même si, en plusieurs occasions[8], on s'est demandé si la taille même de ce marché n'était pas une source de dangers pour l'ensemble du système financier mondial, et si la multiplication des opérations ne revenait pas à créer un réseau de propagation idéal des défaillances éventuelles, le marché interbancaire international, tout au long de la croissance fulgurante des marchés des capitaux a su s'adapter et répondre aux besoins d'internationalisation de l'activité des banques, quelle que soit leur nationalité d'origine.

---

7.   BRI, *op. cit.*, p. 16.

8.   On peut se référer aux deux articles suivants:
      LARRY, R., «Faut-il ralentir le développement du marché des eurodevises», *La Revue Banque*, mars 1980.
      SAUNDERS, A., «The Eurocurrency Interbank Market: Potential for International Crisis?» in KOLB, R., *The International Finance Readers*, Kolb Publishing Co., 1991.

Étagement sur le marché interbancaire en 1983

En 1983, quelques mois après le début de la crise de l'endettement qui fit courir de sérieux risques à l'ensemble du système financier international, Clarke a fait un relevé sur les taux demandeurs pour les dépôts à six mois d'après la nationalité des banques. Comme on peut le lire sur le graphique ci-dessous, au cours de cette période d'incertitude, les banques américaines étaient celles qui pouvaient attirer des dépôts en offrant les taux les plus bas. À l'autre extrémité de l'échelle, les banques brésiliennes devaient accorder 150 points de base de plus pour la même échéance. L'avantage de la taille dans une telle situation est mis en évidence par la différence de traitement accordé par le marché aux grandes et petites banques européennes. Les banques faiblement capitalisées (les Merchant Banks) ou celles dépendant pour une forte majorité du marché interbancaire (les banques consortiales) devaient aussi concéder une prime. On remarquera aussi que les banques françaises étaient pénalisées par rapport aux banques allemandes, anglaises ou canadiennes, non pas tant à cause de leur faible capitalisation à l'époque, que par le climat d'incertitude qu'avait engendré un changement de majorité en France.

Graphique

Taux demandeur pour les dépôts à six mois d'après la nationalité des banques

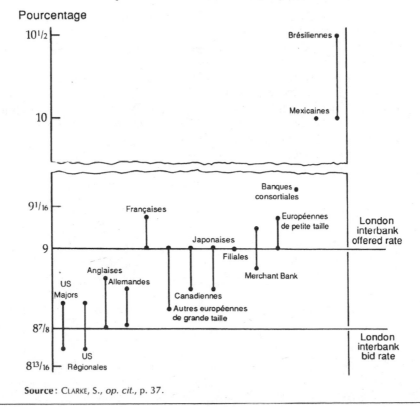

Source: CLARKE, S., *op. cit.*, p. 37.

RÉFÉRENCES BIBLIOGRAPHIQUES

Livres:

- Bank for International Settlements, *Payments Systems in The Group of Ten Countries*, décembre 1993.
- B.R.I., *Le marché interbancaire international, étude descriptive*, Études de la B.R.I., n° 8, juillet 1983.
- CLARKE, S., *American Banks in the International Interbank Market*, Monograph Series in Finance and Economics, Salomon Brothers Center for the Study of Financial Institution, 1983-1984.
- DUFEY, G. et GIDDY, I., *The International Money Market*, Prentice Hall, Foundations of Finance Series, 1978, p. 48 à 154.
- PARK, Y. et ZWICK, J., *International Banking in Theory and Practice*, Addison-Wesley, 1985.
- SARVER, E., *The Eurocurrency Market Handbook* (seconde édition), New York, Institute of Finance, 1990.

Articles:

- «Eurobanks and the Interbank Market», *Bank of England Quarterly Bulletin*, septembre 1981.
- GIDDY, I. H., «Risk and Return in the Eurocurrency Interbank Market», *Greek Economic Review*, août 1981.
- LARRY, R., «Faut-il ralentir le développement du marché des eurodevises», *Banque*, mars 1980.
- PORCHEROT, C., «Interbank Cooperation Limits and Opportunities», *The World of Banking*, mars-avril 1992.
- «Recent Developments in International Interbank Relations», *The World of Banking, novembre-décembre 1992*.
- SAUNDERS, A., «The Eurocurrency Interbank Market: Potential for International Crisis», in *The International Finance Reader*, Kolb Publishing, 1991.
- WALMSLEY, J., «Eurocurrency Dealing», in GEORGE, A. M. et GIDDY, I. H., *International Finance Handbook*, John Wiley and Sons, 1983.

Chapitre 5
Le marché des changes

Le marché des changes est le marché où les opérateurs transigent des devises contre d'autres devises. Du point de vue des marchés internationaux des capitaux, il assure une liaison entre les différents segments du marché et permet la circulation des fonds lorsque les opérateurs utilisent des monnaies autres que leurs monnaies nationales.

Ce chapitre est divisé en trois parties : on présentera tout d'abord les participants et le fonctionnement du marché. On analysera ensuite les différents segments du marché des changes. On en présentera enfin certaines caractéristiques récentes.

5.1 Les participants et le fonctionnement

5.1.1 Les participants au marché

On peut repérer cinq grandes catégories d'intervenants sur le marché des changes:

- les banques;
- les courtiers;
- les entreprises industrielles et commerciales;
- les banques centrales;
- les investisseurs institutionnels.

Les *banques et les courtiers* sont les principaux animateurs du marché des changes.

Les banques y interviennent pour leur propre compte ou pour celui de leurs clients. Il faut noter que ce ne sont pas toutes les banques qui sont actives sur ce marché; pour bon nombre d'entre elles, de taille moyenne, cette activité est secondaire et elles s'en remettent aux banques plus importantes. La situation à cet égard diffère sensiblement aux États-Unis et en Europe: la majorité des activités des banques américaines de taille moyenne est concentrée au niveau domestique et les activités de change ne sont qu'occasionnelles, alors que la plupart des banques européennes de taille moyenne ont des clients actifs sur plusieurs marchés et se doivent de fournir un service de change adéquat.

En fait, il y a lieu de distinguer les banques qui jouent un rôle de mainteneurs de marché (*market-maker*) de celles qui n'en sont que les utilisatrices. Seules les banques qui, continuellement, achètent et vendent des devises et qui, en tout temps, sont en position de coter un taux acheteur et un taux vendeur pour les devises les plus importantes sont considérées comme des market-makers.

Lorsqu'elles interviennent pour leur propre compte, les banques peuvent agir:

- pour couvrir leur risque de change par suite d'opérations avec leur clientèle;
- pour résoudre des problèmes de trésorerie à court ou moyen terme (entre autres, par le biais de swaps);
- ou encore, pour réaliser des gains de change en prenant des positions de change ou en tirant avantage de déséquilibres

temporaires dans le temps ou dans l'espace en pratiquant l'arbitrage.

Une importante partie du volume des opérations se fait directement entre les banques; cependant, certains utilisateurs préfèrent ou doivent recourir à des *courtiers (brokers)*. Les courtiers sont des intermédiaires qui, contre rémunération, s'efforcent de trouver dans le marché des offreurs et des demandeurs ayant des besoins opposés. Contrairement aux banques, en règle générale les courtiers ne transigent pas pour leur propre compte et ne prennent pas de position de change. À l'opposé des mainteneurs de marchés, ils ne sont pas obligés d'être présents simultanément des deux côtés du marché; en effet, leur fonction d'intermédiaire leur permet de grouper des positions de clients et d'assurer l'anonymat des transactions évitant ainsi aux intervenants de faire connaître leur position. Pour leurs services, les courtiers reçoivent une commission dont le taux varie avec l'importance et la liquidité du marché de la devise transigée. À New York, la commission est payée par la banque qui vend la monnaie étrangère et est généralement inférieure à 0,01 %.

Les *entreprises industrielles et commerciales* typiquement offrent ou demandent des devises en contrepartie d'opérations d'importation ou d'exportation et utilisent le marché des changes pour financer leurs opérations à l'étranger. En particulier, le marché des changes assure la circulation des fonds entre la maison mère et les filiales des entreprises transnationales; il offre, pour les entreprises opérant en plusieurs devises, des possibilités de couverture pour parer au risque de change. Enfin, les entreprises offrent ou demandent des devises consécutives à des opérations de financement sur les marchés étrangers.

Dans la majorité des cas, les entreprises industrielles et commerciales n'interviennent pas directement sur le marché des changes, elles passent par des banques commerciales et des courtiers. Néanmoins, certaines entreprises transnationales effectuent un volume d'opérations considérables qui leur donne un accès direct au marché et justifie la mise en place d'une équipe de cambistes.

Les *banques centrales* interviennent sur le marché des changes pour rétablir des déséquilibres temporaires afin d'atteindre des objectifs de parité pour la monnaie nationale ou dans le cadre de la gestion de leurs réserves officielles. Depuis l'instauration du système des taux de change flottants, ces interventions sont beaucoup plus sporadiques. Les intervenants sur le marché craignent néanmoins ces interventions, surtout lorsqu'elles sont simultanées.

Les *investisseurs institutionnels* constituent le dernier groupe identifiable d'acteurs majeurs du marché des changes. Les compagnies d'assurance, les fonds de pension et les gestionnaires de fonds de placement sont devenus, au cours des années, des utilisateurs de plus en plus importants de ce marché, en raison d'une part de l'internationalisation de leurs activités, mais aussi en raison de la tendance généralisée à la diversification des portefeuilles de placement.

5.1.2   Le fonctionnement du marché

Le marché des changes est un marché informel; on peut se le représenter comme un immense réseau de télécommunications à travers le monde. Les transactions se font par téléphone avec confirmation par télex[1]. Dès lors, c'est un marché où la réputation des intervenants et la confiance réciproque jouent un rôle majeur. Un intervenant qui ne respecterait pas ses engagements verbaux serait vite exclu du marché[2].

Les transactions portent habituellement sur des volumes et des échéances standard. Le marché est surtout actif pour un certain nombre de devises clés, mais l'importance relative de ces devises varie d'une place financière à l'autre.

L'affichage permanent des cours sur écrans cathodiques par les principaux participants, et ce même si ces cours ne sont qu'indicatifs et ne deviennent effectifs qu'une fois confirmés par téléphone, permet aux opérateurs de suivre en tout temps l'évolution du marché et de comparer les différentes possibilités qui se présentent avant de transiger. Les participants ont tous accès aux réseaux de télécommunications (il s'agit principalement des réseaux Reuters et Telerate) par le biais desquels chaque maison d'importance affiche ses indications de cours. Cette qualité de l'information rend ce marché très compétitif et efficient. Ces caractéristiques, en revanche, en font un marché très nerveux, car un très grand nombre d'intervenants peuvent réagir instantanément à l'arrivée de nouvelles ou de rumeurs.

5.1.3   L'unicité du marché des changes

La qualité des communications entre les différentes places financières assure l'unicité du marché des changes. Les possibilités d'arbitrage sont, de ce fait, beaucoup moins fréquentes qu'il y a vingt ou trente ans. En outre, le marché des changes est un marché permanent, ouvert vingt-quatre heures sur vingt-quatre, où les places financières prennent le relais les unes des autres. Lorsque le marché, actif de 9 h à 17 h environ, ferme en Europe, il est déjà ouvert aux États-Unis. Lorsque le marché cesse ses activités en Californie, les opérations débutent à Hong Kong ou Singapour où elles cessent quand elles débutent à Londres et Zurich (voir le graphique 5.1).

---

1. Les modes de fonctionnement de ce marché sont fort semblables à ceux que l'on a décrits pour le marché interbancaire international dans le chapitre précédent.

2. Afin de faciliter le respect de ces engagements verbaux et pour régler à l'amiable tout malentendu éventuel, les conversations téléphoniques des salles de change sont de plus en plus enregistrées en continu.

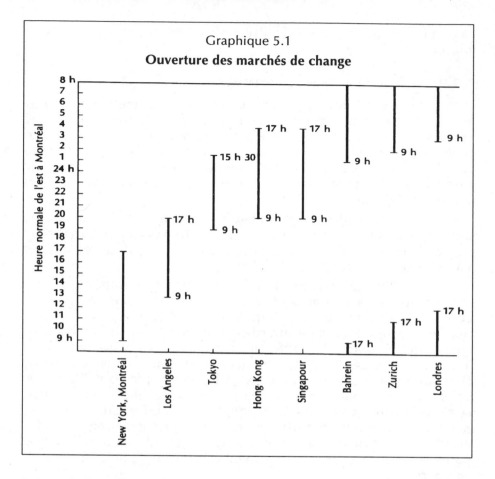

Graphique 5.1

Ouverture des marchés de change

5.1.4   Les systèmes de paiements

Les volumes considérables transigés sur le marché des changes (cf. infra) nécessitent le recours à des systèmes de paiements rapides et efficaces pour que se concrétisent les échanges. La circulation des fonds se fait en utilisant des procédures semblables à celles rencontrées sur le marché interbancaire. Néanmoins, un degré de complication supplémentaire vient du fait que les flux de paiement, se faisant dans des monnaies différentes, il faut souvent, pour une même transaction, avoir recours à deux systèmes de compensation distincts.

Les transactions pour lesquelles il y a une contrepartie en dollars utilisent le système CHIPS[3]; celles où il y a une contrepartie en livres sterling utilisent le système CHAPS[4] et celles où il y a une

---

3.   Clearing House Interbank Payment System (cf. chapitre 4).

4.   Clearing House Association Payment System. Il s'agit d'un système opéré par 14 banques anglaises, avec compensation par le biais de comptes à la Banque d'Angleterre.

contrepartie en deutsche mark utilisent le système EAF[5] opéré par la Bundesbank.

Le recours à plus d'un système de paiement représente, en fait, un élément de risque dans la mesure où il n'y a pas de simultanéité des compensations. À titre d'exemple, plusieurs heures peuvent séparer la compensation d'une transaction livre sterling/dollar, puisque le marché des changes est très actif le matin à Londres, alors que le système CHIPS n'ouvre pas à New York avant 3 heures de l'après-midi, heure de Londres. Or, 76% des opérations de change effectuées à Londres ont une contrepartie en dollars. Afin de réduire ce risque de paiement et réduire le volume de transactions envoyées aux systèmes de compensation officiels, un groupe de 12 banques anglaises ont mis au point un système de précompensation («netting») connu sous l'acronyme FXNET.

5.2   Les segments du marché des changes

Il y a quatre segments sur le marché des changes: le marché au comptant, le marché à terme, le marché des swaps et le marché des *futures* et des options.

5.2.1   Le marché au comptant

a)   La date de livraison

Le marché au comptant *(spot)* est celui où des agents s'échangent des devises livrables deux jours ouvrables après la transaction[6].

Les cours sur le marché au comptant reflètent les différentes forces économiques qui s'exercent sur les monnaies à un moment donné. Ils sont suivis avec le plus d'attention par les observateurs et les commentateurs. C'est également sur le marché au comptant que sont concentrées les interventions des banques centrales quand elles essaient d'influencer les taux de change.

b)   La cotation

Quelques confusions existent parfois à la lecture des taux de change parce qu'il existe deux types de cotations: les devises peuvent être cotées «à l'incertain» ou «au certain». Si la cotation est faite *à l'incertain*, elle indique le nombre d'unités nationales nécessaire pour obtenir *une unité étrangère*; si la cotation est faite *au certain*, elle indique le prix *d'une unité nationale* en monnaie étrangère. Par exemple, si l'on donne la cotation du dollar américain depuis Montréal à 1,40, on cote à l'incertain; il faut 1,40 dollar

---

5.   Elekronische Abrechnung mit Filetransfer.

6.   Dans le cas du marché dollar américain/dollar canadien, la livraison se fait un jour ouvrable après la transaction.

canadien pour avoir un dollar américain. Si la cote était de 0,7142, on coterait au certain (un dollar canadien vaut 71,42 cents américains). En revanche, à New York si l'on cote le dollar canadien à 71,42, la cote est faite à l'incertain et à 1,40 la cotation est au certain. Sur la majeure partie des places financières du monde, la cotation se fait à *l'incertain*, cependant traditionnellement Londres a toujours coté les taux de change des devises contre la livre sterling au certain. Par ailleurs, les cambistes et utilisateurs du marché savent immédiatement, par habitude et en fonction des conventions traditionnelles, si un taux affiché ou donné est au certain ou à l'incertain; le néophyte lira néanmoins une table avec une certaine prudence.

À titre d'exemple, nous donnons ci-après des taux de change moyens en 1985 et en 1990. Il s'agit de taux de change du dollar américain.

	Tableau 5.1 Taux de change	
	1985	**1990**
Deutsche mark	2,9434	1,6166
Franc français	8,9842	5,4477
Yen	238,4800	144,8300
Livre sterling	1,2962	1,7843
Dollar canadien	0,7324	0,8571

Une lecture inattentive nous donnerait l'impression que le taux de change a baissé pour trois devises et augmenté pour deux autres. En fait, durant la période, le dollar américain s'est déprécié par rapport aux cinq monnaies considérées. C'est que l'on utilise ici simultanément les deux cotations. En 1985, un dollar valait 2,9434 deutsche mark, 8,9842 francs et 238,48 yen. En revanche, il fallait 1,2962 dollar américain pour acheter une livre et 0,7324 dollar américain pour acheter un dollar canadien.

En fait, dans les publications financières à vocation internationale, on a pris l'habitude de présenter des cotations croisées, permettant de faire la lecture au certain et à l'incertain. On en trouvera un exemple au tableau 5.2.

5.2.2   Le marché à terme

a)   Les caractéristiques et les échéances

Sur le marché à terme, les agents économiques s'échangent des devises qui ne sont pas livrables deux jours après la transaction comme sur le marché au comptant, mais à une date ultérieure déterminée et acceptée par les parties prenantes à la transaction.

Il existe un certain nombre d'échéances standard (30 jours, 60 jours, 90 jours, 180 jours ou 1 an), mais d'autres peuvent être utilisées en fonction de l'offre et de la demande et de la liquidité du

Tableau 5.2

Les cotations croisées

EXCHANGE CROSS RATES

Sep 9	£	$	DM	Yen	F Fr.	S Fr.	N Fl.	Lira	C$	B Fr.	Pta.	Ecu
£	1	1.551	2.478	162.5	8.735	2.173	2.785	2395	2.041	53.90	201.4	1.315
$	0.645	1	1.598	104.8	5.632	1.401	1.796	1544	1.316	34.75	129.9	0.848
DM	0.404	0.626	1	65.58	3.525	0.877	1.124	966.5	0.824	21.75	81.28	0.531
YEN	6.154	9.545	15.25	1000.	53.75	13.37	17.14	14738	12.56	331.7	1239	8.092
F Fr.	1.145	1.776	2.837	186.0	10.	2.488	3.188	2742	2.337	61.71	230.6	1.505
S Fr.	0.460	0.714	1.140	74.78	4.020	1	1.282	1102	0.939	24.80	92.68	0.605
N Fl.	0.359	0.557	0.890	58.35	3.136	0.780	1	860.0	0.733	19.35	72.32	0.472
Lira	0.418	0.648	1.035	67.85	3.647	0.907	1.163	1000.	0.852	22.51	84.09	0.549
C $	0.490	0.760	1.214	79.62	4.280	1.065	1.365	1173	1	26.41	98.68	0.644
B Fr.	1.855	2.878	4.597	301.5	16.21	4.032	5.167	4443	3.787	100.	373.7	2.440
Pta	0.497	0.770	1.230	80.69	4.337	1.079	1.383	1189	1.013	26.76	100.	0.653
Ecu	0.760	1.179	1.884	123.6	6.643	1.652	2.118	1821	1.552	40.99	153.2	1.

Yen per 1,000: French Fr. per 10: Lira per 1,000: Belgian Fr. per 100: Peseta per 100.

marché. Pour les monnaies les plus importantes, il est possible de trouver des échéances dépassant un an, mais le volume de transactions est beaucoup plus faible que pour les échéances classiques.

b)   Le taux de change à terme (*forward rate*)

Dans la plupart des cas, la valeur du taux de change à terme diffère de la valeur du taux de change au comptant. Ainsi, la valeur à terme est obtenue en ajoutant ou en retranchant un certain montant de la valeur au comptant. Si le taux de change[7] à terme d'une devise est *plus élevé* que le taux de change au comptant, on dit qu'elle se négocie avec *une prime* ou report; si le taux à terme est inférieur au taux au comptant, on est en présence d'un *escompte* ou déport.

c)   Le taux à terme et la différence de taux d'intérêt

Foncièrement, l'écart entre le taux à terme et le taux au comptant est le reflet *de l'écart entre les taux d'intérêt* en vigueur pour chacune des monnaies considérées.

Cette liaison entre le cours à terme d'une devise et le différentiel d'intérêt est expliquée par le *théorème de la parité des taux d'intérêt*. Elle stipule que le cours à terme d'une monnaie ne peut s'éloigner durablement du cours théorique résultant des possibilités de placement et d'arbitrage sur le marché national et le marché monétaire de la monnaie considérée. Les forces du marché, par le biais des arbitrages, ont tendance à ramener le taux à terme vers son

---

7.   Le taux de change est donné ici à l'incertain.

taux d'équilibre théorique : le taux d'équilibre est atteint lorsqu'il est indifférent de placer des fonds en monnaie nationale sur le marché domestique ou de les placer sur le marché étranger (après conversion) en vendant à terme le même montant augmenté des intérêts.

Mettons-le en évidence à l'aide d'un premier exemple.

On utilisera la notation suivante :

s est le taux de change au comptant[8]
t est le taux de change à terme
d est le taux d'intérêt sur le marché domestique
e est le taux d'intérêt sur le marché étranger.

Considérons un agent économique disposant d'un montant M en monnaie nationale. Si l'on se donne un horizon d'un an et que le taux d'intérêt est de d sur le marché domestique, à l'échéance il disposera de $M(1 + d)$ en monnaie nationale. Si, à l'origine, il change ce montant M en devise étrangère, il obtiendra un montant de $\dfrac{1}{s} M$.

À la fin de l'année, cette somme vaudra

$$M\left(\frac{1}{s}\right)(1 + e).$$

Si t est le taux de change à terme dans un an, le montant précédent ramené en monnaie nationale est égal à

$$M\left(\frac{1}{s}\right)(1 + e)\, t.$$

Pour qu'il y ait indifférence à placer au niveau domestique ou à placer à l'étranger, il faut que

$$M(1 + d) = M\left(\frac{1}{s}\right)(1 + e)\, t.$$

Il faut donc que $t = s\,\dfrac{(1 + d)}{(1 + e)}$.

Par définition, la prime (ou l'escompte) est égale à :

$$p = t - s$$

$$p = s\,\frac{(1 + d)}{(1 + e)} - s = \frac{s}{1 + e}\,(d - e).$$

Cette formule (simplifiée) met en évidence que la prime (ou l'escompte) est directement proportionnelle à la différence des taux d'intérêt.

*   *   *

Nous allons maintenant utiliser une seconde approche pour mettre en évidence cette même relation.

Imaginons un exportateur qui détient une créance de C en devise étrangère, payable dans un an. Il peut garder cette créance, mais alors il ne sait combien d'unités en monnaie nationale il pourra

---

8.   Les taux de change utilisés ici correspondent à des cotations à l'incertain.

obtenir dans un an. Il peut aussi vendre le montant C à terme à une banque; il sait alors aujourd'hui combien il recevra en monnaie nationale dans un an.

Comment la banque peut-elle s'y prendre pour déterminer le taux de change à terme t qu'elle va offrir à son client?

La banque pourrait faire la série d'opérations suivante.

Tout d'abord, elle emprunte aujourd'hui un montant de

$$\frac{C}{1+e} \text{ en devise étrangère.}$$

Elle convertit immédiatement cette somme en monnaie nationale et obtient

$$s\frac{C}{1+e}.$$

Elle place pour un an ce montant sur le marché domestique au taux d; ainsi dans un an elle disposera de

$$s\frac{C}{1+e}(1+d) \text{ ou } sC\frac{1+d}{1+e}$$

À cette même date, son emprunt en devise étrangère devra être remboursé et les intérêts devront être payés. Le tout représente, en devise étrangère, un montant de

$$\frac{C}{1+e}(1+e)=C.$$

Ainsi, C en devise étrangère est équivalent à

$$sC\frac{1+d}{1+e} \text{ en monnaie nationale,}$$

si le taux à terme est tel que

$$t=\frac{sC\dfrac{1+d}{1+e}}{C} \quad \text{ou} \quad t=s\frac{1+d}{1+e}.$$

Si la banque ne prend aucune commission, elle peut offrir aujourd'hui de verser dans un an un montant de tC en monnaie nationale.

À l'aide de cette approche, on arrive au même résultat que précédemment[9].

* * *

Ainsi puisque

$$p=t-s=\frac{s}{1+e}(d-e),$$

---

9. Bien sûr, une simplification importante a été faite dans cet arbitrage effectué par la banque: on a supposé qu'il n'y avait pas de différence entre le taux d'intérêt créditeur et le taux d'intérêt débiteur.

- Il y a une prime (ou report) sur une devise, si le taux d'intérêt domestique est plus élevé que le taux d'intérêt étranger, pour la même échéance.
- Il y a un escompte (ou déport) sur une devise, si le taux d'intérêt étranger est plus élevé que le taux d'intérêt domestique, pour la même échéance.
- Le taux à terme est égal au taux comptant, si les taux d'intérêt sont identiques sur le marché domestique et sur le marché étranger, pour la même période.

Ces différentes relations sont mises en évidence dans les cotations fournies par la presse financière (cf. Annexe 5.B).

d)   Remarques sur le taux à terme

Sur le marché à terme, une monnaie forte est plutôt transigée à prime (avec un report). En effet, à une monnaie forte sont associés des taux d'intérêt faibles. Une monnaie faible va habituellement être transigée à escompte (avec un déport) puisque généralement on lui associe des taux d'intérêt élevés.

Le montant de la prime (ou de l'escompte) ne varie pas proportiellement à l'échéance, comme pourrait le laisser supposer le calcul que nous avons utilisé. Autrement dit, la prime sur le dollar américain à un an, par exemple, n'est pas systématiquement deux fois plus grande que celle à six mois, ou quatre fois plus grande que celle à trois mois. L'écart entre les taux d'intérêt appliqués aux deux devises n'est en général pas constant pour toutes les échéances et les écarts dus aux anticipations ne sont pas nécessairement les mêmes non plus (cf. Annexe 5.A).

5.2.3   Le marché des swaps

Le marché des swaps est une extension du marché à terme. Un swap est une opération au cours de laquelle un agent économique achète et vend simultanément une devise contre une autre, mais avec des dates de livraison différentes. En fait, un swap est un échange de devises avec promesse de faire l'opération inverse à une échéance déterminée à l'avance. Contrairement aux utilisateurs de transactions au comptant ou à terme, l'utilisateur du swap n'encourt aucun risque de change. Pour une entreprise ou une institution financière, le swap est un instrument commode pour le placement temporaire d'un excédent en devise non immédiatement requis; pour une banque, c'est un moyen utile pour couvrir des transactions à terme.

Lors d'une transaction swap, les deux parties conviennent de la différence de points (prime ou escompte) avec laquelle la transaction sera effectuée. Les points de prime ou d'escompte sont appelés taux de swap *(swap rates)*. La prime et l'escompte sont habituellement exprimés en pourcentage annuel.

Même si les dates de livraison peuvent être choisies arbitrairement, il existe des échéances standard sur ce marché:

- *Spot against forward*: Une devise est achetée (ou vendue) comptant et revendue (ou rachetée) simultanément pour livraison dans une semaine, un mois ou trois mois.

- *Tomorrow next* ou *rollover*: Une devise est achetée (ou vendue) pour livraison le jour ouvrable suivant et simultanément revendue (ou rachetée) le surlendemain.

- *Forward-forward*: Une devise est achetée (ou vendue) pour livraison à une date ultérieure (par exemple, un mois) et revendue (ou rachetée) à une autre date future (par exemple, trois mois).

Il n'est possible de faire des opérations de swaps sur toute une gamme d'échéances que pour les monnaies les plus importantes mais, comme pour les transactions à terme, le marché est surtout concentré sur les échéances courtes (1 à 7 jours)[10]. Le marché est très actif pour les monnaies clés fortement utilisées par les entreprises et les banques pour leurs transactions commerciales ou pour leurs opérations de financement (yen/dollar, mark/dollar, mark/livre sterling, dollar/livre sterling, franc/mark). Le marché est en revanche plus étroit et géographiquement plus concentré pour les monnaies n'ayant pas la même gamme d'utilisation à l'échelle internationale. Les transactions portent alors essentiellement sur des échéances standard.

5.2.4   Les contrats à terme : *(futures)* et les options

À côté de ces trois instruments classiques se sont développés, dans les années 1980, de nouveaux outils sur les marchés des changes: ce sont les contrats *futures* et les options. Un contrat «future» est un contrat à terme, négociable, qui porte sur un montant standard de devises à livrer à une certaine date et à un taux prédéterminé. Une option de change est un droit, et non une obligation, d'acheter ou de vendre à un prix déterminé une quantité de devises, soit à l'expiration du contrat ou à une date antérieure (option américaine), soit à l'expiration du contrat seulement (option européenne). Ces instruments jouent un rôle de plus en plus important sur les marchés des capitaux pour la converture d'opérations de financement. Nous y reviendrons aux chapitres 15 et 16.

5.3   Quelques caractéristiques du marché des changes

Même si le marché des changes est un marché mondial, on peut en repérer certaines caractéristiques sur une base géographique. Ceci est facilité par les enquêtes régulières et simultanées

---

10. D'après la Banque d'Angleterre, plus de 80 % des transactions à terme ou de swap portent sur des échéances de 1 à 8 jours.

effectuées par les banques centrales des pays où sont situées les principales places financières[11].

5.3.1 Volume de transactions

En avril 1992, on estimait que le volume quotidien de transactions sur le marché des changes avoisinait 1 000 milliards de dollars. Ce chiffre correspondait à une augmentation de 37 % par rapport à celui enregistré en 1989.

Tableau 5.3
Volume quotidien de transactions sur le marché des changes
(en milliards de dollars)

	1986	1989	1992
Royaume Uni	90	187	300
États-Unis	59	129	192
Japon	48	115	128
Singapour	—	55	74
Suisse	—	57	68
Hong Kong	—	49	61
Allemagne	—	—	57
France	—	26	35
Australie	—	30	30
Canada	9	15	22

Source : FMI et Revue de la Banque du Canada.

Comme le montre le tableau 5.3, le marché le plus actif est situé à Londres, place financière qui à elle seule assure près de 30 % des transactions mondiales. Londres est suivie de New York et de Tokyo.

5.3.2 Répartition des opérations par type de transaction

Le tableau 5.4 synthétise les résultats des enquêtes effectuées sur les grands marchés des changes dans le monde.

On constate que, depuis 1986, la part des transactions au comptant a diminué dans tous les centres financiers, sauf en Suisse. On enregistre, à l'inverse, une augmentation sensible des opérations de swaps (sauf en Suisse). Les opérations à terme sec sont dans tous les pays inférieures à 10 %.

Le volume d'opérations de contrats «futures» et d'options a beaucoup augmenté au cours des dernières années, mais ce n'est qu'aux États-Unis qu'il représente plus de 10 % de la valeur de toutes les opérations.

---

11. Les enquêtes ont été effectuées en mars 1986, avril 1989 et avril 1992. Les résultats sont présentés dans les revues officielles des banques centrales. Les tableaux que nous utilisons ici sont tirés de la compilation qui a été faite dans un document du FMI intitulé *International Capital Markets Part I: Exchange Management and International Capital Flows*, daté d'avril 1993.

Tableau 5.4

Répartition des opérations par type de transaction
(en pourcentage)

	Comptant 1986	1989	1992	À terme 1986	1989	1992	Swaps 1986	1989	1992	Futures et Options 1986	1989	1992
Royaume-Uni	73	64	50	—	—	6	27	35	41	—	1	3
États-Unis	61	62	51	5	5	6	29	25	31	5	8	12
Japon	40	40	—	10	6	—	50	51	—	—	4	6
Singapour	—	54	—	—	5	—	—	38	—	—	1	—
Suisse	—	53	54	—	5	9	—	40	33	—	2	4
Hong Kong	—	61	52	—	—	3	—	39	44	—	—	1
France	—	58	52	—	—	4	—	36	38	—	6	6
Australie	—	61	42	—	5	4	—	32	51	—	3	3
Canada	43	41	35	5	5	4	52	54	61	—	—	—

Source: FMI et Revue de la Banque du Canada.

5.3.3 Répartition des opérations par devise

D'une place financière à l'autre, les devises transigées n'ont pas la même importance. Les situations de ce point de vue sont très différentes si l'on compare les trois grandes places que sont Londres, New York et Tokyo.

Comme le montrent les tableaux 5.5 et 5.6 en 1992, un pourcentage élevé (76 %) des transactions effectuées à Londres, n'a pas la livre sterling comme contrepartie, alors que la monnaie locale est utilisée dans 89 % des transactions aux États-Unis et dans 72 % de celles effectuées au Japon (en 1989). Trois facteurs peuvent être avancés pour ces différences:

- la prépondérance du dollar sur le marché des changes;
- la très grande variété de paires de devises utilisées pour les transactions à Londres (tableau 5.6);
- la très grande concentration sur les transactions yen/dollar à Tokyo.

Tableau 5.5

Répartition des opérations par devise
(en pourcentage)

	Monnaie locale 1986	1989	1992	Dollars É.-U. 1986	1989	1992	Deutsche Mark 1986	1989	1992	Autres 1986	1989	1992	Total[1]
Royaume-Uni	31	31	24	96	89	76	29	27	34	44	53	66	200
États-Unis	87	85	89	—	—	—	34	33	44	79	82	67	200
Japon	—	72	—	82	90	—	—	10	—	18	28	—	200
Singapour	—	—	04	—	81	77	—	24	29	—	95	90	200
Suisse	—	—	46	—	—	73	—	—	34	—	—	47	200
Hong Kong	—	15	14	—	93	90	—	21	32	—	71	64	200
France	—	47	52	—	—	59	—	—	48	—	—	41	200
Australie	—	55	41	—	87	87	—	15	20	—	43	52	200
Canada	68	66	65	99	99	96	13	13	13	20	22	26	200

Source: FMI et Revue de la Banque du Canada.
1. La somme des pourcentages est égale à 200 % car les deux côtés des transactions sont inclus dans le calcul.

Tableau 5.6 Répartition du volume d'opération par paires de devises, à Londres (en pourcentage)			
	1986	1989	1992
Dollar/livre sterling	30	27	19
Dollar/deutsche mark	28	22	23
Dollar/yen	14	15	13
Dollar/franc suisse	9	10	6
Dollar/franc français	4	2	3
Dollar/dollar canadien	2	2	2
Dollar/dollar australien	n.d.	2	1
Dollar/autres devises du SME	n.d.	n.d.	8
Dollar/autres devises	7	7	3
Livre sterling/deutsche mark	1	3	6
Livre sterling/autres devises	n.d.	1	1
Deutsche mark/yen	n.d.	2	3
Deutsche mark/autres devises du SME	2	3	4
			3
Écu	1	2	5

Source: Bank of England, *Quarterly Bulletin.*

On notera aussi que la proportion de transactions en monnaie locale est particulièrement faible à Singapour et Hong Kong (4 % et 14 % respectivement), ce qui reflète bien le caractère international de ces deux places.

On remarquera enfin que, de 1986 à 1992, on a enregistré une augmentation assez sensible, à peu près sur toutes les grandes places dans le monde, des transactions où le deutsche mark est l'une des deux devises employées.

5.3.4   Concurrence et concentration

Le nombre de participants sur le marché des changes est très élevé; dans son enquête de 1992, la Banque d'Angleterre a envoyé un questionnaire à 352 firmes dont l'activité est significative sur le marché londonnien. Cependant, les parts du marché sont très inégales et ainsi 48 % du volume de transactions sur le segment livre sterling/dollar est effectué par dix participants seulement.

Le tableau 5.7 présente la part de marché accaparée par les 10 intervenants les plus actifs pour les principaux segments à Londres.

Tableau 5.7

**Part de marché assurée par les 10 intervenants
les plus importants à Londres**
(en pourcentage)

	1986	1989	1992
Sterling/dollar	40	34	48
Dollar/deustche mark	38	37	43
Dollar/yen	46	39	48
Dollar/franc suisse	57	60	66
Dollar/franc français	70	61	54
Écu	—	81	62

Source : Bank of England, *Quarterly Bulletin.*

Annexe 5.A

Structure des taux d'intérêt sur les euromarchés et variation du taux de change à terme

Les taux d'intérêt varient en fonction de l'échéance. Habituellement la structure de ces taux est telle que la courbe qui en représente l'évolution en fonction de l'échéance (*yield curve*) est croissante[12]. Cependant, si l'on considère deux monnaies dont on trace les courbes de rendement en fonction de l'échéance, il est plutôt exceptionnel que l'on obtienne des déformations qui soient les mêmes. Autrement dit, en fonction du temps, le différentiel d'intérêt n'est pas, en général, constant. Il s'ensuit que la prime (*le report*) sur le marché à terme est influencée par d'autres éléments que le nombre de jours ou de mois séparant le comptant de l'échéance.

Pour mettre ceci en évidence, on utilisera ici quatre séries de graphiques inspirés d'une présentation faite par Dufey et Giddy[13]. On envisage quatre cas d'évolution du différentiel des taux d'intérêt sur les marchés de l'euromark et de l'eurodollar.

a) Premier cas

Supposons que sur les euromarchés, le différentiel de taux d'intérêt est constant entre le dollar et le deutsche mark, quelle que soit l'échéance considérée.

Dans ce cas, la prime sur le dollar à terme (pour lequel les taux d'intérêt sont les plus faibles) augmente continuellement. On obtiendrait, en fait, une droite croissante si l'on utilisait l'approximation suivante pour le calcul de la prime.

$$p = s\,(d-e)\,\frac{n}{360} \quad \text{ou} \quad p = s(\Delta i)\,\frac{n}{360}$$

b) Deuxième cas

Si l'on suppose maintenant que le différentiel de taux d'intérêt est croissant en fonction du temps, la prime sera croissante à taux croissant.

En utilisant l'approximation précédente, un différentiel de taux croissant conduirait à une prime dont l'évolution serait décrite par une parabole.

---

12. Il y a bien sûr des exceptions; c'est ainsi qu'au début des années 1980, puis, à nouveau, au début des années 1990, la courbe de rendement a été inversée pendant plusieurs mois dans de nombreux pays.

13. DUFEY, G., et I.H., GIDDY, *The International Money Market*, Prentice Hall, 1978, p. 80-84.

c)   Troisième cas

Si l'on suppose que le différentiel de taux d'intérêt est continuellement décroissant, la prime sur le marché à terme va tout d'abord être croissante puis elle se stabilisera[14].

d)   Quatrième cas

Dans ce dernier cas, on suppose que le différentiel de taux est d'abord positif, devient nul puis négatif.

À l'échéance pour laquelle le taux d'intérêt sur le marché de l'eurodollar est le même que sur le marché de l'euromark, le taux de change au comptant est égal au taux de change à terme. Ainsi, en se référant aux trois graphiques illustrant ce quatrième cas, on constate bien que la prime est nulle pour l'échéance de 540 jours lorsque le différentiel de taux est également nul, c'est-à-dire lorsque les deux courbes décrivant la structure temporelle des taux d'intérêt des deux devises se coupent.

Lorsque le taux d'intérêt sur le deutsche mark est plus élevé que celui sur le dollar, la prime associée au dollar à terme est positive. Elle est négative dans le cas inverse, c'est-à-dire, au-delà de 540 jours.

---

14. En utilisant l'approximation précédente, on constate que si la courbe décrivant l'évolution du différentiel de taux est de forme hyperbolique, la prime (p) est constante.

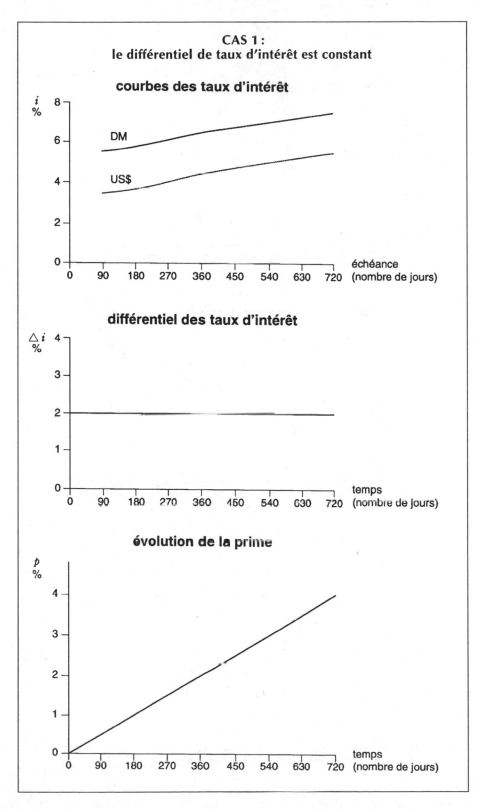

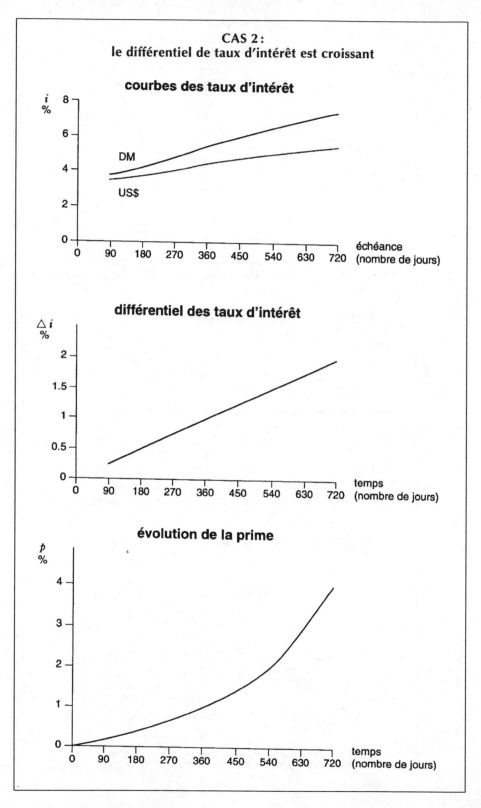

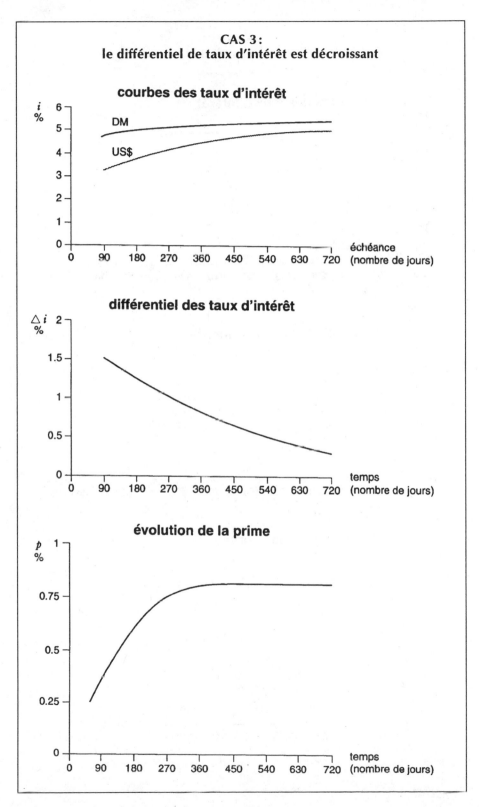

CAS 3 :
le différentiel de taux d'intérêt est décroissant

courbes des taux d'intérêt

différentiel des taux d'intérêt

évolution de la prime

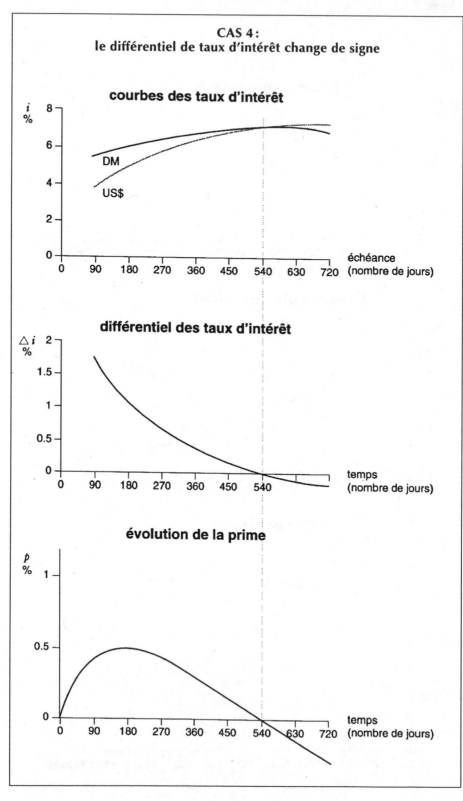

CAS 4 :
le différentiel de taux d'intérêt change de signe

courbes des taux d'intérêt

DM

US$

échéance (nombre de jours)

différentiel des taux d'intérêt

temps (nombre de jours)

évolution de la prime

temps (nombre de jours)

Annexe 5.B

Taux de change à terme et différentiel de taux d'intérêt

Les taux de change à terme et les taux d'intérêt sur le marché des eurodevises sont publiés tous les jours par la presse financière internationale. Les deux tableaux ci-dessous sont tirés du *Financial Times* de Londres du 10 septembre 1993. En prenant des échéances d'un mois et de trois mois on pourra facilement comparer les primes (*pm*) ou les escomptes (*dis*), exprimés en pourcentage sur le marché à terme (tableau supérieur) avec les écarts de taux d'intérêt entre chacune des devises et le dollar sur le marché des eurodevises (tableau inférieur).

DOLLAR SPOT - FORWARD AGAINST THE DOLLAR

Sep 9	Day's spread	Close	One month	% p.a.	Three months	% p.a.
UK†	1.5365 - 1.5550	1.5505 - 1.5515	0.36-0.35cpm	2.75	1.86-1.81pm	4.73
Ireland†	1.4300 - 1.4550	1.4485 - 1.4495	0.49-0.46cpm	3.93	1.38-1.31pm	3.71
Canada	1.3120 - 1.3190	1.3160 - 1.3170	0.14-0.17cdis	-1.41	0.53-0.58dis	-1.69
Netherlands .	1.7900 - 1.8225	1.7950 - 1.7960	0.51-0.54cdis	-3.51	1.43-1.48dis	-3.24
Belgium	34.60 - 35.20	34.70 - 34.80	23.00-28.00cdis	-8.01	64.00-74.00dis	-7.94
Denmark ....,	6.6050 - 6.6965	6.6050 - 6.6100	4.40-4.80oredis	-8.35	12.25-13.25dis	-7.72
Germany	1.5930 - 1.6220	1.5965 - 1.5975	0.49-0.50pfdis	-3.72	1.35-1.37dis	-3.41
Portugal	164.80 - 166.35	165.00 - 165.10	107-112cdis	-7.96	317-332dis	-7.86
Spain	129.10 - 131.55	129.35 - 129.45	77-81cdis	-7.33	226-233dis	-7.09
Italy	1543.50 - 1567.25	1543.75 - 1544.25	8.00-8.20liredis	-6.30	23.50-24.10dis	-6.17
Norway	6.9800 - 7.0900	7.0075 - 7.0125	1.50-2.10oredis	-3.08	4.85-5.55dis	-2.97
France ....:...	5.6275 - 5.7075	5.6300 - 5.6350	2.08-2.23cdis	-4.59	5.95-6.20dis	-4.31
Sweden	7.8485 - 7.9920	7.8700 - 7.8750	3.00-3.60oredis	-5.03	8.50-9.50dis	-4.57
Japan	104.00 - 105.70	104.70 - 104.80	0.04-0.03ypm	0.40	0.14-0.12pm	0.50
Austria	11.2375 - 11.4050	11.2640 - 11.2690	3.30-3.70grodis	-3.73	9.50-10.60dis	-3.57
Switzerland .	1.3970 - 1.4210	1.3995 - 1.4005	0.19-0.22cdis	-1.76	0.53-0.59dis	-1.60
Ecu†	1.1665 - 1.1835	1.1815 - 1.1825	0.47-0.46cpm	4.72	1.36-1.34pm	4.57

Commercial rates taken towards the end of London trading. † UK, Ireland and Ecu are quoted in US currency. Forward premiums and discounts apply to the US dollar and not to the individual currency.

EURO-CURRENCY INTEREST RATES

Sep 9	Short term	7 Days notice	One Month	Three Months	Six Months	One Year
Sterling..................	$5^1_2 - 5^1_4$	$5^3_4 - 5^5_8$	$5^{13}_{16} - 5^7_8$	$5^{13}_{16} - 5^{13}_{16}$	$5^{13}_{16} - 5^{11}_{16}$	$5^3_4 - 5^5_8$
US Dollar................	$3^1_{16} - 2^{15}_{16}$	$3^1_{16} - 2^{15}_{16}$	$3^1_8 - 3$	$3^3_{16} - 3^1_{16}$	$3^3_8 - 3^1_4$	$3^9_{16} - 3^7_{16}$
Can. Dollar............	$4^1_4 - 4$	$4^3_8 - 4^1_8$	$4^1_2 - 4^1_4$	$4^7_8 - 4^5_8$	$5^1_8 - 4^7_8$	$5^3_8 - 5^1_8$
Dutch Guilder..........	$6^3_{16} - 6^1_{16}$	$6^3_{16} - 6^1_{16}$	$6^1_2 - 6^3_8$	$6^5_{16} - 6^1_{16}$	$6 - 5^7_8$	$5^{11}_{16} - 5^9_{16}$
Swiss Franc............	$5 - 4^3_4$	$5 - 4^3_4$	$4^7_8 - 4^1_4$	$4^3_4 - 4^3_8$	$4^5_8 - 4^1_2$	$4^3_8 - 4^1_4$
D-Mark..................	$7^1_4 - 7^1_8$	$7^1_4 - 7$	$6^3_4 - 6^5_8$	$6^1_2 - 6^3_8$	$6^3_8 - 6^1_8$	$5^{13}_{16} - 5^{13}_{16}$
French Franc............	$7^5_8 - 7^3_8$	$7^5_8 - 7^3_8$	$7^5_8 - 7^3_8$	$7^3_8 - 7^1_8$	$6^7_8 - 6^5_8$	$6^1_4 - 6$
Italian Lira..............	$11 - 9$	$9^3_8 - 8^7_8$	$9^3_8 - 8^7_8$	$9^1_8 - 8^5_8$	$8^7_8 - 8^1_2$	$8^1_2 - 8^1_8$
Belgian Franc..........	$11 - 10^1_2$	$11^1_4 - 10^3_4$	$11 - 10^1_2$	$10^1_2 - 10$	$9^1_8 - 8^5_8$	$8^1_4 - 7^3_4$
Yen......................	$2^{13}_{16} - 2^7_8$	$2^{13}_{16} - 2^3_4$	$2^3_4 - 2^{11}_{16}$	$2^5_8 - 2^9_{16}$	$2^5_8 - 2^9_{16}$	$2^{13}_{16} - 2^{11}_{16}$
Danish Krone..........	$11^1_2 - 10^1_2$	$11^1_2 - 10^1_2$	$11^1_2 - 10^1_2$	$10^3_4 - 10^1_4$	$9^5_8 - 9^1_8$	$8^1_2 - 8$
Asian $Sing............	$3^1_2 - 2^1_2$	$3^1_2 - 2^1_2$	$3^1_2 - 2^1_2$	$4 - 3$	$4 - 3$	$4^1_4 - 3^1_4$
Spanish Peseta........	$10^3_8 - 10^1_8$	$10^1_4 - 10$	$10^1_4 - 10$	$10 - 9^3_4$	$9^3_4 - 9^1_2$	$9^1_4 - 9$
Portuguese Esc.......	$10^3_4 - 10^3_8$	$11^1_4 - 10^7_8$	$11^1_2 - 10$	$11^1_2 - 10$	$11^1_4 - 10^3_4$	$10^5_8 - 10^1_4$

Long term Eurodollars: two years $4 \cdot 3^7_8$ per cent; three years $4^3_8-4^1_4$ per cent; four years $4^5_8-4^1_2$ per cent; five years $4^1_2-4^1_2$ per cent nominal. Short term rates are call for US Dollar and Japanese Yen; others, two days' notice.

RÉFÉRENCES BIBLIOGRAPHIQUES

Livres:

- CHAMPION, P. F. et TRAUMAN, J. *Mécanismes de change et marché des eurocrédits*, Economica, Paris, 1978.
- DUFEY, G. et GIDDY, I., *The International Money Market*, Prentice Hall, 1978.
- GILLOT, P. et PION, D., *Le nouveau cambisme*, Eska, Paris, 1990.
- GOLDSTEIN, M. *et al.*, *International Capital Markets. Part I: Exchange Rate Management and International Capital Flows*, FMI, avril 1993.
- PEYRARD, J., *Risque de change et gestion de l'entreprise*, Vuibert, Paris, 1986.
- TOPSACALIAN, P., *Principes de finance internationale*, Economica, 1992.
- WAPLER, N., *Les changes. Cambisme et trésorerie devises*, 2e édition, Dalloz, Paris, 1983.

Articles:

- DUFLOUX, C. et KARLIN, M., «Le marché des changes à Paris», *La Revue Banque*, avril 1990.
- DUFLOUX, C. et KARLIN, M., «Le marché international des changes», *La Revue Banque*, mai-juin 1990.
- GALY, M., LEVY-GARBOUA, V. et PILON, D., «Le fonctionnement du marché des changes», *Cahiers économiques et monétaires*, Banque de France, n° 8.
- KUBARYCH, R. M., «Foreign Exchange Market in the United States», *Reserve Bank of New York*, 1978.
- «L'enquête statistique sur le marché des changes du Canada», *Revue de la Banque du Canada*, octobre 1992.
- «Foreign Exchange in London», *Bank of England Quarterly Bulletin*, novembre 1992.

Chapitre 6
L'évolution des marchés internationaux : quelques points de repère

Avant d'aborder les différents segments des marchés internationaux, il est bon de fixer quelques points de repère pour mieux situer leur évolution et leur croissance. En effet, le développement extraordinaire de ces marchés n'a été possible que parce que des besoins spécifiques se sont manifestés, tant du côté des prêteurs que du côté des emprunteurs, besoins résultant des mutations de l'environnement économique, financier et réglementaire.

On peut distinguer trois phases dans l'évolution des marchés internationaux : la première couvre la période 1974-1982, c'est la période de la croissance dans la turbulence. La seconde va de 1983 à 1987, c'est une phase de déréglementation et d'innovation. La troisième commence en 1987, c'est une phase tout à la fois d'euphorie, de tensions et de mutations.

Pour chacune des trois périodes, on exposera tour à tour les événements majeurs et les grands traits de l'évolution sur les marchés financiers internationaux.

6.1 1974-1982 : croissance dans la turbulence

6.1.1 Les événements majeurs

La période s'ouvrit bien sûr par la crise de l'énergie. Le quadruplement du prix du pétrole, en 1974, marque le début d'augmentations qui poussèrent le prix du brut jusqu'à 44 $ le baril en 1980.

Face à ce choc externe, toutes les économies furent touchées et elles commencèrent, avec plus ou moins de rapidité, un long processus d'adaptation ; leurs performances en furent affectées pour le reste de la décennie.

Cette période a correspondu également à la généralisation des taux de change flottants. Pour bon nombre d'agents économiques, ce fut une période d'apprentissage, puisqu'il fallut s'adapter à la nouvelle volatilité.

1° *Sur le plan conjoncturel*, on peut diviser cette période en trois phases. La première fut marquée par un ralentissement de l'activité économique provoqué par l'augmentation des prix de l'énergie. Pour la plupart des pays industrialisés, 1975 et 1976 furent des années de croissance négative et d'inflation. Dans ces circonstances, les gouvernements adoptèrent des politiques monétaires accommodantes, ce qui permit un retour généralisé de la croissance dès 1977. Néanmoins, ce manque de contrôle de la croissance de la masse monétaire alimentait l'inflation. Cette phase de laxisme relatif devait prendre fin aux États-Unis avec l'arrivée de M. Paul Volcker à la tête de la Réserve fédérale qui mena une lutte sans merci à l'inflation. Les effets de ce retour à l'orthodoxie monétaire, combinés au deuxième choc pétrolier (1979), allaient plonger les États-Unis dans une récession dont ils ne sortirent pas avant 1984.

Les pays européens et le Japon suivirent des scénarios conjoncturels fort semblables au cours de ces années. En fait, tous les pays industrialisés connurent, au milieu de la décennie, un ralentissement sensible de leur activité, ralentissement d'autant plus prononcé qu'ils dépendaient du prix du pétrole dont ils étaient importateurs.

2° *Du point de vue des taux d'intérêt*, il ressort très clairement que jusqu'à l'automne 1979, les taux d'intérêt réels ont été négatifs pendant de longues périodes dans la plupart des pays industrialisés. La vigoureuse intervention de M. Volcker à l'automne 1979, qui se traduisit par une poussée sans précédent des taux d'intérêt nominaux américains, allait mettre fin à cet état de fait. Les taux d'intérêt réels aux États-Unis (et par ricochet dans tous les pays industrialisés) redevenaient positifs et allaient le demeurer pour les années à venir.

3° *Sur les marchés des changes*, deux sous-périodes sont facilement identifiables. On assista tout d'abord à un effritement continu du dollar par rapport aux principales monnaies européennes et par rapport au yen japonais. Mais cette tendance se renversa brusquement à la fin de 1979, au moment où la devise américaine amorça une ascension qui devait durer jusqu'en février 1985.

6.1.2 Les grandes tendances sur les marchés financiers internationaux

Au cours de cette période, les marchés internationaux des capitaux connurent une croissance sans précédent. Quelques chiffres permettent de se rendre compte de l'ampleur du phénomène. En 1973, les émissions d'obligations internationales étaient de 8,7 milliards de dollars et les nouveaux prêts bancaires (principalement sous la forme d'eurocrédits syndiqués) s'élevaient à 20,8 milliards de dollars. À la fin de cette période, au cours de l'année 1982, les émissions obligataires internationales totalisèrent 75,3 milliards de dollars, alors que les nouveaux crédits bancaires internationaux, quant à eux, approchaient les 100 milliards.

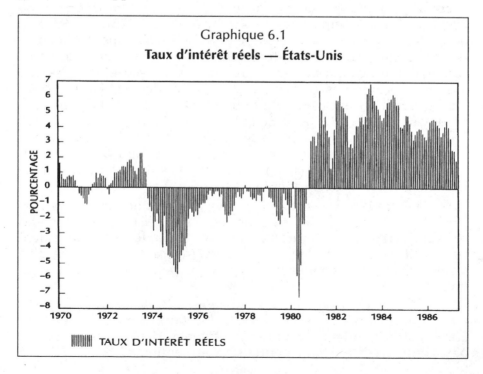

Graphique 6.1
Taux d'intérêt réels — États-Unis

POURCENTAGE

|||||| TAUX D'INTÉRÊT RÉELS

Les chiffres précédents suffisent pour souligner combien ces années ont vraiment constitué l'âge d'or des banques commerciales. Elles profitèrent largement du recyclage des pétrodollars ; elles surent répondre aux besoins de financement de la plupart des gouvernements qui, dans le monde entier, étaient aux prises avec de sérieux problèmes de déficit de balance de paiement ou au contraire voulurent profiter de la manne pétrolière pour se lancer dans des plans de développement et d'adaptation, plus audacieux que réfléchis. Pour les banques, les prêts aux pays en développement furent une source majeure de revenu au cours de cette période ; ils seront une source de difficultés et de pertes au cours de la période suivante. En tout cas, la technique remarquablement efficace de la syndication des eurocrédits permit à beaucoup de banques de faire leurs premières armes dans le financement international.

Les chiffres précédents mettent aussi en évidence l'accroissement du financement international par le biais d'obligations. Cependant, le développement du marché euro-obligataire au cours de la période se fit par à-coups. Par ailleurs, la montée brutale des taux d'intérêt, à la fin de l'année 1979, tempéra les ardeurs des investisseurs.

Au regard de ce qui allait suivre, cette période est caractérisée par une remarquable homogénéité des instruments et un grand succès de la standardisation des clauses et des procédures. Par ailleurs, les marchés étaient encore nettement segmentés. Cependant, en fin de période, et sous la pression de taux d'intérêt qui allaient atteindre des sommets, on enregistra les premiers efforts de maisons londoniennes et new yorkaises visant à offrir de nouveaux produits. Il y avait là, en fait, les signes précurseurs de ce qui devait alimenter la compétition au cours de la période suivante.

6.2   1982-1987 : déréglementation et innovations

La deuxième période s'étend du début de la crise de l'endettement (octobre 1982) au krach boursier de New York (octobre 1987)

6.2.1   Les événements majeurs

C'est à l'automne 1982 que débuta la *crise de l'endettement*. C'est en effet à cette époque que le gouvernement mexicain fit savoir à ses principaux créanciers qu'il n'était pas en mesure de faire face à ses échéances ; en quelques mois la quasi-totalité des pays semi-industrialisés ou en voie de développement, qui avaient emprunté des sommes gigantesques au cours de la période précédente, firent face à des difficultés majeures. Pour les banques commerciales, la situation devint rapidement très délicate. Pour les autorités de surveillance et les gouvernements des pays industrialisés, ces développements soudains furent la source de grandes préoccupations face à l'apparente fragilité de l'ensemble du système financier mondial.

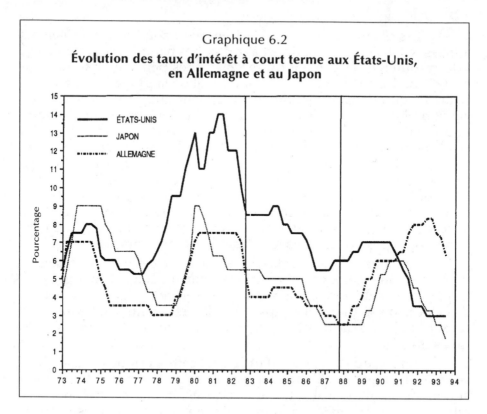

Graphique 6.2

Évolution des taux d'intérêt à court terme aux États-Unis, en Allemagne et au Japon

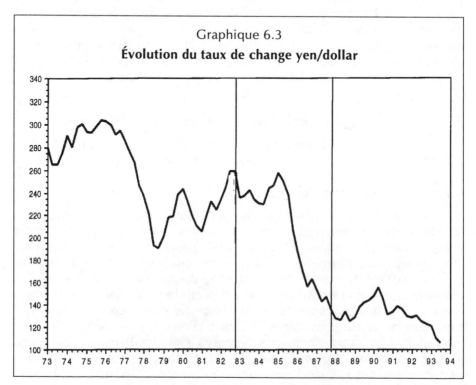

Graphique 6.3

Évolution du taux de change yen/dollar

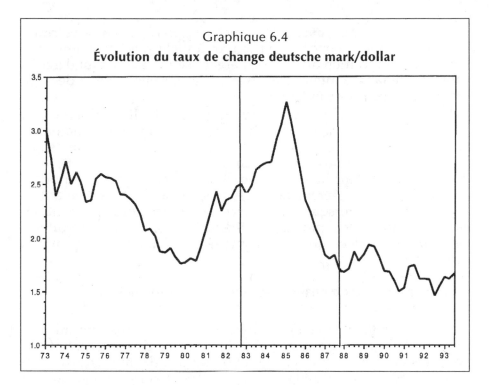

Graphique 6.4
Évolution du taux de change deutsche mark/dollar

Toute la période fut dominée par la recherche de solutions à ce problème de l'endettement des pays moins avancés.

Mais cette période correspond aussi au début d'une mutation profonde sur les marchés engendrée, entre autres, par la nécessité pour les institutions financières de redéployer leurs activités. Ces changements résultèrent aussi d'une transformation de l'environnement: la déréglementation affecta l'industrie des services financiers dans de nombreux pays.

1° *Du point de vue conjoncturel*, cette période débuta dans un climat de morosité pour l'économie mondiale, mais elle se termina au milieu d'une phase particulièrement favorable en termes de croissance.

Aux États-Unis, la thérapie de choc de la Réserve fédérale atteignit ses objectifs en détruisant les anticipations inflationnistes. La croissance de la masse monétaire s'effectua dans le cadre d'une stricte surveillance. De plus, comme le prix du pétrole commença à diminuer dès 1981, l'inflation fut à la baisse sur toute la période. Les effets d'une politique budgétaire expansionniste (au prix de lourds déficits), d'une demande globale stimulée par les innovations technologiques dans le domaine électronique et d'un vent d'optimisme renouvelé eurent pour conséquence de faire redémarrer avec vigueur l'activité économique à partir de 1984.

Cette reprise, qui en fait annonçait une période d'expansion de près de six ans, se fit sentir en Europe avec environ dix-huit mois de décalage par rapport à ce qu'on enregistra aux États-Unis.

2° *En ce qui concerne les taux d'intérêt*, on assista au cours de ces cinq années à une diminution continuelle des taux nominaux, mais cette diminution du coût de l'argent se fit malgré tout dans un contexte de taux d'intérêt réels très élevés en raison de la décroissance très rapide de l'inflation.

3° *Sur les marchés des changes*, la volatilité observée à la période précédente se poursuivit. Le dollar maintint sa tendance à la hausse jusqu'en février 1985. Il atteignit alors des sommets par rapport au yen et aux devises européennes. La surévaluation du dollar s'exerça dans un contexte de non-intervention des autorités américaines qui laissèrent jouer, de la même façon, les anticipations et la spéculation lorsque la tendance se retourna brusquement. La chute fut alors très rapide et, en dix-huit mois, le dollar perdit sur les marchés tout ce qu'il avait gagné au cours des cinq années précédentes.

6.2.2   Les grandes tendances sur les marchés financiers internationaux

L'essoufflement de l'intermédiation bancaire constitue un trait marquant de cette période. Les nouveaux crédits internationaux accordés par les banques passèrent d'environ 100 milliards de dollars en 1982 à moins de 40 milliards en 1985. Ceci s'explique autant par la volonté de retrait d'un certain nombre de banques échaudées par leurs expériences avec les pays semi-industrialisés ou en voie de développement que par l'attrait renouvelé des marchés obligataires en raison de la décroissance des taux d'intérêt.

Par ailleurs, les marchés ont largement été influencés par le climat généralisé de *déréglementation* qui affecta, tour à tour, les économies occidentales et le Japon. Partie des États-Unis et inspirée par un courant visant à limiter l'intervention gouvernementale et à réduire les barrières à la compétition, la déréglementation a tout d'abord touché les domaines des services publics, des transports et de la commercialisation. Mais les répercussions se sont rapidement fait sentir sur les marchés des capitaux aussi bien au plan domestique qu'à l'échelle internationale. Ceci aboutit à la remise en cause de la spécialisation bancaire. Le cloisonnement qui existait dans de nombreux pays entre les champs d'activité des intermédiaires bancaires et ceux des intermédiaires non bancaires eut tendance à s'estomper. La déréglementation a aussi conduit à une libéralisation des conditions d'accès aux marchés.

La préférence pour les *titres négociables* et de nombreuses manifestations de la *titrisation* constituent deux autres caractéristiques essentielles de cette période.

La baisse généralisée des taux d'intérêt nominaux, un renouveau impressionnant des performances des bourses, un peu partout dans le monde, et un accroissement évident de la sophistication des investisseurs expliquent cet engouement pour les titres négociables.

De plus, les investisseurs et les intermédiaires ne pouvaient qu'être influencés par la performance des marchés obligataires qui n'avaient enregistrés que peu ou pas de défaillance au moment où le nombre de débiteurs en difficulté ne cessait d'augmenter sur le marché des crédits bancaires.

Cette préférence pour les titres négociables s'inscrivit d'ailleurs dans le cadre d'un mouvement plus large qu'on a appelé la titrisation, c'est-à-dire la tendance à rendre liquides et négociables des titres ou des actifs qui traditionnellement ne faisaient pas l'objet de transactions.

Beaucoup plus que la précédente, cette période fut marquée par toute une série d'*innovations* sur les marchés. Apparurent alors de nouveaux instruments (et de nouvelles techniques) dont certains devaient rentrer dans la panoplie habituelle des financiers des années subséquentes.

Tous ces changements conduisirent, au cours de cette période, à l'*intégration* et à la *globalisation* des marchés.

Il était facile, au milieu des années 1970, de repérer les compartiments du marché. Le court terme était essentiellement le domaine des certificats de dépôts et des dépôts à terme; les prêts à moyen terme se faisaient par le biais des eurocrédits syndiqués (dont la durée moyenne était de l'ordre de 7 à 8 ans); le compartiment du long terme était celui des euro-obligations qui venait se greffer sur le marché traditionnel des obligations étrangères. Cette belle segmentation a volé en éclats au début des années 1980, et, par transformations et adaptations successives, on a assisté à une intégration des marchés. Le raccourcissement des échéances et l'utilisation des taux variables sur le marché obligataire, l'apparition de l'europapier commercial, puis des notes à moyen terme rendirent les séparations moins évidentes.

Par ailleurs, on commença à parler sur une base régulière de globalisation des marchés; de plus en plus, investisseurs, emprunteurs et intermédiaires ne furent plus en mesure de prendre leurs décisions ou de choisir leurs stratégies sans tenir compte de l'interrelation des marchés. Beaucoup de nouveaux instruments facilitèrent d'ailleurs cette globalisation.

6.3   Depuis 1987 : euphorie, tensions et mutations

La troisième période débute en octobre 1987, lors du krach boursier de New York. Même si les répercussions furent éphémères, il y eut, à cette occasion, une césure très nette sur les marchés internationaux des capitaux.

6.3.1   Les événements majeurs

Le krach à Wall Street, le 19 octobre 1987 mit fin, pour un temps, à l'insouciance qui régnait sur les marchés des titres négociables.

L'ampleur de la baisse, mais surtout les écarts enregistrés en une seule séance mettaient en évidence qu'il y avait énormément de fonds purement spéculatifs dans le marché. La violence du dénouement fut à l'image de l'irréalisme des anticipations.

La baisse s'était produite simultanément sur tous les marchés et avait laissé beaucoup d'opérateurs fort perplexes; cependant, très rapidement, on jugea qu'il fallait plutôt porter une appréciation positive sur ces événements, puisque les marchés, après tout, avaient très bien supporté le test qu'ils avaient dû subir. Six mois après le krach, le marché boursier avait oublié les frayeurs qu'il s'était faites.

Les bourses mondiales se remirent donc sans difficulté du choc de l'automne 1987. Cependant, un nouvelle épreuve attendait les détenteurs de valeurs mobilières, puisque les titres à la Bourse de Tokyo allaient, dans les six premiers mois de l'année 1991, perdre plus de 50 % de leur valeur. Cet effondrement, qui s'accompagnait d'une chute spectaculaire du marché de l'immobilier, allait créer de très sérieuses difficultés aux banques japonaises qui durent faire face à des problèmes de capitalisation et qui, en conséquence, réduisirent leurs activités sur les marchés internationaux.

Parallèlement, des événements majeurs se produisaient en Union soviétique et dans toute l'Europe de l'Est, au point qu'en quelques mois le paysage géopolitique de toute cette partie du monde devint méconnaissable. Un bouleversement d'une telle ampleur se traduisit rapidement par des besoins de financement majeurs et un redéploiement d'une partie des activités des banques internationales. C'est dans ce contexte que l'on assista à la réunification de l'Allemagne, dont le coût, largement sous-estimé, allait peser quelques années plus tard sur l'ensemble du système monétaire européen.

Par ailleurs, avec le début de la nouvelle décennie, l'économie mondiale donne l'impression de rentrer dans une nouvelle phase. Au climat d'optimisme et de relative insouciance succède un environnement de grande morosité, caractérisé par une montée du chômage, un ralentissement de la croissance et une grande incertitude. Ce nouveau pessimisme se fera sentir d'abord sur le continent américain, avant de gagner l'Europe à la fin de 1992.

1° La *conjoncture internationale*, au début de cette troisième période, surprit bon nombre d'observateurs. En effet, le choc à la bourse, en octobre 1987, avait été si violent que beaucoup pensaient que l'activité économique allait immédiatement se contracter et que la période de très longue croissance était arrivée à son terme. En fait, il n'en fut rien, et une fois oubliée l'ampleur de la baisse, l'activité économique se maintint; l'euphorie sur le marché de l'immobilier, la mode des fusions et acquisitions et une demande finale ferme aidèrent l'économie américaine à continuer de croître. Elle entraîna dans son sillage les économies européennes.

À la fin de l'année 1989, cependant, l'élan se brisa brusquement et l'économie américaine entra dans une période de récession. L'augmentation des taux d'intérêt au cours de l'année 1988, le poids de l'endettement des ménages, puis la crise des Savings and Loans (qui contribua à la raréfaction des crédits), eurent raison d'une des plus longues périodes de croissance continue. Pour des raisons différentes, le Canada et la Grande-Bretagne connurent le même sort, alors que la croissance se maintint, jusqu'en 1992, en Europe continentale et au Japon.

Au début de 1993, des signes de reprise lente se firent jour en Amérique du Nord, alors que l'Europe, partiellement étranglée par des taux d'intérêt artificiellement élevés, connaissait un très sérieux ralentissement économique, principalement en Allemagne et en France.

2° *Sur le front des taux d'intérêt* l'année 1987 vit la décroissance que l'on observait depuis cinq ans s'arrêter brusquement. Aux États-Unis, le prix de l'argent à court terme frôle les 6 % au début de l'année 1987, mais commence une remontée suffisamment importante pour entraîner, dès le printemps, une baisse très marquée sur les marchés obligataires. Le marché euro-obligataire sera particulièrement touché et plusieurs banques internationales enregistreront des pertes très sensibles. En fait, les fortes fluctuations sur les marchés obligataires auraient dû être interprétées comme un signe précurseur des événements de l'automne à Wall Street. Face à l'ampleur de la panique boursière, les autorités monétaires réagirent en augmentant rapidement la masse monétaire et en baissant les taux d'intérêt. Cette embellie devait néanmoins être de courte durée, puisque les taux augmenteront tout au cours de l'année 1988. Au début 1989, les taux atteindront 10 % aux États-Unis, avant de commencer une décroissance ininterrompue aux cours des quatre années suivantes.

La remontée des taux en 1988 fut générale, mais le parallélisme cessera brusquement en 1989. En effet, on enregistra au milieu de l'année une évolution divergente des deux côtés de l'Atlantique: alors qu'on pouvait observer une détente très nette sur le coût de l'argent aux États-Unis, les taux d'intérêt continuaient à augmenter en Allemagne. Aux États-Unis, on était surtout préoccupé par la faiblesse de la conjoncture et que l'on désirait faciliter le refinancement des banques dont la santé financière avait été sérieusement affectée par l'effondrement du marché immobilier. La Bundesbank, de son côté, se donnait comme priorité de lutter contre la croissance de la masse monétaire et les pressions inflationnistes résultant de l'effort massif consenti par le gouvernement fédéral au moment de la réunification.

Une telle divergence de tendance aboutit, au début de 1993, à un écart de près de 500 points de base entre les taux allemands et les taux américains.

Même s'ils ne faisaient pas face à des problèmes d'inflation semblables à ceux de l'Allemagne, la plupart des pays européens se trouvèrent dans l'obligation de maintenir des taux très élevés pour soutenir leurs monnaies en raison de leur appartenance au système monétaire européen.

3° *Sur les marchés des changes*, la période qui débuta immédiatement après le krach est une période de relative accalmie jusqu'à l'automne 1992. Le dollar, mal traité depuis le mois de février 1985, atteint un plancher par rapport au yen et regagne même un peu de terrain pour connaître un sommet de 150 yen au printemps 1991. En ce qui concerne l'évolution de la parité du dollar et des monnaies européennes, le marché des changes reflète le différentiel croissant entre les taux allemands et les taux américains. Il s'ensuit que le dollar s'affaiblit par rapport au deutsche mark et par rapport à toutes les monnaies européennes liées à la devise allemande dans le cadre du système monétaire européen. Cependant, sur ce front également les fluctuations sont moins prononcées qu'au cours des cinq années précédentes.

En fait, l'attention sur les marchés des changes au cours de l'automne 1992 et l'année 1993 sera concentrée sur les tensions à l'intérieur du SME qui aboutirent, au début du mois d'août 1993, à la définition de nouvelles marges de fluctuations des monnaies à l'intérieur du système.

6.3.2   Les grandes tendances sur les marchés financiers internationaux

Cette période débuta par une reprise très nette de l'activité sur le marché des crédits bancaires internationaux. Le krach boursier fut favorable à ce marché puisqu'il devint difficile, pendant quelques mois, de lever des fonds sur le marché obligataire ou d'avoir recours à la bourse pour se financer. Mais surtout, la vague des fusions-acquisitions et les LBO (*Leveraged Buy Out*) qui marquèrent la fin de la décennie 1980 offrirent de nouvelles opportunités aux banques commerciales et, chaque année, c'est environ 120 milliards qui seront mobilisés par le biais de nouveaux crédits bancaires internationaux.

Au cours de cette troisième période, le marché obligataire international fut particulièrement actif. Les nouvelles émissions totalisèrent près de 230 milliards de dollars en 1988 et atteignirent plus de 330 milliards en 1992. De ce montant, 82 % correspond à des émissions sur le marché euro-obligataire. Cette remarquable vitalité du marché euro-obligataire s'explique tout autant par l'introduction de nouveaux emprunteurs et par un élargissement de la demande des investisseurs institutionnels que par l'arrivée à échéance d'émissions antérieures nécessitant des renouvellements de financement.

Parallèlement, le nouveau marché des effets à court terme (europapier commercial et notes à moyen terme) connaît un succès grandissant.

Cependant, le phénomène le plus remarquable de la période est l'extraordinaire croissance de l'utilisation des produits dérivés. Les bourses où se négocient des contrats à terme et des options se multiplient et, surtout, le marché des swaps connaît un essor fulgurant.

Par ailleurs, l'ensemble des marchés commencèrent à ressentir les effets de l'introduction de normes universelles en matière de capitalisation bancaire (le ratio Cooke)[1]. On entrait dans une nouvelle ère de réglementation ou, tout au moins, de liberté beaucoup plus surveillée pour les banques et, par ricochet, pour l'ensemble des institutions financières œuvrant au niveau international.

---

1.   On reviendra en détail sur cette question au chapitre 8.

RÉFÉRENCES BIBLIOGRAPHIQUES

Revues:
- *Bank of England Quarterly Bulletin*
- *Banque*
- *Évolution de l'activité bancaire et financière internationale* (BRI)
- *International Capital Markets: Developments and Prospects* (FMI)
- *Regards sur les changes* (BNP)
- *Tendances des marchés des capitaux* (OCDE)

Journaux:
- *The Financial Times*
- *The Wall Street Journal*

Deuxième partie
Financements bancaires internationaux

La deuxième partie de ce livre se compose de quatre chapitres consacrés aux financements bancaires internationaux.

Les crédits bancaires consortiaux (ou crédits syndiqués) sont les instruments qui ont présidé au décollage des marchés internationaux des capitaux dans les années 1970. On leur consacre trois chapitres. Le premier s'intéresse aux caractéristiques de l'instrument; le second analyse le marché et son évolution, enfin le troisième s'attarde à la façon dont les banques ont réagi à la crise de l'endettement.

En raison de la contraction du marché des eurocrédits au milieu des années 1980, les banques ont proposé à leurs clients de nouveaux produits : les facilités renouvelables à prise ferme et les facilités à options de tirage multiples. Le chapitre 10 leur est consacré.

Chapitre 7
Les eurocrédits syndiqués

Les eurocrédits ont présidé au déploiement de l'activité internationale des banques. Moyen de financement indirect, l'eurocrédit permet aux emprunteurs ne pouvant placer des titres directement auprès des détenteurs de liquidités d'accéder à des sources importantes de financement international. Les opérations montées par les banques s'adressent tout aussi bien aux États et aux agences gouvernementales qu'aux entreprises industrielles ou commerciales.

Ce chapitre est divisé en six parties. Dans les trois premières on s'intéresse, successivement, aux caractéristiques de cet instrument, à ses éléments constitutifs et aux étapes de la mise en place de ce genre de facilité. La quatrième partie traite de la répartition des commissions à l'intérieur d'un syndicat bancaire et la cinquième porte sur les nouvelles tendances de la syndication. Enfin, le chapitre se termine sur une analyse des avantages et des inconvénients de cet instrument de financement.

7.1 Les caractéristiques générales d'un eurocrédit syndiqué

Un prêt syndiqué est une opération par laquelle un groupe de banques (le syndicat bancaire) met à la disposition d'un emprunteur des fonds à des conditions et termes identiques pour tous et régis par une convention de prêt commune. Il s'agit de prêts à moyen terme qui, le plus souvent, ont un taux d'intérêt variable dont la valeur est fixée à intervalle régulier[1].

C'est parce que les crédits accordés sur le marché international portent sur des montants importants, que les banques prêteuses doivent se grouper pour répondre aux besoins de leurs clients. Elles forment un *syndicat bancaire* selon des modalités qui seront exposées plus loin. Ce syndicat peut compter, dans certains cas, une centaine de banques. L'emprunteur, en règle générale, ne sera pas en contact avec toutes les banques du syndicat. Il fera affaire exclusivement, au moment de la mise en place de la facilité, avec la banque assumant le rôle de *chef de file* (ou *arrangeur*). C'est à ce partenaire bancaire que sera confié le mandat de monter l'opération. Une fois signée la convention de prêt, l'emprunteur sera en contact presque exclusivement avec le *mandataire des banques (l'agent)* qui joue le rôle d'intermédiaire entre les institutions bancaires et l'emprunteur durant toute la durée du prêt.

Le marché des eurocrédits est donc le marché où s'effectue la transformation bancaire internationale: typiquement les banques reçoivent des dépôts à court terme et prêtent à long terme. Cette opération peut habituellement se décomposer en deux parties: une transformation de l'échéance proprement dite et une transformation de taux; en effectuant la première, les banques assument les risques de liquidité; en réalisant la seconde, elles prennent à leur charge le risque de taux. Mais c'est une caractéristique du marché des eurocrédits que d'avoir très rapidement développé la pratique selon

---

1. Tous les prêts en eurodollars ne sont pas syndiqués. Ceux qui ne le sont pas sont faits par des banques individuelles à leurs clients pour la couverture d'opérations internationales; ils ont une maturité généralement beaucoup plus courte et ne sont pas publicisés.

   À la dénomination d'«eurocrédits syndiqués», on préfère parfois celle de «prêts consortiaux en eurodevises». Nous considérons ces deux expressions comme synonymes.

laquelle le *risque de taux est transféré à l'emprunteur*: en effet, la plupart des eurocrédits syndiqués sont à taux variable[2].

Un eurocrédit syndiqué est en fait une *juxtaposition* de crédits. Il y a un prêt par banque, mais tous sont consentis à des conditions identiques. Les obligations des banques sont donc conjointes et non pas solidaires (au sens juridique du terme). Des clauses au contrat de prêt viennent dès lors protéger les banques contre toute velléité de l'emprunteur de respecter ses obligations vis-à-vis de certaines institutions et non vis-à-vis de toutes.

7.2   Les éléments constitutifs d'un eurocrédit

Lors de la mise en place d'un eurocrédit, certains éléments du contrat liant les parties sont l'objet de négociation; ils portent essentiellement sur les aspects financiers de la transaction, d'autres, au contraire, sont relativement standard, et concernent principalement les considérations juridiques et certains aspects administratifs.

7.2.1   Le montant et la monnaie de soutien

La taille d'un eurocrédit est grandement influencée par les besoins de l'emprunteur et par l'estimation faite par la banque chef de file de la capacité du marché à fournir la somme envisagée[3]. La qualité de la signature, la fréquence de ses appels au marché, la réception faite précédemment par celui-ci pour des emprunts semblables sont autant de variables qui influencent le montant mis à la disposition de l'emprunteur.

Une facilité typique sera de l'ordre de 200 à 300 millions de dollars; mais le marché a été capable, en plusieurs occasions, d'absorber des facilités de plus d'un milliard de dollars.

Les eurocrédits sont presque exclusivement des facilités libellées en une seule devise. Cependant, certaines peuvent avoir plusieurs tranches exprimées en devises différentes. Quand ce choix existe, le tirage sera influencé par la liquidité du marché, les taux d'intérêt en vigueur et les anticipations sur le taux de change.

7.2.2   L'échéance

Typiquement, les eurocrédits sont des facilités à moyen terme. La durée du prêt est l'un des éléments de la négociation entre l'emprunteur et le chef de file. Généralement, les emprunteurs s'efforcent d'obtenir des facilités de plus en plus longues, tandis que les banquiers tentent de résister à cette tendance. Cela dépend bien sûr

---

2.   Au cours des années 1986 et 1987, on a constaté une résurgence de l'utilisation des taux fixes. La baisse très sensible des taux d'intérêt et des anticipations plus favorables sur l'inflation expliquent ce phénomène.

3.   Il est vite devenu pratique courante que le montant négocié par l'emprunteur soit **garanti** avant la syndication.

de la qualité de la signature, mais aussi des conditions générales du marché et du degré de concurrence au moment de la négociation.

Il y a lieu de distinguer la durée *maximale* et la durée *moyenne* d'un prêt. Les remboursements commençant, en général, avant l'échéance finale, la durée moyenne du prêt s'en trouve donc réduite.

7.2.3   Le taux d'intérêt

Bien avant que la pratique ne se retrouve sur le marché euro-obligataire, le marché des eurocrédits s'est caractérisé par l'utilisation de taux d'intérêt variables. Le taux d'intérêt que devra supporter un emprunteur est en fait la somme de deux éléments: le taux de base qui est flottant et la marge *(spread)* qui est fixe.

Le taux de base

Le choix du taux de base est très varié. Pendant longtemps, le LIBOR a été le taux par excellence et, dans les années 1970, la quasi-totalité des facilités mises en place avaient ce taux comme référence. Cependant, en fonction des conditions changeantes du marché et en réponse à l'accroissement de la compétition entre les banques, on a vu apparaître de nouveaux taux de base; c'est ainsi qu'à partir des années 1980, les taux préférentiels *(prime rates)* ont souvent été retenus par les emprunteurs.

Le choix du taux de base dépend à la fois des préférences de l'emprunteur et des objectifs de la syndication. Par exemple, si l'on veut placer une partie de la facilité auprès des banques régionales américaines, on a avantage à retenir le *prime rate* plutôt que le LIBOR[4].

On rencontre aussi des facilités dans lesquelles se côtoient une tranche basée sur le *prime rate* et une tranche basée sur le LIBOR.

La marge

La marge est fixe ou fractionnée. Dans la majorité des cas, elle est la même pour toute la durée de l'emprunt. Si elle est fractionnée, elle est plus élevée pour les dernières années que pour les premières; néanmoins, l'écart entre les deux fractions ne peut jamais être très élevé, car il provoquerait le remboursement anticipé de la facilité et la recherche d'un nouveau prêt par l'emprunteur.

Cinq facteurs affectent l'amplitude de la marge:

- la qualité de la signature (ou la situation économique, politique et financière de l'emprunteur en cas de *risque souverain*[5]);

---

4.   Certains emprunteurs le préfèrent au LIBOR parce qu'il est mieux publicisé (ce qui est un avantage bien minime à notre sens) et parce qu'il est plus stable.

5.   On parle de risque souverain lorsqu'il s'agit de prêts faits à des États ou garantis par les États.

- la durée du crédit;
- la liquidité générale du marché;
- la volonté des banques d'accroître ou de réduire le volume de leurs activités internationales;
- l'impact de l'opération de prêt sur la capitalisation des banques[6].

Le calcul du taux d'intérêt

Les modalités du calcul du taux d'intérêt sont prévues en détail dans la convention de prêt signée entre l'emprunteur et les banques. C'est le mandataire des banques qui détermine la valeur du taux d'intérêt retenu pour chaque période d'intérêt, mais il le fait selon des modalités prévues dans la convention de prêt. Pendant très longtemps, le calcul du LIBOR était effectué en ayant recours à des *banques de référence* dûment désignées dans la convention. Typiquement, le jour du calcul du taux d'intérêt, le mandataire obtient le taux prêteur de chacune des banques de référence et en fait la moyenne (en arrondissant au seizième de point); il notifie alors par télex l'emprunteur et les banques participantes. Maintenant, de plus en plus souvent, l'emprunteur et les banques s'entendent pour retenir comme valeur du LIBOR, celle publiée par Reuters ou Telerate.

En cas d'impossibilité de fixation du taux prévu, les banques, l'emprunteur et le mandataire doivent s'entendre sur un taux de remplacement. Si les parties ne peuvent parvenir à un accord, le prêt est alors annulé.

Les considérations fiscales

Les paiements d'intérêt sont toujours nets de tout impôt, taxe ou retenue à la source. Si l'emprunteur est tenu par la loi fiscale qui le régit de faire une déduction, il s'engage à majorer les intérêts payés de telle sorte que les banques reçoivent un montant correspondant à la somme prévue avant impôt. Si l'emprunteur est dans l'impossibilité légale d'effectuer une telle majoration, l'emprunt est annulé et il doit être remboursé sans délai et sans pénalité.

7.2.4 Les conditions de tirage

Emprunteur et chef de file négocient la période de tirage; généralement, elle s'étend sur quelques mois après la signature[7] (typiquement 24 mois). À l'expiration de cette période, tout droit de tirer sur la facilité devient caduc et les participations des banques sont réduites en proportion.

---

6. Cette question se pose depuis l'introduction de normes universelles en matière de capitalisation bancaire (le ratio Cooke). Cf. *infra*, chapitre 8.

7. Certains prêts sont tirés immédiatement à la signature; on les appelle les *bullet-deals*.

Les conditions de tirage qui sont négociées dépendent du but de la facilité mise en place. Si le but est de combler un besoin de financement immédiat, la période de tirage sera relativement courte. Par contre, si le but est d'utiliser la facilité comme un instrument de substitution, comme une ligne de crédit ou comme une garantie à d'autres modes de financement, la période de tirage recherchée sera vraisemblablement la plus longue possible (c'est le cas des crédits *stand by*).

On aura l'occasion de voir un peu plus loin que les banques ont dû très rapidement imposer une commission d'engagement sur la partie non tirée d'une facilité pour éviter la multiplication de la mise en place de facilités non tirées.

7.2.5   Les conditions de remboursement

Après une *période de grâce* de quatre ou cinq ans pendant laquelle l'emprunteur n'a pas à faire de remboursement commence la période d'amortissement du prêt.

Un certain nombre de pratiques standard se sont établies sur le marché. En règle générale, les remboursements se font sous la forme de versements identiques dont la périodicité correspond généralement à celle du calcul des intérêts (trois ou six mois), au cours des trois ou quatre dernières années du prêt.

Les objectifs des emprunteurs et des banques divergent aussi sur ce point, les emprunteurs essayant d'obtenir une période de grâce aussi longue que possible. Ce point, dans certains cas, sera un élément majeur de la négociation précédant l'obtention du mandat entre l'emprunteur et le futur chef de file.

7.2.6   Le remboursement anticipé

Le bénéficiaire d'un eurocrédit peut, à tout moment à partir de l'échéance de la période de tirage, rembourser par anticipation sans prime, ni pénalité, tout ou partie du prêt. Il se doit d'adresser un préavis irrévocable au mandataire et le remboursement s'effectue à la fin d'une période d'intérêt.

7.2.7   Les commissions

Le bénéficiaire d'un eurocrédit syndiqué doit acquitter généralement trois (et parfois quatre) types de commissions[8]:

---

8.   On pourra consulter: TERRELL, H. et M.G. MARTISON, «Market Practices on Syndicated Bank Euro-currency Lending», *The Banker Magazine*, novembre 1978; GOODMAN, L.S., «The Pricing of Syndicated Euro-currency Credits», *Quarterly Review*, Federal Reserve Bank of New York, été 1980; et DUFLOUX, C. et L. MARGULICI, «La Commission de direction», *La Revue Banque*, mai 1983.

La commission de direction (ou commission d'arrangement)

La commission de direction est une somme forfaitaire; elle est payée une seule fois au moment de la signature à la banque chef de file. Cette somme est ensuite répartie entre les participants selon une procédure que l'on précisera plus loin.

La commission d'engagement (commitment fee)

La commission d'engagement est habituellement payée tous les six mois durant la période de tirage au moment du paiement des intérêts. Elle correspond à un certain pourcentage de la partie non tirée de la facilité accordée. Elle rémunère, en quelque sorte, l'incertitude dans laquelle se trouvent les banques quant au tirage ou au non-tirage des fonds mis à la disposition du bénéficiaire. Cette commission incite l'emprunteur à utiliser le plus rapidement possible les fonds et limite donc la possibilité d'utiliser la facilité comme une simple ligne de crédit.

La commission d'agence (ou de gestion)

C'est une somme forfaitaire payée annuellement pour rémunérer les frais du mandataire des banques (l'agent) qui, dans le syndicat, assure la comptabilisation des intérêts et répartit les différents paiements aux participants. Cette commission n'est pas très élevée (de l'ordre de 20 000 dollars pour une facilité de 200 millions).

La commission d'utilisation

Cette quatrième commission est apparue à la fin des années 1980 dans certains eurocrédits. Elle est beaucoup *plus rare* que les trois précédentes et est un emprunt à un autre instrument: les euronotes (dont nous parlerons au chapitre 10).

Il s'agit en fait d'une commission payée, annuellement, sur la partie tirée de la facilité à partir du moment où le tirage dépasse un certain seuil (typiquement 50 %).

7.2.8   Les autres conditions attachées au prêt

À côté de ces éléments constitutifs, essentiellement d'ordre financier, il y a également un certain nombre d'autres clauses sur lesquelles emprunteurs et prêteurs devront se mettre d'accord.

Il y a d'abord toute une série de clauses visant à préciser le cadre juridique dans lequel s'effectue toute l'opération. Le volume de cette documentation est souvent impressionnant mais, en fait, on retrouve toujours, à quelques variantes près, les mêmes éléments. La standardisation de ces clauses a fait beaucoup pour l'accélération de la mise en place des facilités. On trouvera, à l'annexe 7.C, une présentation de ces clauses juridiques.

Il y a aussi des clauses beaucoup plus spécifiques qui rendent toute l'opération conditionnelle au respect d'un certain nombre de normes financières ou au dépôt d'un certain nombre de garanties. Il s'agit de conventions *(covenants)* qui contraignent l'emprunteur à présenter en tout temps des ratios financiers *(cash-flow,* endettement, rendements, etc.) jugés acceptables par les banques (en pratique par le chef de file). Il s'agit aussi de limitations imposées à la vente d'actifs, au changement d'activité principale ou à l'utilisation effective des fonds mis à la disposition de l'emprunteur.

Le non-respect de ces clauses entraîne la déchéance du terme ou plus souvent conduit à une renégociation des conditions générales du prêt. Il est, par ailleurs, assez fréquent que durant la vie du prêt, si tout se passe comme prévu, les banques relâchent une partie de ces restrictions. Mais cela doit se faire avec l'accord de toutes les banques participant à la facilité.

7.3   Les étapes de la mise en place d'une facilité

La mise en place d'une facilité en eurodollars sous forme de prêt syndiqué se déroule en quatre étapes: la négociation initiale, la formation du groupe de direction, la syndication et l'engagement des fonds.

7.3.1   La négociation initiale

Lorsqu'un emprunteur fait appel au marché des eurocrédits, il est assez rare que les grandes banques soient prises par surprise. Suivant de près leurs clients potentiels, elles peuvent anticiper leurs besoins et donc avoir une idée du moment où ils approcheront le marché. Cependant, l'appel au marché peut se faire sans préavis lorsque des circonstances particulières surviennent. C'est le cas, par exemple, lorsqu'une très grande entreprise a des projets nouveaux d'expansion ou fait face à une tentative de prise de contrôle non désirée.

Les négociations initiales aboutissent à l'obtention du *mandat* par une banque qui jouera le rôle de *chef de file* (ou *arrangeur*) ou par un groupe de banques déjà constituées en *groupe de direction* (ou *co-arrangeurs*).

L'obtention par une banque ou par un groupe de banques du mandat dépend de plusieurs éléments:

• La fidélité qu'elle a pu créer chez l'emprunteur.

• La capacité d'avoir su présenter une proposition ayant les caractéristiques les plus proches de celles désirées par l'emprunteur. En effet, si plusieurs éléments sont négociables (taux d'intérêt, durée maximale, commission, etc.), certains sont cruciaux pour l'emprunteur. Deviner sur quels points se gagneront ou se perdront les mandats fait partie de l'art de la négociation préliminaire.

- La capacité d'innover. Lorsque le marché a atteint une certaine maturité, la plupart des grandes banques furent en mesure de présenter des conditions relativement standard. Les emprunteurs devinrent alors beaucoup plus exigeants et accordèrent les mandats aux groupes les plus innovateurs.

7.3.2   La formation du groupe de direction

Le groupe de direction se constitue durant la période de négociation initiale. Il n'est pas rare que le mandat soit accordé à une banque ou à un groupe de banques sans que le groupe de direction soit stabilisé. Une fois annoncée la mise en place de la facilité, certaines banques peuvent se joindre au groupe de direction, elles en feront d'ailleurs parfois une condition à leur participation.

Il n'y a pas de règles formelles à suivre pour rassembler les banques qui formeront le groupe de direction, mais l'observation révèle certaines pratiques.

- Tout d'abord l'accès au groupe de direction est limité à un nombre réduit de banques. Seules les banques les mieux implantées sur le marché et les plus solides peuvent parvenir à ce statut dans le syndicat bancaire. Cela s'explique en partie par la responsabilité qui échoit au groupe de direction; en effet, il remplit la fonction de garantie. En cas d'échec de la syndication, il devra assumer l'ensemble du prêt.

- La plupart du temps, dans un syndicat de direction, des banques de nationalités différentes sont représentées. Cette diversité géographique constitue un élément apprécié par l'emprunteur, mais, surtout, facilite la syndication. La composition du groupe de direction reflète parfois les objectifs de cette syndication. Si l'on vise surtout les banques régionales américaines, on aura une surreprésentation des grandes banques new yorkaises.

- On constate aussi que, lorsque la chose est possible, le groupe de direction inclut au moins une institution bancaire de la même nationalité que celle de l'emprunteur. Certains emprunteurs gouvernementaux en font d'ailleurs une condition implicite à l'obtention du mandat.

- Enfin on observe, d'année en année, une certaine stabilité dans la composition des syndicats. Chaque banque pouvant prétendre au statut associé au groupe de direction développe des relations avec des partenaires de nationalités différentes. Les habitudes venant du travail en commun et la similitude des critères d'évaluation facilitent grandement les relations privilégiées entre certaines banques.

7.3.3   La syndication proprement dite

Une fois le mandat obtenu, la recherche de partenaires se fait dans le cadre de la syndication proprement dite. La responsabilité de cette opération est déléguée par le groupe de direction à une seule banque qui sera souvent amenée à remplir par la suite le rôle d'agence.

Le responsable de la syndication envoie une série de télex, qui sont des invitations à participer à l'eurocrédit. Ce télex uniforme, relativement standard, résume les termes et conditions proposés à l'emprunteur. Il précise également comment sont répartics les commissions en fonction de la place dans la syndication et du montant de la participation[9]. L'art du responsable de la syndication c'est de sélectionner, parmi toutes les banques de la communauté financière internationale, celles à qui il faut adresser les télex. Il ne s'agit pas ici d'une science exacte et ce travail demande une connaissance profonde des intérêts et des possibilités des partenaires éventuels.

Quelques jours après l'envoi des télex, le responsable de la syndication a en main les réponses des banques invitées. D'après les réactions à cette première série de télex, il est en mesure de savoir si les termes et conditions sont bien acceptés par le marché.

Il est rare que la syndication soit complétée par l'envoi d'une seule série de télex. En effet, le responsable de la syndication limite ses premiers envois afin d'être certain de pouvoir satisfaire les banques ayant manifesté leur intérêt. Il y aura donc plusieurs séries de télex d'invitation où l'on approchera des partenaires éventuels de moins en moins connus. Néanmoins, le processus s'arrêtera rapidement, car une syndication prolongée retarde d'autant la remise des fonds à l'emprunteur.

Si la syndication se passe mal, les banques du groupe de direction devront prendre sur leurs propres livres une part importante du crédit. À l'inverse, si la facilité est bien reçue par le marché, il est toujours possible pour le chef de file de proposer à l'emprunteur d'augmenter le volume du crédit.

On comprend bien cependant qu'une facilité n'est jamais totalement syndiquée et que le groupe de direction garde toujours une participation. Il s'agit là d'une garantie à la fois pour l'emprunteur et pour les banques qui acceptent la proposition.

Lorsque le groupe de direction pense que les objectifs de la syndication sont atteints ou lorsque, raisonnablement, on ne peut prolonger la recherche des banques participantes, la banque responsable de la syndication procède à la *stabilisation* du syndicat en

---

9.   Un exemple d'un tel télex est reproduit à l'annexe 7.B.

confirmant le montant de sa participation à chaque banque ayant répondu positivement à l'invitation.

7.3.4   La signature et l'engagement des fonds

Une fois terminée la syndication, réparties les parts de chacune des banques participantes, les éléments principaux sont en place pour procéder à la cérémonie de la signature. L'emprunteur peut alors tirer sur la facilité.

Quelques semaines après la signature paraîtra dans la presse financière la «pierre tombale» *(tombstone)*, véritable encart publicitaire où est consigné le nom de toutes les banques ayant participé à la facilité. Elles sont groupées selon leur statut. La grosseur des lettres utilisée dans le *tombstone* est une indication du rôle de chaque banque dans la facilité. La composition de cet encart est une opération délicate où doivent être ménagées les susceptibilités et respectées les préséances.

7.4   La répartition des commissions à l'intérieur du syndicat

À l'intérieur du syndicat, toutes les banques reçoivent le même taux d'intérêt quels que soient leur statut et leur participation finale à la facilité. En revanche, la répartition de la commission de direction dépend largement du rôle effectif joué par la banque et du niveau de sa participation.

La commission de direction est payée à la signature au chef de file qui en rétrocède une partie aux autres banques. Sa répartition a un impact non négligeable sur la facilité avec laquelle se passe la syndication. En effet, toute banque étant naturellement intéressée aux commissions versées avant même que les fonds ne soient tirés, sa réponse positive ou négative à un télex d'invitation est influencée par le pourcentage de la commission de direction qui lui sera rétrocédée.

Généralement, la commission de direction est divisée à l'intérieur du syndicat selon le schéma suivant[10]:

- Le chef de file qui a formé le groupe ayant obtenu le mandat, effectué les négociations préliminaires et préparé la documentation, prend au point de départ ce qu'on appelle un *praecipium*, c'est-à-dire un certain pourcentage reflétant ses responsabilités particulières.

- Quand le groupe des chefs de file obtient le mandat de l'emprunteur, il n'est pas certain du succès de la syndication du prêt. C'est pourquoi chacune des banques membres du groupe des chefs de file s'engage à garantir un certain mon-

---

10.   Il existe bien sûr une multitude de variances en fonction de la taille du prêt, de la composition du syndicat et aussi des anticipations des chefs de file sur la plus ou moins grande facilité de la syndication.

tant du prêt. Cet engagement initial place ces banques dans une position spécifique et elles sont rémunérées par une *commission de garantie sur engagement initial (underwriting fee)*.

- Après la syndication, toutes les banques impliquées (chef de file, co-chefs de file, participants) reçoivent une *commission de participation*. Le taux de cette commission *augmente généralement avec la taille de la participation*.

- Si la somme du praecipium, des commissions de garantie sur engagement initial et des commissions de participation est inférieure à la commission de direction totale, il reste un *pool résiduel* qui est généralement réparti entre le chef de file et les co-chefs de file au prorata de leur participation finale.

Il s'ensuit que la part de la commission pour chacune des banques impliquées n'est pas la même. En conséquence, l'impact de la commission sur la marge effective sera sensiblement différent pour la banque jouant le rôle de chef de file, pour celles étant co-chefs de file ou pour celles qui sont simplement des banques participantes.

Pour illustrer combien les banques sont directement affectées par leur position à l'intérieur du syndicat, on aura recours à un exemple numérique.

Dans un eurocrédit de 200 millions de dollars, il y a un chef de file, cinq co-chefs de file et vingt banques qui ont participé à la syndication. La commission de direction est de 1 % (2 millions) payable à la signature. Le chef de file prend un praecipium de $^1/_4$ % et la commission de garantie sur engagement initial est de $^1/_4$ %. Le chef de file s'était engagé à souscrire jusqu'à un maximum de 50 millions et les co-chefs de file, 30 millions chacun.

Les commissions de participation sont les suivantes: $^1/_2$ % pour une participation de 10 millions ou plus, $^3/_8$ % pour 5 millions ou plus et $^1/_4$ % pour 2 à 5 millions. Après syndication, dix banques participent pour 5 millions et dix autres pour 2 millions, de telle sorte que la participation finale du chef de file est de 30 millions et celle de chaque co-chef de file est de 20 millions.

Résumé des conditions de la syndication

	Engagement de garantie	Participation finale	Praecipium	Commission d'engagement	Commission de participation	Pool résiduel
Chef de file	50 M	30 M	$^1/_4$	$^1/_4$	$^1/_2$	
Co-chefs de file	30 M	20 M		$^1/_4$	$^1/_2$	au prorata
Banques participantes		5 M			$^3/_8$	
Banques participantes		2 M			$^1/_4$	

Répartition de la commission entre les participants

	Chef de file	Co-chef de file	Participant 5 M	Participant 2 M
Praecipium	500 000			
Commission de garantie sur engagement initial	125 000	75 000		
Commission de participation	150 000	100 000	18 750	5 000
Pool résiduel	26 000	17 300		
Total par catégorie	801 000	192 300	18 750	5 000
TOTAL	**801 000**	**961 500**	**187 500**	**50 000**

Sur cette base, la répartition de la commission de direction se fait entre les banques comme il apparaît au tableau ci-dessus.

7.5   Les nouvelles tendances dans la syndication

Le processus que nous avons décrit précédemment pour la syndication des eurocrédits peut être qualifié de *processus classique de syndication*. Il est toujours utilisé, mais parallèlement, vers 1989, on a vu apparaître, surtout pour les crédits bancaires de taille moyenne, une autre pratique de syndication. Elle est caractérisée par une approche en deux temps. Tout d'abord, un groupe de banques d'importance, les *arrangeurs* et *co-arrangeurs*, prennent en charge l'ensemble de la facilité; dans un deuxième temps, ce groupe de banques (le «club» ou les preneurs fermes) va syndiquer le crédit par le biais de *sous-participations*.

Par la sous-participation, un arrangeur cède une partie de sa créance (effective ou potentielle) à une autre banque, qui devra donc assurer les obligations, ou bénéficier des droits associés au crédit, au prorata de sa participation. Pour qu'un tel processus de sous-participation puisse être mis en place, il est nécessaire d'avoir l'accord préalable de l'emprunteur.

Cette pratique (dont on trouvera un parallèle sur le marché obligataire international) a été rendue possible par la mise en place de façon spontanée d'un véritable marché secondaire des créances bancaires internationales dès le milieu des années 1980.

Ce marché secondaire répondait alors à la volonté de certaines banques de réduire leurs engagements internationaux, principalement, dans le secteur du risque souverain, suite au déclenchement de la crise de l'endettement[11]. La sous-participation était l'une des

---

11.   On reviendra sur ce point au chapitre 9.

trois techniques utilisées par les banques pour alléger leur bilan, les deux autres étant la *novation* et l'*assignation*[12]. On notera bien cependant qu'alors la sous-participation était postérieure à la syndication.

Dans le nouveau processus de syndication, il y a donc une *prise ferme* par les arrangeurs et co-arrangeurs et la sous-participation se substitue à la recherche, a priori, de partenaires par le seul membre du groupe de direction en charge de la syndication.

Cette nouvelle procédure présente trois avantages: tout d'abord, elle permet à l'emprunteur de mobiliser plus rapidement les fonds dont il a besoin, puisqu'il n'a pas à attendre la fin de la syndication comme dans le mode classique. Deuxièmement, la répartition du crédit peut se faire de façon plus efficace, puisque tous les arrangeurs et co-arrangeurs ont la possibilité de vendre des sous-participations. Enfin, les banques qui prennent ces sous-participations détiennent des créances facilement transférables.

En revanche, cette procédure présente aussi des inconvénients: tout d'abord, l'emprunteur ne connaît pas, au moment de la mise en place de la facilité, quelles seront les banques qui en définitive lui prêteront, puisque les sous-participations sont mobiles. Par ailleurs, les banques qui prennent des sous-participations ne sont pas en mesure d'apprécier si les arrangeurs garderont sur leurs livres un pourcentage significatif de la facilité. Les arrangeurs peuvent, en effet, être tentés de syndiquer toute leur participation, en se contentant des commissions reçues à la signature; cette stratégie a l'avantage de ne pas peser sur les ratios de capitalisation des arrangeurs[13].

* * *

Si cette nouvelle procédure de syndication par le biais de sous-participation est assez souvent utilisée, d'autres procédures n'ont pas connu le même succès. On a, en effet, assisté en 1989 et 1990, à un moment où la compétition entre les banques était très vive et où avait lieu une véritable guerre de prix, à des tentatives de syndication directe par certains emprunteurs de première qualité. Les banques étaient, dans ce cas, directement invitées à prendre des participations dans un prêt, par le biais de télex expédiés par l'emprunteur. Cette procédure, pour des raisons évidentes, a été très mal

---

12. La novation est une technique par laquelle on substitue une banque par une autre, après avoir, avec l'accord de l'emprunteur, annulé le crédit initial. Cette technique est surtout utilisée avant que les fonds ne soient effectivement versés. L'assignation est l'équivalent d'une mise en pension. Le vendeur transfère ses droits et obligations pour une période de temps donnée. A priori, cette opération peut se faire sans qu'il y ait à demander l'accord préalable de l'emprunteur.

13. Cette nouvelle conception du rôle joué par les arrangeurs est d'ailleurs confirmée par l'utilisation de termes tels que «initiators» ou «distributors» apparaissant sur les pierres tombales.

accueillie par la communauté bancaire. Quelques succès ont été enregistrés, mais cette pratique ne s'est pas généralisée.

7.6   Avantages et inconvénients des crédits syndiqués

Le succès d'un instrument sur le marché international des capitaux s'apprécie d'après sa pérennité. Même si le marché des eurocrédits a beaucoup changé en vingt ans, cet instrument, qui a favorisé l'internationalisation de l'activité des banques, a constitué un recours privilégié pour de nombreux emprunteurs. Un tel succès a été possible parce que l'instrument correspondait à un besoin et présentait des avantages à la fois pour les emprunteurs et pour les prêteurs. Nous passerons en revue ces avantages avant de repérer leurs inconvénients.

7.6.1   Les avantages des eurocrédits pour l'emprunteur

a)   L'accès au financement international

Le premier avantage des eurocrédits est de permettre aux emprunteurs de moindre notoriété d'avoir accès au financement international. En effet, plusieurs compartiments du marché international des capitaux (placements privés, obligations étrangères, euro-obligations) ne sont accessibles qu'aux meilleures signatures. Les investisseurs refusent de détenir le papier émis par des émetteurs n'ayant pas des cotes de crédit de première qualité ou n'étant pas très connus à l'échelle internationale. Les banques, en revanche, ont plus d'expertise pour apprécier les risques et la solvabilité: elles sont donc en mesure de faire des avances à des emprunteurs potentiels de notoriété et de qualité moindres.

b)   La taille et la diversification instantanée des sources de fonds

Le deuxième avantage des eurocrédits est lié à la taille des facilités qu'ils permettent de mettre en place. Un eurocrédit typique est de l'ordre de 200 à 400 millions de dollars et, en certaines occasions, les banques ont pu offrir des facilités de plus d'un milliard. La procédure de syndication permet aux emprunteurs de drainer ces sommes considérables en une seule opération. Les banques participant à une facilité peuvent dépasser la centaine et le syndicat être composé d'institutions venant de tous les coins du monde. Grâce à cet outil, l'emprunteur peut diversifier automatiquement ses sources de fonds bancaires sans entreprendre des démarches longues et coûteuses.

c)   Un montant garanti

Dans la plupart des cas, au moment où l'emprunteur donne le mandat au chef de file, il est certain de disposer du montant convenu avec le groupe de direction quel que soit le succès de la syndication future. C'est là un avantage important surtout pour les gouvernements ou agences gouvernementales.

Il arrive cependant, qu'en fonction des conditions du marché, les banques ne s'engagent que sur la base du «meilleur effort» et qu'elles ne garantissent pas le montant total.

d)   Un prêt à moyen terme avec taux de base à court terme

L'intérêt payé par l'emprunteur dans un eurocrédit syndiqué est la somme d'un taux de base et d'une marge. Or, ce taux de base est un taux à court terme alors que la facilité est accordée pour une durée typiquement de sept ou huit ans. Habituellement, la structure des taux d'intérêt est telle que le différentiel d'intérêt entre le court terme 3 mois et le moyen et long termes est important. Cela est particulièrement le cas lorsque les taux à court terme sont peu élevés, l'emprunteur bénéficie alors de cet écart de taux[14].

e)   Un instrument flexible

L'eurocrédit est intéressant pour l'emprunteur dans la mesure où il offre une bonne flexibilité d'utilisation. Cette flexibilité se manifeste tout d'abord dans le tirage des fonds: l'emprunteur peut le moduler en fonction de ses besoins effectifs sur une période déterminée. En outre, une facilité sous forme d'eurocrédits peut être envisagée comme filet de sécurité utilisé seulement en cas de besoin: si elle n'est pas employée, l'emprunteur n'aura que les commissions à acquitter. Mais de plus, l'eurocrédit bénéficie de la clause standard selon laquelle le remboursement par anticipation est toujours possible sans pénalité. Ainsi, pour les emprunteurs ayant accès à toute la gamme des compartiments sur le marché international des capitaux, l'eurocrédit peut servir de relais de financement si les conditions sur le marché des titres à long terme sont peu favorables.

f)   Un instrument rapide et simple

Dès leur apparition sur le marché, les eurocrédits ont connu un grand succès grâce à la rapidité avec laquelle ils permettaient de lever des fonds et à la simplicité des procédures de mise en place.

L'utilisateur ayant recours à l'eurocrédit a la certitude qu'une fois le mandat donné, les fonds seront rapidement disponibles. On peut, pour fixer les idées, considérer qu'une facilité peut être mise en place en quatre ou six semaines. Contrairement à d'autres segments du marché international des capitaux, il n'y a pas d'autorisations à obtenir ou de files d'attente à respecter.

---

14.   Cet écart peut être supérieur ou inférieur à la marge payée au-delà du LIBOR rendant le coût d'intérêt moins élevé ou plus élevé respectivement qu'un financement à moyen terme.

Par ailleurs, la documentation est relativement simple et s'est standardisée rapidement, facilitant d'autant la préparation pour l'emprunteur.

g)   Un marché compétitif

Les activités internationales ont été l'objet en plusieurs occasions d'un fort engouement de la part des banques, de sorte que la compétition pour l'obtention des mandats a été particulièrement vive. Les emprunteurs sur le marché des eurocrédits ont bénéficié de cette intense rivalité.

7.6.2   Les avantages pour les prêteurs

Certains avantages des eurocrédits sont communs à toutes les banques prêteuses, d'autres dépendent de la place dans la syndication.

a)   Les avantages communs

L'avantage le plus marqué des eurocrédits, du point de vue des prêteurs, est que le *risque de taux d'intérêt* est supporté par l'emprunteur; en effet, le taux qu'il devra payer est souvent calculé à partir du taux auquel les banques peuvent se financer (LIBOR).

Par ailleurs, même si la mise en place d'un eurocrédit syndiqué peut conduire à la signature de 25 ou 30 contrats de prêts juxtaposés, la documentation est la même pour toutes les institutions participantes.

b)   Les avantages des grandes banques

Le premier avantage de cet instrument pour les plus grandes banques (celles qui assurent les positions de chef de file ou de co-chef de file) réside dans la possibilité de répondre aux besoins de leurs clients en mettant en place des facilités de taille importante. L'eurocrédit syndiqué s'est révélé être un véhicule de prêt efficace pour ne pas manquer des occasions d'affaires quand les besoins de l'emprunteur dépassaient la capacité de prêt d'une ou de quelques institutions.

La syndication et la possibilité de trouver des partenaires partout dans le monde a permis aux plus grandes banques de monter plusieurs opérations pour un même emprunteur sans saturer leurs limites par pays, tout en dispersant les risques dans l'ensemble du système bancaire.

Enfin, chef de file et co-chef de file ont largement bénéficié de l'impact des commissions sur la rentabilité de ces opérations (voir l'annexe 7.A).

c)   Les avantages pour les banques de taille moyenne

Le premier avantage pour les banques de taille moyenne a été d'accéder, grâce à ce véhicule, à des opérations de prêts internationaux dans plusieurs régions du monde sans avoir à y être présentes. Elles ont pu (même si elles devaient le regretter plus tard) avoir accès à du risque souverain, longtemps réservé aux institutions d'envergure internationale. Par ailleurs, toutes les banques, indépendamment de leur taille, sont traitées sur un pied d'égalité et bénéficient de clauses de protection mutuelle.

Pour nombre de banques moyennes, le marché des eurocrédits a été une occasion intéressante de développer leur expertise internationale à côté des noms les plus prestigieux, tout en réalisant une diversification de leur portefeuille de prêts.

7.6.3   Les inconvénients des eurocrédits

On pourrait tout simplement dire que les avantages d'une des parties engendrent des inconvénients pour l'autre et réciproquement. Cependant, si l'on veut être plus spécifique, on doit dire que l'inconvénient majeur pour l'emprunteur réside dans l'*incertitude* sur le coût effectif de l'emprunt.

En ce qui concerne les prêteurs, les inconvénients sont à rechercher du côté de la *flexibilité* offerte par l'instrument. On a pu, à l'expérience, constater que les emprunteurs pouvaient facilement renégocier les facilités pour les remplacer par d'autres plus avantageuses lorsque les conditions du marché évoluaient en leur faveur. Les périodes d'écrasement des marges ont souvent coïncidé avec des tentatives fructueuses de renégociation. La rapidité qui préside aux décisions ne facilite pas, par ailleurs, l'analyse en profondeur de la *solvabilité* des emprunteurs. De plus, la *rentabilité* de ces opérations semble parfois faible pour les banques simples participantes quand on la compare avec celle des banques chefs de file.

7.6.4   La remise en cause des eurocrédits
au milieu des années 1980

Au milieu des années 1980, les utilisateurs des eurocrédits et les autorités de surveillance des activités bancaires se sont demandé si certaines caractéristiques des eurocrédits n'avaient pas favorisé la crise de l'endettement. Ces interrogations, qui amenèrent une certaine remise en cause de cet instrument, portaient essentiellement sur trois aspects de l'instrument.

Le non-partage du risque de taux

Comme la grande majorité des eurocrédits sont tarifiés sur la base d'un taux variable de référence auquel on ajoute une marge, l'ensemble du poids du risque de taux est soutenu par l'emprunteur; en contrepartie, il bénéficie d'un taux à court terme pour un emprunt à moyen terme.

Or, l'expérience a montré au début des années 1980 que le taux de référence (en fait le LIBOR) pouvait varier considérablement. La surprise fut très désagréable pour les emprunteurs qui durent supporter seuls ces fluctuations à la hausse. De plus, au début des années 1970 et au début des années 1980, pendant plusieurs mois, la structure des taux d'intérêt fut inversée. Et ainsi, le taux de référence à court terme était plus élevé que le taux à moyen ou long termes.

Il est vraisemblable que les utilisateurs de cet instrument se soient lassés, à la longue, d'avoir ainsi à supporter toutes les variations majeures du marché. On pouvait craindre, dès lors, que le manque d'équilibre dans la répartition des risques fasse disparaître cet instrument. En fait il n'en fut rien, à cause de la multiplication des instruments pour la gestion des taux d'intérêt à partir du milieu des années 1980. L'existence des swaps[15] et des caps[16] en particulier permit de ramener ces risques de taux variables à des proportions supportables.

Les commissions et la syndication

Les commissions jouent un rôle crucial pour apprécier la rentabilité d'un eurocrédit et leur importance a encore augmenté lorsque les marges se sont écrasées en raison de l'accroissement de la concurrence sur le marché. Dans ce contexte, on s'est demandé si les grandes banques n'avaient pas en fait, consciemment ou non, eu tendance à accroître les facilités accordées aux pays semi-industrialisés ou en développement dans le seul but d'encaisser rapidement les commissions, au détriment d'une certaine prudence. Cette situation était accentuée par la décentralisation des banques internationales en centres de profits. Les *merchant banks*[17] avait tout intérêt, dans une telle structure, à maximiser les commissions payées à la signature, puisqu'elles étaient comptabilisées sur leur centre de profit, tout en laissant le poids du financement proprement dit à d'autres composantes des banques.

La finalité des financements et le risque souverain

Si la communauté bancaire a remis en cause pendant une certaine période les eurocrédits syndiqués, cela tient aussi à ce que, dans l'euphorie des années 1970, beaucoup de prêts avaient été mis

---

15. Chapitre 17.
16. Chapitre 18.
17. Dans beaucoup de banques, les primes de fin d'année, versées aux cadres internationaux, dépendaient du montant de commission accumulé par leur centre de profit. On comprend alors que les intérêts des banques et ceux de certains de leurs cadres puissent avoir été très différents.

en place pour des gouvernements sans qu'un contrôle suffisant ait été exercé sur la finalité de ces opérations. Par esprit moutonnier, la communauté bancaire s'était convaincue qu'«un État ne fait pas faillite». Les événements de 1982 et des années suivantes devaient conduire les banques à limiter leurs risques souverains et à revenir au financement de type industriel, assorti de garanties facilement mobilisables.

Le rôle des commissions dans l'évaluation du coût et de la rentabilité d'un eurocrédit

La présence des commissions affecte le coût de l'emprunt pour le bénéficiaire et représente un élément primordial pour assurer la rentabilité d'une opération de prêt du point de vue du groupe de banques accordant une facilité en eurocrédit.

a) Calcul de la marge effective

On peut mettre en évidence combien les commissions augmentent la rentabilité d'un eurocrédit. Pour ce faire on cherchera la *marge effective* payée par un emprunteur en ajoutant au *spread nominal* les points additionnels correspondant à l'impact des commissions[18].

Un certain nombre de simplifications seront faites pour faciliter les calculs. On supposera que le montant global du prêt est tiré à la signature et que toutes les commissions sont immédiatement payées. Par ailleurs, les intérêts sont versés et les remboursements effectués annuellement. Enfin, on supposera que le montant annuel d'intérêt et de remboursement est constant.

Dans un premier temps, on calcule la valeur de l'annuité constante (R) équivalente à une valeur actuelle égale au moment du prêt. Le taux d'intérêt est le taux nominal de prêt qui est égal au taux de référence auquel on a ajouté le *spread* (par exemple LIBOR + 1 %).

$$M = \frac{R}{1 + r} + \frac{R}{(1 + r)^2} + \cdots + \frac{R}{(1 + r)^n} \tag{1}$$

ou

$$M = R \sum_{i = 1}^{n} \frac{1}{(1 + r)^i} \tag{2}$$

Connaissant M, r et n on pourrait déterminer R, l'annuité constante s'il n'y avait pas de commissions.

---

18. Dans les calculs subséquents, on n'a tenu compte que de la commission de direction et l'on a écarté les commissions d'engagement et les commissions d'agence, contrairement à la commission de direction elles ne sont pas payées à la signature. Cependant, il est toujours possible d'actualiser les différents montants pour les ramener à la période initiale. La simplification utilisée ici consistant à considérer ces deux commissions comme nulles n'est pas trop contraignante: on peut toujours considérer qu'elles auraient été versées au chef de file par exemple et qu'elles restent dans le praecipium.

Les commissions C représentent une rentrée monétaire au moment de la signature, c'est pourquoi, dans un deuxième temps, on cherchera la valeur de r qui est telle que

$$M = C + R \sum_{i=1}^{n} \frac{1}{(1+r')^i} \tag{3}$$

ou, si on pose $x = \dfrac{C}{M}$ qui est le pourcentage des commissions

$$M(1-x) = R \sum_{i=1}^{n} \frac{1}{(1+r')^i} \tag{4}$$

r' est le taux d'intérêt effectif payé par le prêteur. En retranchant de r' le taux de base, on obtient la marge effective.

b)   Illustration de l'impact des commissions sur la marge effective

Prenons un prêt de 200 millions de dollars, le *spread* est de 1% et le taux de base de 10%. Le prêt est pour huit ans et, selon la convention précédente, on suppose qu'un montant constant d'intérêt et de remboursement est versé annuellement. La commission est de 1%.

On peut écrire:

$$200\,000\,000 = R \sum_{i=1}^{8} \frac{1}{(1+0,11)^i}$$

De telle sorte que $R = 38\,864\,217$

On cherche alors le taux effectif r'. Il est tel que

$$200\,000\,000\,(1-0,01) = 38\,864\,217 \sum_{i=1}^{8} \frac{1}{(1+r')^i}$$

et ainsi

$$r' = 11{,}281\,\%$$

En retranchant de r' le taux de base de 10%, on obtient la marge effective payée par le prêteur s' qui, dans notre exemple, est égale à: 1,281%.

* * *

Tableau 7A.1
Taux d'intérêt effectifs (r') pour différents taux d'intérêt nominaux et différents niveaux de commissions

r \ x	0,4 %	0,6 %	0,8 %	1,0 %	1,2 %	1,4 %	1,6 %	1,8 %	2 %
10,5	10,613 %	10,670 %	10,725 %	10,780 %	10,835 %	10,889 %	10,953 %	11,008 %	11,063 %
10,75	10,860	10,921	10,976	11,030	11,085	11,139	11,202	11,257	11,320
11,00	11,115	11,172	11,227	11,281	11,335	11,398	11,451	11,514	11,568
11,25	11,364	11,419	11,482	11,536	11,589	11,652	11,705	11,767	11,820
11,50	11,614	11,669	11,731	11,785	11,838	11,900	11,964	12,014	12,075

On a calculé le taux d'intérêt pour différents montants de commission et différents *spreads*. Les valeurs obtenues sont présentées au tableau 7A.1.

c)   L'alternative commission – marge nominale

Il apparaît ainsi que pour l'emprunteur (ou le prêteur) il y ait une possibilité de choix entre le taux de commission (x) et la marge nominale $(r - m)$, avec m représentant le taux de base, pour un même niveau de marge effective.

Reprenant les expressions (2) et (4) on peut écrire:

$$\frac{M\,(1 - x)}{M} = \frac{R\,\sum\limits_{i=1}^{n} \dfrac{1}{(1 + r)^i}}{R\,\sum\limits_{i=1}^{n} \dfrac{1}{(1 + r)^i}} \qquad (5)$$

ou encore:

$$(1 - x) = \frac{\sum\limits_{i=1}^{n} \dfrac{1}{(1 + r)^i}}{\sum\limits_{i=1}^{n} \dfrac{1}{(1 + r)^i}}$$

Pour un niveau donné de marge effective, s'_o, qui peut être assimilée au taux attendu par le prêteur, il existe une valeur de x associée à chaque valeur de r (et donc à chaque valeur de marge nominale s).

On peut alors tracer un graphique mettant en relation les valeurs de x et de $(r - m)$. La courbe ainsi obtenue est une courbe d'indifférence entre le *spread* et les commissions pour un même rendement du point de vue du prêteur. Cela peut également s'interpréter comme une courbe d'isocoût du point de vue de l'emprunteur.

Le graphique ci-après représente une telle courbe d'indifférence dans le cas d'un prêt de 200 000 000 avec un taux de base de 10 % et une marge effective de 1,5 %.

d)   Commissions, place dans la syndication et marge effective

Jusqu'ici, on n'a pas fait de distinction entre la marge effective du prêteur et celle de l'emprunteur parce qu'on a implicitement supposé que l'avance était faite par une seule banque, ou par un groupe de banques recevant le même pourcentage de commission. Cette simplification sera maintenant remise en cause, ce qui permettra de mettre en évidence que les intérêts peuvent être divergents

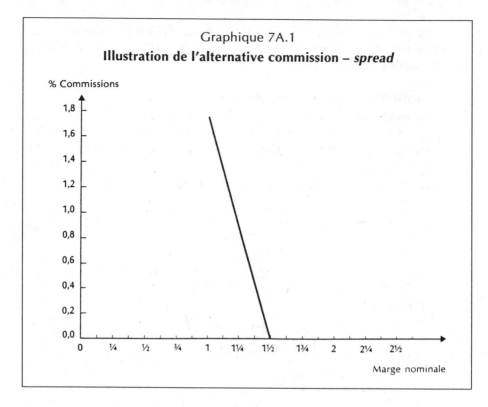

Graphique 7A.1

Illustration de l'alternative commission – _spread_

dans un syndicat de banque quant au montant du taux de commission par rapport à la marge nominale.

On a décrit précédemment comment se répartit la commission de direction entre les membres du syndicat en fonction de leur place dans la syndication. Cette répartition n'étant pas proportionnelle, il s'ensuit que la bonification de taux engendrée par les commissions est fort différente.

En gardant le même exemple que précédemment[19], il est possible de calculer la marge effective pour chaque catégorie de participants en fonction de sa place dans la syndication.

On obtient les valeurs suivantes pour les quatre catégories considérées.

Marge effective

Chef de file	$s' = 1,828\%$
Co-chef de file	$s' = 1,326\%$
Participante (A)	$s' = 1,160\%$
Participante (B)	$s' = 1,130\%$

---

19. Un eurocrédit de 200 millions pour 8 ans, à LIBOR + 1%. Les commissions à la signature sont de 1%; 1 chef de file, 5 co-chefs de file; 10 banques participant pour un montant de 5 millions et 10 banques participant pour un montant de 2 millions chacune.

On se souviendra que, du point de vue de l'emprunteur, la marge effective est de 1,281 %.

Dans le cadre de la négociation sur les différents paramètres d'un eurocrédit, on a souligné qu'il y avait du point de vue de l'emprunteur toute une série de combinaison marge – commission aboutissant à un coût effectif identique. Mais le choix retenu ne manquera pas d'avoir des conséquences différentes pour les banques dans le syndicat.

De plus, le choix du couple commission – marge risque d'influencer la facilité avec laquelle se fait la syndication. Si l'emprunteur choisit une combinaison où la marge est importante et où les commissions sont faibles, la syndication, toutes choses égales par ailleurs, sera d'autant plus facile. Par contre, la rentabilité de l'opération pour le groupe de direction sera affectée. En revanche, si l'emprunteur choisit une combinaison où le *spread* est faible, mais où il concède de généreuses commissions, la syndication peut être plus difficile mais la rentabilité plus élevée pour le groupe de direction.

L'appréciation de ces différents paramètres sera au centre des discussions entre les parties durant la période de négociation.

Annexe 7.B

Une invitation à participer à un eurocrédit

On retrouvera ci-après le texte intégral d'un télex reçu le 5 novembre 1983 par le service international d'une banque à Montréal.

RE: REPUBLIC OF PORTUGAL

US DOLLARS 350 MILLION SYNDICATED LOAN

THE UNDERSIGNED LEAD MANAGERS HAVE BEEN MANDATED BY THE REPUBLIC OF PORTUGAL TO ARRANGE A MEDIUM TERM FACILITY OF US DLRS 350,000,000. ON BEHALF OF THE REPUBLIC OF PORTUGAL WE ARE NOW PLEASED TO INVITE YOUR BANK TO JOIN IN THIS FINANCING ON EITHER A PRIME OR A LIBOR INTEREST RATE BASIS. THE PRINCIPAL TERMS AND CONDITIONS OF THIS TRANSACTION ARE AS FOLLOWS:

BORROWER
REPUBLIC OF PORTUGAL.

AMOUNT
US DOLLARS 350 MILLION.

PURPOSE
TO PROVIDE SUPPORT FOR THE REPUBLIC OF PORTUGAL'S BALANCE OF PAYMENTS IN CONFORMITY WITH THE LETTER OF INTENT FROM THE RE-PUBLIC OF PORTUGAL TO THE INTERNATIONAL MONETARY FUND APPRO-VED BY THE IMF ON 7TH OCTOBER 1983, THE TEXT OF WHICH IS SHOWN IN THE INFORMATION MEMORANDUM.

TERM
SEVEN YEARS FROM THE DATE OF SIGNATURE OF THE LOAN AGREEMENT.

INTEREST RATE — LIBOR TRANCHE
A MARGIN OF $7/_8$ PER CENT PER ANNUM OVER THE LONDON INTERBANK OFFERED RATE (LIBOR) FOR THREE OR SIX MONTHS EURODOLLAR DEPO-SITS AS QUOTED BY A GROUP OF REFERENCE BANKS.
INTEREST SHALL BE PAYABLE IN ARREARS ON THE BASIS OF A 360-DAY YEAR AND THE ACTUAL NUMBER OF DAYS ELAPSED.

INTEREST RATE — PRIME TRANCHE
THE HIGHER OF
(1) THE PRIME RATE AS QUOTED FROM TIME TO TIME BY MANUFACTURERS HANOVER TRUST COMPANY, PLUS A MARGIN OF 0.50 PER CENT PER AN-NUM OR

(2) THE THEN LATEST THREE WEEK AVERAGE OF SECONDARY MARKET MORNING OFFERING RATES FOR THREE MONTH CERTIFICATES OF DEPOSIT OF MAJOR UNITED STATES MONEY CENTRE BANKS AS PUBLISHED BY THE FEDERAL RESERVE BANK OF NEW YORK AND ADJUSTED FOR ANY AND ALL PRESENT AND FUTURE RESERVES AND DEPOSIT INSURANCE IMPOSED BY THE U.S. REGULATORY AUTHORITIES, PLUS A MARGIN OF 0.50 PER CENT PER ANNUM.

INTEREST SHALL BE PAYABLE QUARTERLY IN ARREARS ON THE BASIS OF A 360-DAY YEAR AND THE ACTUAL NUMBER OF DAYS ELAPSED.

DRAWN DOWN

THE BORROWER SHALL BE ENTITLED TO TAKE UP THE LOAN IN MINIMUM DRAWINGS OF US DLRS 50 MILLION OR IF GREATER IN INTEGRAL MULTIPLES OF US DLRS 10 MILLION, PRIOR TO 31ST JANUARY 1984.

REPAYMENT

IN SEVEN EQUAL AND SUCCESSIVE SEMI-ANNUAL INSTALMENTS STARTING AT THE END OF THE 48TH MONTH FROM THE DATE OF SIGNATURE OF THE LOAN AGREEMENT.

PREPAYMENT

THE BORROWER SHALL BE ENTITLED TO PREPAY THE LOAN ON ANY INTEREST PAYMENT DATE IN WHOLE OR IN PART IN MULTIPLES OF US DOLLARS 20 MILLION WITHOUT PENALTY, BY GIVING NOT LESS THAN 30 DAYS PRIOR WRITTEN NOTICE, WHICH SHALL BE IRREVOCABLE. PREPAYMENTS WILL BE APPLIED TO REPAYMENT INSTALMENTS IN INVERSE ORDER OF MATURITY AND WILL NOT BE AVAILABLE FOR RE-BORROWING.

COMMITMENT COMMISSION

ONE HALF OF ONE PER CENT PER ANNUM ON THE UNDRAWN BALANCE OF THE LOAN COMMENCING 30 DAYS FROM THE DATE OF SIGNATURE OF THE LOAN AGREEMENT AND PAYABLE AT FINAL DRAWDOWN OR 31ST JANUARY 1984, WHICHEVER IS THE EARLIER.

PARTICIPATION FEES AND STATUS

YOUR BANK IS INVITED TO JOIN US IN THIS TRANSACTION WITH A MINIMUM AMOUNT OF US DOLLARS 1,000,000 AND IN INTEGRAL MULTIPLES THEREOF, ALLOCATED ACCORDING TO YOUR PREFERENCE TO THE LIBOR TRANCHE OR TO THE PRIME TRANCHE.

YOU WILL RECEIVE A FEE BASED ON THE FINAL AMOUNT OF YOUR PARTICIPATION IN ACCORDANCE WITH THE FOLLOWING SCHEDULE:

AMOUNT	*PRIME TRANCHE*	*LIBOR TRANCHE*
USDLRS 10 MILLION OR ABOVE	0.375 PCT FLAT AND MANAGER STATUS	0.5 PCT FLAT
USDLRS 5-9 MILLION	0.25 PCT FLAT AND CO-MANAGER STATUS	0.375 FLAT

| USDLRS 3-4 MILLION | 0.10 PCT FLAT | 0.25 PCT FLAT |
| USDLRS 1-2 MILLION | NO FEE | 0.20 PCT FLAT |

FEES FOR A MIXED PARTICIPATION PARTLY IN PRIME AND PARTLY IN LIBOR WILL BE CALCULATED ON THE TOTAL PARTICIPATION AS OPPOSED TO THE ACTUAL PARTICIPATION IN EACH TRANCHE.

THE LEAD MANAGERS RESERVE THE RIGHT TO ALLOCATE PARTICIPA-TIONS AT THE CLOSE OF GENERAL SYNDICATION. THE LEAD MANAGERS MAY CLOSE THE BOOKS FOR EITHER TRANCHE WHEN IT IS FELT APPRO-PRIATE. ANY ALLOCATION OF AMOUNTS WILL NOT RESULT IN A LOWER PERCENTAGE FEE OR REDUCED STATUS, ALTHOUGH THE PARTICIPATION FEE WILL BE CALCULATED ON THE REDUCED AMOUNT OF YOUR ACTUAL PARTICIPATION.

AGENT — LIBOR TRANCHE

THE BANK OF TOKYO, LTD.

AGENT — PRIME TRANCHE

MANUFACTURERS HANOVER TRUST COMPANY.

DOCUMENTATION

THE LOAN SHALL BE GOVERNED BY A LOAN AGREEMENT INCORPORA-TING CUSTOMARY CLAUSES FOR THIS TYPE OF FACILITY, INCLUDING BUT NOT LIMITED TO:

1. REIMBURSEMENT OF INCREASED COSTS IN THE EVENT OF RESERVE REQUIREMENTS OR SIMILAR IMPOSITIONS BY REGULATORY AUTHORI-TIES IN THE COUNTRIES OF THE LENDING BANKS.
2. MECHANISM FOR ESTABLISHMENT OF AN ALTERNATIVE INTEREST RATE IN THE EVENT THAT ADEQUATE AND FAIR MEANS DO NOT EXIST FOR DETERMINING THE LONDON INTERBANK OFFERED RATE.
3. PROTECTIVE PROVISIONS COVERING CROSS DEFAULT, PARI PASSU AND NEGATIVE PLEDGE.
4. USUAL REPRESENTATIONS AND WARRANTIES AND CONDITIONS PRE-CEDENT.
5. USUAL EVENTS OF DEFAULT INCLUDING MATERIAL ADVERSE CHANGE IN THE FINANCIAL CONDITION OF THE BORROWER.
6. BORROWER'S WAIVER OF SOVEREIGN IMMUNITY.

GOVERNING LAW AND JURISDICTION

THE LOAN DOCUMENTATION WILL BE GOVERNED BY AND CONSTRUED IN ACCORDANCE WITH ENGLISH LAW. THE BORROWER SHALL SUBMIT TO THE NON-EXCLUSIVE JURISDICTION OF THE ENGLISH, PORTUGUESE AND NEW YORK (STATE AND FEDERAL) COURTS.

ENGLISH COUNSEL FOR BANKS

SLAUGHTER AND MAY.

PUBLICITY

IN ANY TOMBSTONE PUBLICITY ALL LEAD MANAGERS, MANAGERS AND CO-MANAGERS WILL APPEAR IN ALPHABETICAL ORDER BY AMOUNT. IN

THE SECTION LISTING THE PROVIDERS OF FUNDS, BANKS WILL APPEAR ALPHABETICALLY BY AMOUNT PROVIDED.

INFORMATION MEMORANDUM

AN INFORMATION MEMORANDUM RELATING TO THIS TRANSACTION HAS BEEN PREPARED AND IS BEING SENT TO YOU. INFORMATION IS PROVIDED IN THIS DOCUMENT COVERING THE PORTUGUESE ECONOMY INCLUDING THE TEXT OF THE LETTER OF INTENT FROM THE PORTUGUESE GOVERNMENT TO THE INTERNATIONAL MONETARY FUND AGREED TO BY THE BOARD OF THE IMF ON 7TH OCTOBER 1983. MEMBERS OF THE LEAD MANAGEMENT GROUP WILL BE CONTACTING YOU TO PROVIDE FURTHER INFORMATION, IF REQUIRED.

RESPONSES

PLEASE ADDRESS YOUR FORMAL RESPONSE TO THIS INVITATION TO DOUGLAS EMMETT/MICHAEL MORLEY AT LLOYDS BANK INTERNATIONAL LIMITED, LONDON (TELEX 33342, TELEPHONE 01-248-9822) AS SOON AS POSSIBLE, BUT IN ANY EVENT NO LATER THAN CLOSE OF BUSINESS IN LONDON ON THURSDAY 17TH NOVEMBER 1983. WE LOOK FORWARD TO HEARING FROM YOU ON THIS TRANSACTION.

FOR AND ON BEHALF OF:
THE BANK OF TOKYO, LTD.
BANKERS TRUST INTERNATIONAL LIMITED
BANQUE NATIONALE DE PARIS
CHEMICAL BANK INTERNATIONAL LIMITED
CITICORP CAPITAL MARKETS GROUP
COMMERZBANK A.G.
CRÉDIT COMMERCIAL DE FRANCE
CRÉDIT LYONNAIS
GULF INTERNATIONAL BANK B.S.C.
IBJ INTERNATIONAL LIMITED
LLOYDS BANK INTERNATIONAL LIMITED
MANUFACTURERS HANOVER LIMITED
MORGAN GUARANTY TRUST COMPANY OF NEW YORK
STANDARD CHARTERED BANK PLC
THE SUMITOMO BANK, LIMITED
THE TOKAI BANK, LIMITED

Annexe 7.C

La documentation d'une facilité:
pour régler les aspects juridiques et techniques[20]

Lors de la mise en place d'une facilité, le chef de file prépare la documentation où seront consignés les accords juridiques entourant la transaction et où sont réglés les problèmes techniques liés au prêt. Sans entrer dans le détail de cette documentation[21], largement standardisée, on en présentera ci-dessous certains aspects portant sur le cadre juridique d'un eurocrédit, sur les clauses protégeant les prêteurs et sur l'éventualité de défaut.

A)   Le choix des régimes juridiques

La question de l'application des régimes juridiques en matière internationale est très complexe. Elle l'est encore davantage pour les emprunts internationaux, qui peuvent facilement exiger sept contrats distincts. Dans chaque cas, les parties devront faire deux choix: d'une part, le système de lois qui régira le contrat et, d'autre part, les tribunaux qui auront juridiction pour entendre les parties sur toute question concernant le contrat.

Les parties à un contrat peuvent omettre de faire ces choix. On trouve bien sûr dans les lois des règles supplétives indiquant les systèmes de lois applicables et les tribunaux ayant juridiction dans ce cas. Mais les lois de chaque pays peuvent contenir de telles règles supplétives: ces règles peuvent différer d'un pays à l'autre et entrer en conflit les unes avec les autres.

1°   *Le choix du système de lois*

Les parties doivent choisir le pays dont les lois régiront le contrat qu'elles signent. Les parties ont une grande liberté à ce sujet.

Ce sont les parties en position de force dans la transaction qui détermineront le choix. Le but n'est pas de trouver un régime juridique qui favoriserait une partie au détriment de l'autre: on cherchera généralement un système de lois «sans surprise», qui est familier aux parties. Les lois du pays du chef de file sont souvent

---

20.   Cette annexe a été rédigée par Jean-Pierre Bréard.

21.   L'ensemble de la documentation d'un eurocrédit et les conventions entre les parties peut représenter une cinquantaine de pages. Pour un exposé très clair du cadre juridique en finance internationale on pourra se référer au livre de P. Wood, *Law and Practice of International Finance*, Sweet and Maxwell, London, 1980.

désignées à cette fin: les lois de l'État de New York et celles de l'Angleterre jouissent d'une grande popularité.

Malgré cette apparente liberté totale de choix, certaines restrictions sont applicables. Ainsi, la jurisprudence de quelques pays exige qu'il existe un «lien sérieux» ou une «relation réelle» entre la loi choisie et le contrat. Ce critère de lien nécessaire est satisfait lorsque le pays choisi est le domicile ou la résidence d'une des parties au contrat, qu'une partie des investisseurs y résident, que les paiements sont faits dans ce pays, ou encore que la monnaie de l'emprunt est celle de ce pays. Cette liste d'exemples n'est pas exhaustive.

Par ailleurs, les dispositions législatives de certains pays peuvent limiter les choix possibles. Dans tous les cas, le choix en faveur du système de lois d'un pays ne sera pas valable si le choix est fait uniquement afin de contourner des règles d'ordre public d'un autre pays et qui auraient été applicables à la transaction.

Enfin, le choix d'un système de lois national ne doit pas faire oublier les règles édictées par des organismes internationaux et qui peuvent affecter les transactions.

Ces questions sur le choix du système de lois favorisent la rédaction de contrats qui soient, en eux-mêmes, aussi complets que possible. En effet, si le contrat prévoit la manière de régler la plupart des éventualités, le système de lois choisi pour régir le contrat aura peu d'impact sur les droits respectifs des parties. L'incertitude résultant de l'adoption d'un système de lois de référence est ainsi diminuée.

2°   Le choix des tribunaux

En plus de choisir le système de lois tel que vu ci-dessus, les parties doivent déterminer quels tribunaux auront juridiction pour les entendre relativement aux contrats. Théoriquement, ces deux catégories de choix sont indépendantes l'une de l'autre et des pays différents peuvent être choisis pour le système de lois et pour les tribunaux.

Le choix des tribunaux qui auront juridiction pour entendre les parties n'affecte pas directement les droits des parties découlant des contrats et des lois applicables. Il s'agit seulement de déterminer l'endroit où les parties voudront se faire entendre.

Il peut être prévu que les tribunaux de quelques pays auront une juridiction concurrente, c'est-à-dire qu'une partie pourra, à son choix, porter son recours devant le tribunal qui l'accommode le mieux parmi ceux énumérés.

Les tribunaux les plus souvent choisis sont ceux du pays où l'emprunteur a ses principaux actifs, à cause de la plus grande facilité d'exécution des jugements, et les tribunaux du pays dont le système de lois a été choisi pour régir le contrat, à cause de la plus grande simplicité de plaider le droit devant des tribunaux qui sont familiers avec celui-ci.

Les documents contractuels peuvent aussi partager la juridiction entre les tribunaux de différents pays, en fonction de la nature des questions à être traitées par le tribunal. Enfin, l'autorité accordée contractuellement aux tribunaux n'est pas exclusive et d'autres tribunaux pourront entendre les litiges, tel que prévu dans les lois régissant les pouvoirs des tribunaux des divers pays.

B)   Les trois clauses de base protégeant les prêteurs

Trois clauses apparaissent systématiquement dans les conventions d'eurocrédits pour la protection des prêteurs: ce sont la clause *pari passu*, la clause de *negative pledge* et enfin la clause de *cross default*.

- La clause *pari passu*: cette clause vise à obliger l'emprunteur à traiter tous les prêteurs de la même façon. Cette clause protège ainsi les petites banques dans le syndicat et prévient l'utilisation de tactique de division entre les prêteurs qui pourrait être employée par le bénéficiaire de la facilité.

- La clause de *negative pledge*: c'est un engagement afférent au rang de l'emprunt; par cette clause, l'emprunteur ne pourra, dans le futur, offrir des garanties de rang supérieur à celles offertes dans la transaction faisant l'objet de la convention entre les parties.

- La clause dite de *cross default*: d'après cette clause, si l'emprunteur ne respecte pas ses engagements financiers en vertu d'un autre emprunt contracté dans le passé ou qu'il contractera dans l'avenir, ou si un autre emprunt devient exigible avant son échéance pour quelque raison que ce soit, ce fait constituera un défaut en vertu du présent prêt.

  Cette clause a pour effet de protéger le prêteur contre les autres créanciers du débiteur, dans le cas où celui-ci cesserait ses paiements sur certaines dettes mais les continuerait sur d'autres. Sans cette clause, les créanciers recevant encore les paiements prévus contractuellement ne pourraient empêcher les autres créanciers de se faire payer intégralement et de laisser l'emprunteur dans une mauvaise situation, diminuant ou annulant leurs chances d'être remboursés intégralement. Avec cette clause, tous les créanciers exigeront le paiement complet en même temps, éliminant d'éventuelles préférences pour certains créanciers.

C)   L'éventualité de défaut

La convention de prêt d'un emprunt international contient des dispositions applicables aux situations où l'emprunteur ne respecte pas les modalités qui ont été convenues au moment du prêt.

1°   *L'inexécution d'une obligation contractuelle*

La mesure selon laquelle l'inexécution d'une obligation contractuelle est considérée comme un cas de défaut formel en vertu des documents d'emprunt est toutefois variable.

Dans certains cas, seul le non-respect d'un engagement à caractère pécuniaire sera considéré comme un cas de défaut formel, tandis que d'autres documents considèrent aussi comme tel la violation de tout autre engagement prévu à la convention, ou même la survenance d'événements extérieurs. La distinction prend toute son importance lorsqu'on regarde les sanctions applicables et les recours prévus contractuellement en faveur des prêteurs dans chaque cas: ces sanctions et recours sont plus nombreux lorsque l'événement constitue un cas de défaut, et les conséquences sont plus dévastatrices. Les documents vont au-delà des recours qui seraient accordés par la loi en cas d'inexécution des obligations.

Un certain nombre de variables influenceront le nombre et le type d'engagements dont l'inexécution sera considérée comme un cas de défaut. Le pouvoir de négociation respectif du prêteur et de l'emprunteur est un premier facteur à considérer. Ce jeu de pouvoir s'applique non seulement à la définition des cas de défaut, mais aussi à la rigidité ou à la fexibilité de l'application des sanctions en cas de défaut, tel qu'il sera vu plus loin.

La nature de l'emprunteur influence aussi le contenu des documents à ce niveau. Par exemple, la notion de faillite est inconciliable avec un emprunteur qui est un État souverain et des clauses alternatives doivent être envisagées. La règle générale d'immunité d'un État souverain oblige également à considérer certaines clauses dans une perspective différente.

Finalement, le régime juridique auquel est soumis le financement est important dans la rédaction des documents. Les lois de chaque pays contiennent un ensemble de règles applicables à l'exécution des obligations d'un débiteur. Ces règles sont souvent supplétives, c'est-à-dire qu'elles s'appliquent lorsque les documents contractuels sont muets sur certaines questions. Ces règles variant d'un pays à l'autre et pouvant être modifiées au gré des législateurs à l'intérieur d'un même pays, les parties doivent juger dans quelle mesure il peut être suffisant de référer aux règles de droit applicables dans une juridiction déterminée. Dans les financements internationaux, la complexité du chevauchement des règles de droit des pays des parties impliquées favorise l'inclusion, dans les documents d'emprunt, de toutes les dispositions régissant les situations envisagées. Cette précision contractuelle est un avantage appréciable lorsque le nombre d'intervenants est important.

Les cas de défaut mentionnés ci-après ne constituent pas une liste exhaustive, la liberté contractuelle donnant toute la latitude nécessaire pour inclure des clauses additionnelles qui seraient justifiées par des circonstances particulières. Il est aussi possible que, dans certains documents, les clauses ne soient pas intitulées ou formulées exactement comme indiqué ci-après, bien que les situations visées soient similaires et que l'effet recherché soit semblable.

2°   Les cas de défaut
a)   Le défaut de paiement

Le défaut de paiement du capital est le plus fondamental. Ce défaut pourra se produire à l'échéance ou dans le cas de rachat, ou en d'autres circonstances. Le défaut de payer tout versement d'intérêts est aussi prévu, ou tout autre montant exigible en vertu des documents d'emprunt. La clause s'appliquera en cas de défaut de paiement total ou partiel.

b)   La violation d'un engagement contractuel

Le non-respect par l'emprunteur de toute autre disposition de la convention d'emprunt constituera la plupart du temps un cas de défaut. Au plan strictement juridique, une telle clause pourrait être dangereuse pour l'emprunteur et le mettre à la merci du prêteur pour une violation technique d'une disposition peu importante. Il faut cependant comprendre que les prêteurs sur le marché international n'ont aucun intérêt à mettre en défaut un emprunteur dont la situation financière est saine.

c)   L'inexactitude d'une déclaration

Les documents d'emprunt contiennent des déclarations et garanties de l'emprunteur qui constituent des représentations de celui-ci au prêteur. Par exemple, l'emprunteur garantit que l'emprunt ne viole pas toute réglementation à laquelle il est soumis ou une disposition de tout contrat auquel il est partie. Ou encore, il garantit qu'il n'existe pas de poursuite en justice ou réclamation importante contre lui.

Toute déclaration fausse, inexacte ou incomplète de l'emprunteur constituera un défaut.

d)   Le défaut en vertu d'un autre emprunt

C'est le cas de défaut prévu par la clause dite de cross default présentée précédemment.

e)   Les mesures d'exécution

Tout jugement contre le débiteur, toute saisie de biens lui appartenant ou toute autre procédure judiciaire au même effet peut constituer un cas de défaut. Le prêteur peut s'inquiéter de voir que certains biens de son débiteur sont saisis et il désire participer à la distribution des sommes résultant de la vente judiciaire des biens saisis. Mais cette clause est souvent rédigée de façon beaucoup plus générale que ce qui est nécessaire pour protéger le prêteur, et l'emprunteur prudent doit s'y objecter ou en faire limiter sérieusement la portée.

f)   La liquidation volontaire

Applicable aux emprunteurs corporatifs, cette clause vise le cas où l'entreprise liquide ses biens ou demande sa dissolution. Des dispositions similaires peuvent s'appliquer à la cessation d'activités de l'emprunteur, à la vente d'une partie de ses biens et même à l'expropriation ou à la nationalisation d'une partie substantielle de ses actifs.

g)   L'insolvabilité

La faillite de l'emprunteur entraîne évidemment un défaut, mais aussi l'insolvabilité. Celle-ci a avantage à être définie pour éviter toute divergence d'opinions et les difficultés de preuve. Certaines circonstances objectives précisées au contrat sont alors réputées constituer l'insolvabilité.

h)   Les événements importants défavorables

Tout changement important défavorable dans la situation financière de l'emprunteur peut constituer un cas de défaut. Les changements économiques de façon générale, ou les changements politiques ou militaires peuvent aussi être prévus.

Cette clause est largement discrétionnaire et confère de grands pouvoirs au prêteur. Il semble toutefois que si le contrat est régi par le droit d'Angleterre, les tribunaux ne reconnaîtront pas la validité de la clause si le prêteur veut s'en prévaloir arbitrairement sans motif raisonnable. La situation est la même en droit canadien, où les tribunaux ont récemment affirmé que les institutions financières ont l'obligeance d'agir de bonne foi et de façon raisonnable dans l'exercice de leurs recours.

Cette clause n'apparaît pas habituellement dans les euro-obligations à cause du danger que représente le grand nombre d'investisseurs. De plus, un fiduciaire agissant au nom des obligataires ne désire pas obtenir de tels pouvoirs discrétionnaires rendant problématiques l'exercice de ses fonctions. Il est possible de retrouver la clause relativement à des euronotes, mais les émetteurs s'y opposent souvent avec vigueur.

3°   *Les délais de grâce*

Les délais de grâce représentent la période pendant laquelle un emprunteur peut être en défaut en vertu des documents d'emprunt sans avoir à subir de conséquences graves. Malgré la survenance d'un cas de défaut, le prêteur accepte de ne pas exercer de recours en vertu de la convention avant l'expiration du délai de grâce. Si l'emprunteur remédie au défaut à l'intérieur de ce délai, la faute est pardonnée. Elle ne pourra être invoquée par le prêteur dans l'avenir. Le délai accordé est fonction des motifs possibles de défaut, des chances de pouvoir remédier au défaut dans des cas semblables et des risques anticipés par le prêteur pendant le délai.

Ainsi, aucun délai de grâce n'est accordé en cas de faillite ou d'insolvabilité, car il ne peut être remédié au défaut, dans le premier cas, et le risque pour le prêteur est trop grand, dans le deuxième cas. La même règle est applicable pour la clause d'exigibilité croisée.

Aucun délai de grâce n'est possible si l'emprunteur a fait une déclaration fausse ou inexacte. Un délai est possible lorsque l'emprunteur a garanti qu'une déclaration continuerait d'être vraie pendant la durée de l'emprunt et que des faits viennent violer cette garantie.

Un court délai de grâce est accordé pour remédier à un défaut de paiement. Ceci permet d'éviter des sanctions pour des défauts purement techniques n'ayant pas de lien avec la solvabilité du débiteur, comme des difficultés de communication.

Pour la violation d'un autre engagement contractuel, un seul délai de grâce est prévu, même si des engagements de diverses natures sont prévus au contrat.

RÉFÉRENCES BIBLIOGRAPHIQUES

Livres:

- DUFLOUX, C. et MARGULICI, L., *Les eurocrédits, pourquoi?*, La Revue Banque Editeur, 1984.

- GEORGE, A. et GIDDY, I., *The International Finance Handbook*, Wiley 1982, chapitre 3.4: Syndicated Eurocurrency Credits: Pricing and Practice.

- McDONALD, R. I., *International Syndicated Loans*, Euromoney Publications, 1982.

- MELNIK, A. et PLANT, S., *The Short-Term Eurocredit Market*, New York University Salomon Center, 1991.

- PARK, Y. S. et ZWICK, J., *International Banking in Theory and Practice*, Addison-Wesley Publishing Company, 1985.

- RHODES, T., *Syndicated Lending: Practice and Documentation*, Euromoney Books, 1993.

- WOOD, P., *Law and Practice of International Finance*, Sweet and Maxwell, Londres, 1980.

Articles:

- «Developments in the International Loan Market in the 1980», *Bank of England Bulletin*, février 1990.

- DARBYSHIRE, C., «That Sinking Feeling», *Euromoney*, août 1991.

- GRANT, C., «How Banks Revamp Assets», *Euromoney*, avril 1984.

- KELLER, P., «Lend the Money, then Sell the Debt», *Euromoney*, août 1989.

- LEE, P., «Syndicators Feel the Chill», *Euromoney*, août 1990.

- LEROUX, F., «Front-end Fees, with Holding Tax, Tax-sparing Agreements and their Influence on Eurocredit Profitability», *Cahier du CETAI-HEC*, 1984.

- «Syndicated Loans: a Competitive Business», *Euromoney supplement*, mai 1988.

- «The Loan Arranger Rides Again», *The Economist*, mai 1989.

Chapitre 8
Les eurocrédits et la pratique bancaire

Ce chapitre présente les principales caractéristiques du marché des crédits bancaires internationaux. Dans une première partie, on verra quelle a été l'évolution du volume des nouveaux crédits bancaires mis en place, année après année. La seconde partie permettra de voir qui sont les principaux acteurs sur ce marché, par grandes catégories; enfin les deux dernières parties s'intéresseront à la pratique bancaire, à la lumière de l'introduction du ratio universel de capitalisation (ratio Cooke) et en mettant de l'avant le rôle joué par les limites-pays dans la décision de s'engager dans un financement.

8.1 La taille du marché des crédits bancaires internationaux

Il existe beaucoup de données permettant de suivre le marché international des eurocrédits. De trimestre en trimestre, on peut se référer aux chiffres publiés par la revue *Tendances sur les marchés des capitaux* de l'Organisation de coopération et de développement économique et aux analyses de la revue de la Banque d'Angleterre (*Bank of England Quarterly Review*)[1]. Les professionnels consultent également les publications *International Financial Review* et *Euroweek*. De plus, ils disposent d'informations continuellement mises à jour sur les nouveaux crédits, par le biais des services Reuters (page IIIS), Telerate et Bloomberg.

8.1.1 Le marché jusqu'en 1982

Ainsi qu'il a été évoqué au chapitre 6, le marché des eurocrédits a connu une première phase de développement très rapide jusqu'en 1982. Le volume des crédits bancaires syndiqués internationaux qui était de 20,8 milliards de dollars en 1973 a été multiplié environ par cinq en huit ans.

On peut trouver quatre moteurs à cette croissance très rapide:

- une demande soutenue venant des pays aux prises avec des problèmes liés aux répercussions de la crise pétrolière;
- la volonté des banques non américaines de rejoindre les banques newyorkaises sur ce marché;
- un engouement pour le risque souverain;
- la hausse des taux d'intérêt à partir de 1979, qui détourna certains emprunteurs du marché obligataire.

---

1. Cette revue présente également de façon irrégulière des articles synthétiques. On notera en particulier celui de février 1990 intitulé « Developments in the International Syndicated Loan Bank Markets in the 80's ».

Tableau 8.1	
Crédits bancaires syndiqués internationaux	
(en milliards de dollars)	
1973	20,8
1974	28,5
1975	20,6
1976	27,9
1977	33,8
1978	74,2
1979	79,1
1980	79,9
1981	94,6
1982	98,2

Source: Banque d'Angleterre et OCDE.

8.1.2   Le marché depuis 1982

L'élan extraordinaire qu'avait connu le marché des euro-crédits syndiqués se brisa brusquement à l'automne 1982[2]. En effet, un certain nombre d'emprunteurs souverains, qui au cours des années précédentes avaient assuré la plus grande partie de la croissance du marché, connurent brusquement de très sérieuses difficultés et ne purent faire face à leurs obligations. En quelques mois, le phénomène se généralisa et la plupart des pays en voie de développement ou semi-industrialisés connurent les mêmes déboires. Il s'ensuivit une situation fort délicate pour les emprunteurs et pour les banques, que l'on a appellée la *crise de l'endettement* (cf. chapitre suivant).

La répercussion sur les marchés des eurocrédits fut à l'image de l'ampleur de la crise, puisque le marché passa de 98,2 milliards de dollars en 1982 à seulement 38,6 milliards en 1985[3].

Cette brusque désescalade fut le résultat de la combinaison de deux phénomènes: d'une part, les banques refusèrent de faire des nouveaux prêts «spontanés» aux emprunteurs souverains; d'autre part, les emprunteurs industriels et commerciaux, dont la qualité de crédit permettait d'avoir accès à d'autres segments des

---

2.   Les chiffres utilisés ici sont ceux publiés régulièrement dans la revue, *Tendances des marchés des capitaux de l'OCDE*. Pour la présentation des données sur le marché des eurocrédits, l'OCDE a toujours compartimenté les emprunteurs en quatre grandes catégories: ceux de la zone de l'OCDE (ce qui regroupe en gros l'ensemble des pays industrialisés), ceux des pays de l'Est, ceux de l'OPEP et ceux originaires des pays en développement (PED). À vrai dire, cette dernière catégorie regroupe des entités très diverses puisqu'on y retrouve aussi bien des pays très industrialisés comme l'Argentine et le Brésil, les nouvelles puissances de la zone du Pacifique (Taïwan, Hong Kong) que les pays les plus pauvres d'Afrique.

3.   La Banque d'Angleterre a publié des chiffres montrant que la contraction a été encore plus prononcée. Selon cette source, les nouveaux prêts bancaires internationaux en 1985 n'auraient été que de 19 milliards de dollars.

marchés internationaux, délaissèrent les prêts bancaires[4]. En tout cas, à la fin de l'année 1985, on s'interrogeait sur l'avenir de ce marché.

Il devait rebondir au cours de la deuxième moitié des années 1980 pour atteindre 116,2 milliards de dollars dès 1988. Ce regain d'activité s'explique par la conjonction de plusieurs phénomènes :

- la reprise de l'activité économique qui se généralisa dans l'ensemble des pays industrialisés ;
- une demande nouvelle se fit jour pour le financement des fusions et acquisitions, principalement aux États-Unis ;
- la crise boursière de 1987 fut indirectement favorable, pour une courte période il est vrai, au marché des eurocrédits, dans la mesure où certains compartiments des marchés concurrents furent fermés ou beaucoup plus sélectifs et plus onéreux pendant plusieurs mois ;
- l'ampleur des financements d'origine japonaise a joué également un rôle, puisqu'au cours de la deuxième partie des années 1980, les créances détenues par les banques nippones ont souvent compté pour plus de 75 % de la croissance de toutes les créances bancaires ;
- enfin, l'écrasement des marges, jusqu'au milieu de 1988, rendit ce marché très attrayant pour de nouveaux emprunteurs.

Le marché se stabilisa, par la suite, aux alentours de 115 milliards par année grâce à la volonté de certaines banques de réduire leurs créances pour mieux se préparer à respecter les nouvelles normes de capitalisation, dont l'entrée en vigueur eut lieu en jan-

Tableau 8.2	
Le marché des eurocrédits bancaires depuis 1982 (en milliards de dollars)	
1982	98,2
1983	67,2
1984	53,8
1985	38,6
1986	44,1
1987	80,3
1988	116,2
1989	114,2
1990	124,5
1991	116,0
1992	117,9
Source : OCDE.	

---

4. Dans certains cas, ces emprunteurs se prévalurent de la clause de remboursement anticipé sans pénalité pour diminuer leurs prêts bancaires au profit du marché obligataire.

vier 1993. Ce mouvement de repli, incidemment, affecta surtout les banques japonaises qui venaient quelques années auparavant d'accroître sensiblement leur participation à ce marché.

Par ailleurs, le marché obligataire international, au début des années 1990, connut un nouvel élan qui allait voir le volume des nouvelles émissions passer de 229,9 milliards de dollars en 1990 à 333,7 milliards deux ans plus tard. L'excellent accueil reçu par les emprunteurs sur ce marché détourna une partie de la clientèle potentielle des prêts bancaires au moment où les marges exigées commençaient à augmenter (cf. *infra*).

8.2   Autres caractéristiques du marché

8.2.1   Les monnaies de support

Jusqu'en 1982, les eurocrédits ont été presque exclusivement libellés en dollars : jusqu'à cette date, la part de la devise américaine était toujours supérieure à 90 % (elle était même de 95,6 % en 1978). Le deutsche mark et la livre sterling jouaient un certain rôle, mais leur part du marché était vraiment peu significative.

À partir de 1982, la place du dollar a commencé à s'effriter, à tel point qu'en 1985, seulement 62 % des opérations étaient montées en devise américaine. Parallèlement, le yen a été plus souvent utilisé, tandis que la livre sterling accroissait également sa part du marché. Ces changements s'expliquent par les mouvements importants enregistrés sur le marché des changes, la volonté de certaines banques de restructurer une partie de leurs encours dans une monnaie autre que le dollar et la montée en puissance de la devise japonaise et des institutions financières nippones sur les marchés des capitaux. On notera cependant que les crédits internationaux en yen n'ont jamais dépassé 14,1 % de l'ensemble des crédits. Ce chiffre a été atteint en 1985.

Le secteur de la livre sterling fut affecté au début des années 1990, d'une part, par le ralentissement très sensible de la conjoncture anglaise, puis par les difficultés de la livre à l'automne 1992.

Tableau 8.3
Répartition par monnaie des eurocrédits
(en pourcentage)

	1982	1983	1984	1985	1986	1987	1988	1989	1990	1991	1992
Dollar	88,2	79,6	71,7	61,7	70,2	65,1	64,2	70,0	58,9	84,5	75,4
Deutsche mark	1,5	1,5	2,2	2,0	2,1	2,4	2,8	3,5	6,7	2,1	1,8
Yen	3,7	7,4	12,2	14,1	12,6	10,8	6,1	5,3	1,7	1,1	1,4
Sterling	2,8	4,1	4,8	10,2	7,8	14,7	17,4	11,3	17,5	4,2	1,9
Écu	0,3	0,9	2,9	6,2	1,7	2,4	3,3	4,9	8,7	3,9	15,0
Divers	*2,6*	*5,2*	*5,4*	*5,1*	*5,6*	*4,6*	*6,2*	*9,5*	*6,5*	*4,2*	*4,5*
Total	**100**	**100**	**100**	**100**	**100**	**100**	**100**	**100**	**100**	**100**	**100**

Source : OCDE.

Ainsi que le montre le tableau 8.3, l'écu a su se tailler, au cours des années, une part significative du marché (et ce mouvement est parallèle à celui enregistré sur le marché euro-obligataire). Cette nouvelle acceptation de l'écu s'est faite en partie au détriment du compartiment en deutsche mark. Cependant, les difficultés du SME, à la fin de l'année 1992 et au début de 1993, laissent planer des doutes sur la pérennité de la performance du compartiment écu.

8.2.2   Les emprunteurs

On peut repérer quatre catégories d'emprunteurs sur le marché des eurocrédits: les entreprises, les institutions financières, les États et les institutions internationales.

a)   Les **entreprises des pays industrialisés** trouvent sur ce marché un instrument d'une grande souplesse d'utilisation: elles peuvent y avoir recours en complément ou à la place d'autres instruments. Pour les entreprises, les eurocrédits sont bien adaptés dans les circonstances suivantes:

- lors du financement de certains équipements, surtout lorsqu'ils offrent des garanties faciles à saisir (c'est le cas en particulier du financement des avions pour les compagnies aériennes);

- lors de la mise en place d'un programme d'émission de papier commercial aux États-Unis: un eurocrédit peut s'avérer nécessaire pour faire face au risque de liquidité sur ce marché;

- lors d'opérations de restructuration financière et administrative majeures, une entreprise peut avoir besoin de sommes importantes facilement mobilisables avant que des solutions plus permanentes de financement soient mises en place. C'est le cas en particulier lors des tentatives de prises de contrôle, lors des opérations de fusions ou lors des restructurations provoquées par la prise de contrôle par le management de l'entreprise.

b)   **Les banques et institutions financières**

La lecture du tableau 8.4 indique que pour la majorité des années, les banques et institutions financières ont constitué la seconde clientèle en importance sur le marché des crédits bancaires syndiqués internationaux. Le pourcentage qui leur a été réservé a augmenté de façon significative entre 1984 et 1986, au moment où le marché s'était fortement contracté et où beaucoup de banques devaient travailler à la restructuration de leur bilan.

c)   Les **États** ont constitué des clients majeurs pour les banques au moment du décollage du marché des eurocrédits. Ils ont pendant longtemps bénéficié de la qualité de leurs signatures. Cependant, petit à petit, leur place a diminué et cela

Tableau 8.4

**Crédits bancaires syndiqués internationaux
Ventilation par catégorie d'emprunteur**
(en pourcentage)

	1980	1981	1982	1983	1984	1985	1986	1987	1988	1989
Entreprises	58,5	64,5	60,4	57,8	56,8	44,7	51,3	76,4	87,8	80,9
Banques et institutions financières	20,4	18,7	19,1	13,2	29,9	43,1	30,4	16,9	8,7	14,1
Banques centrales	0	0	1,2	5,0	1,0	2,6	5,1	1,1	1,0	0,8
Gouvernements	22,1	16,8	19,3	24,0	12,3	9,6	13,2	5,6	2,5	4,2
Total	**100**	**100**	**100**	**100**	**100**	**100**	**100**	**100**	**100**	**100**

Source : D'après des chiffres de la Banque d'Angleterre (1990).

pour deux raisons : tout d'abord les États des pays de l'OCDE ont eu recours, avec le développement des marchés concurrents, à d'autres instruments (obligations et effets à court terme); ensuite, les États des pays semi-industrialisés ou en voie de développement ont vu tarir ce qui était leur principale ou unique source de financement international, une fois qu'ils eurent saturé leur capacité d'endettement.

d)   Les **institutions internationales de développement** et les **banques centrales** utilisent de façon sporadique ce marché. Les premières préfèrent tirer avantage de leur excellente cote de crédit sur les marchés obligataires, les secondes sont plus attirées, par les nouveaux instruments que sont les effets à court et moyen termes, mieux adaptés à leurs besoins.

8.2.3   Origine géographique des emprunteurs

Au cours des années, l'origine géographique des emprunteurs a beaucoup évolué (tableau 8.5).

On constate que, de plus en plus, ceux-ci se recrutent dans les pays industrialisés de la zone de l'OCDE. En 1992, la part du marché accaparée par cette zone géographique représentait 84 % de tous les emprunts. À l'intérieur de cette zone, 54 % des financements sont mis en place par des emprunteurs des États-Unis. Le Royaume-Uni vient en deuxième place (11 %) suivi de la Suède (8 %), de l'Italie (4,3 %) et de l'Espagne (2,8 %).

Le pourcentage des financements effectués par les pays en développement est tombé à 9,7 % en 1992. En fait, la part de ces emprunteurs est passée par un sommet en 1979 (41,5 %) puis s'est nettement rétrécie après 1983. La chute aurait d'ailleurs été beaucoup plus rapide à cette époque, si de nombreuses banques n'avaient pas dû consentir des prêts additionnels à leurs débiteurs, dans le cadre de programme de restructuration et d'étalement de la dette.

Tableau 8.5

Origine géographique des emprunteurs
(en pourcentage)

	1978	1979	1980	1981	1982
Zone OCDE	48,3	36,8	51,6	50,5	55,1
Europe de l'Est	5,3	6,2	3,4	1,5	0,7
OPEP	13,7	11,1	8,4	6,3	8,1
PED	32,3	41,5	34,8	40,0	32,5
Divers	0,4	4,4	1,8	1,7	3,6
Total	**100**	**100**	**100**	**100**	**100**
	1983	**1984**	**1985**	**1986**	**1987**
Zone OCDE	47,6	53,9	45,9	67,1	67,0
Europe de l'Est	1,6	4,9	10,7	5,6	3,0
OPEP	10,8	5,4	7,1	7,3	2,3
PED	37,0	32,0	31,2	16,9	20,3
Divers	3,0	3,8	5,1	3,1	7,4
Total	**100**	**100**	**100**	**100**	**100**
	1988	**1989**	**1990**	**1991**	**1992**
Zone OCDE	82,0	79,9	80,8	75,6	84,0
Europe de l'Est	0,2	1,9	2,4	0,1	0,1
OPEP	1,0	3,6	5,9	13,4	4,2
PED	11,3	9,3	10,3	9,6	9,7
Divers	5,5	5,3	0,6	1,3	2,0
Total	**100**	**100**	**100**	**100**	**100**

Les pays exportateurs de pétrole ont aussi eu recours à ce marché. Mais leur part a nettement décliné à la fin des années 1980 et au début des années 1990 (avec l'exception de l'année 1991).

Malgré des besoins évidents, les pays de l'Europe de l'Est n'obtiennent, au début des années 1990, qu'un très faible pourcentage de l'ensemble des financements. On est, en tout cas, loin des 6,2 % obtenus en 1979. Ceci reflète bien la nouvelle prudence démontrée par les banques depuis la débâcle du milieu des années 1980.

8.2.4   Les arrangeurs

Comme les eurocrédits sont publicisés, il est possible de se faire une idée des banques les plus actives sur ce segment du marché international des capitaux. Depuis le milieu des années 1970, la revue *Euromoney*, s'est fait une spécialité de publier deux fois par année une liste des banques les plus actives dans la fonction d'arrangeurs. Cette liste, décriée par certaines institutions, est en fait très suivie par les professionnels. Son principal défaut est qu'elle ne donne pas une idée précise de l'identité des banques qui sont effectivement les prêteuses puisque l'on insiste surtout sur les chefs de file. À la décharge d'*Euromoney*, il faut reconnaître que les nouvelles méthodes de syndication et la pratique de la revente par le biais des sous-participations rend maintenant particulièrement ardue l'identification de tous les prêteurs.

Tableau 8.6
Liste des 20 arrangeurs les plus actifs sur le marché des eurocrédits en 1992

1	Chemical Bank
2	JP Morgan
3	Citicorp
4	Bankers Trust
5	Chase Manhattan Bank
6	First National Bank of Chicago
7	Bank America
8	Barclays Bank
9	Nations Bank
10	National Westminster Bank
11	CSFB/Crédit suisse
12	Swiss Bank Corp.
13	ABN Amro Bank
14	Continental Bank
15	Union de Banque suisse
16	Banque de Nouvelle-Écosse
17	Banque Toronto Dominion
18	Kidder Peabody
19	Bank of New York
20	Midland Mortagu

Source : Credit Suisse First Boston, Euromoney

À titre indicatif, on présente au tableau 8.6, la liste des 20 banques les plus actives dans le rôle d'arrangeur pour l'année 1992. On remarquera que les banques américaines dominent nettement. Ceci s'explique d'abord par la nature du marché, qui est de plus en plus tourné vers la clientèle corporative, et par l'expertise acquise par les banques américaines dans le financement des restructurations financières et administratives (principalement les fusions et acquisitions). Ceci s'explique aussi par la part très importante des prêts effectués en dollar.

8.2.5   La durée moyenne et les marges des crédits bancaires syndiqués

La durée et la marge associées à chaque eurocrédit reflète les caractéristiques propres de l'opération, la qualité de la signature et les conditions générales du marché. D'un point de vue global, les facteurs qui influencent principalement ces deux dimensions sont la perception générale du risque et l'état de la concurrence sur le marché. D'autres facteurs peuvent aussi rentrer en ligne de compte. C'est ainsi que le changement réglementaire qu'a constitué la définition de nouvelles normes de capitalisation s'est traduit par une réduction des échéances.

À titre d'illustration, la durée moyenne des nouveaux crédits mis en place pour les emprunteurs des pays de l'OCDE était de 6 ans et 10 mois, 5 ans et 1 mois et 5 ans et 8 mois respectivement en 1990, 1991 et 1992.

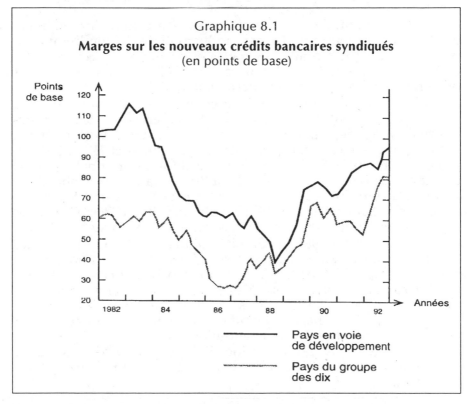

Graphique 8.1

Marges sur les nouveaux crédits bancaires syndiqués
(en points de base)

Le graphique 8.1, tiré du bulletin de la Banque d'Angleterre décrit l'évolution des marges (en points de base) entre 1982 et 1992 pour les emprunteurs de l'OCDE et pour ceux originaires des pays en développements. On constate que la recherche des emprunteurs venant des pays industrialisés durant la période de contraction du marché avait fait chuter les marges à un niveau tel que ce type d'opérations n'était plus rentable pour beaucoup de banques.

8.3   L'influence des normes de capitalisation bancaire sur l'activité internationale des banques

La pratique des banques en matière de crédits internationaux a été affectée par l'introduction de normes universelles de capitalisation.

8.3.1   Le Comité des règles et pratiques de contrôle des opérations bancaires

Le développement de l'activité internationale des banques s'est effectué au cours des années 1970 dans un cadre réglementaire peu contraignant ou, plus précisément, dans un environnement où les autorités de surveillance dans chacun des principaux pays d'origine des banques internationales définissaient de façon autonome la réglementation prudentielle s'appliquant à leurs propres établissements financiers.

Cependant, devant l'ampleur des transactions internationales, les banques centrales des pays industrialisés s'entendirent pour mettre sur pied le Comité des règles et pratiques de contrôle des opérations bancaires[5]. Ce comité se réunit à Bâle, sous les auspices de la Banque des règlements internationaux.

Dans un premier temps, ce comité s'est surtout attaché à établir précisément à qui incombait la supervision des activités internationales des banques. Une première entente portant sur la répartition des responsabilités entre le pays hôte et le pays d'origine, aboutit en 1975 à la signature de ce qu'on a appelé alors le concordat de Bâle. À la suite de la faillite de la Banco Ambrosiano Holding de Luxembourg, un nouveau concordat fut adopté en 1983 visant à clarifier les responsabilités de la surveillance dans le cas des filiales et de certains types d'établissements à l'étranger.

À partir de 1982, le Comité commença à coordonner des travaux visant à homogénéiser les réglementations nationales en matière de capitalisation bancaire. Le rapprochement était difficile à effectuer pour au moins trois raisons: tout d'abord il n'y avait pas, au sein des pays industrialisés, d'uniformisation des systèmes comptables; d'autre part la définition de ce qui pouvait être considéré comme du capital variait sensiblement d'un pays à un autre; enfin, les ratios de capitalisation étaient fort différents même si depuis 1980, un effort sérieux avait été fait un peu partout: tableau 8.7.

Tableau 8.7
Disparité des ratios de capitalisation dans certains pays avant l'accord de Bâle

	1980	1981	1982	1983	1984	1985	1986
Allemagne	3,3	3,3	3,3	3,3	3,4	3,5	3,6
Canada	3,0	3,5	3,7	4,1	4,4	4,6	5,0
États-Unis							
• Neuf *money-centers*	4,5	4,6	4,9	5,4	6,2	6,8	7,3
• 15 banques suivantes	5,5	5,2	5,3	5,7	6,6	7,2	7,5
• Ensemble des banques	5,3	5,4	5,6	5,9	6,5	6,9	7,2
France	2,4	2,2	2,1	2,0	1,9	2,2	2,6
Hollande	4,2	4,3	4,6	4,7	4,8	5,0	5,2
Luxembourg	3,5	3,5	3,5	3,6	3,8	4,0	4,1
Japon	5,3	5,3	5,0	5,2	5,2	4,8	4,8
Royaume-Uni							
• 4 plus grandes banques	6,9	6,5	6,4	6,7	6,3	7,9	8,4
• Ensemble des banques	5,0	4,5	4,1	4,4	4,5	5,5	5,4
Suisse	7,6	7,5	7,5	7,3	7,4	7,8	7,9

Source: FMI.

---

5.   Ce comité s'est longtemps appelé le comité Cooke, du nom du directeur adjoint de la Banque d'Angleterre qui le préside; les pays du groupe des dix, plus la Suisse et le Luxembourg participent aux travaux de ce comité.

Le comité fut, par ailleurs, saisi d'une nouvelle préoccupation dès 1986; en effet, les banques et institutions financières commencèrent à multiplier leurs activités hors bilan. Ici aussi, la croissance très rapide de certains nouveaux marchés (en particulier celui des swaps) militait en faveur d'une analyse détaillée de l'impact de certaines pratiques bancaires sur leur solvabilité en cas de crise.

8.3.2 L'Accord de 1988 sur la convergence internationale de la mesure et des normes de fonds propres

C'est dans ce contexte, que le comité Cooke aboutit, en 1988, à un accord par lequel les pays membres s'engageaient à faire respecter par leurs banques, dès le 1er janvier 1993, un certain nombre de normes en matière de capitalisation. Le comité de Bâle poursuivait deux objectifs fondamentaux: premièrement, renforcer la solidité et la stabilité du système bancaire international et deuxièmement, atténuer les inégalités concurrentielles entre les banques internationales.

Pour atteindre ce double but, il fut décidé que toutes les banques devaient respecter un ratio d'au moins 8 % entre leurs fonds propres et la somme pondérée de leurs créances.

Tableau 8.8

RATIO COOKE:
Définition des éléments constitutifs des fonds propres

Les fonds propres sont classés en deux catégories:

Catégorie 1 (fonds propres principaux ou « noyau dur »)
- A.   Capital social libéré
- B.   Réserves publiées

Catégorie 2 (fonds propres complémentaires)
- A.   Réserves non publiées
- B.   Réserves de réévaluation des actifs
- C.   Provisions générales pour créances douteuses
- D.   Instruments hybrides (dette/capital)
- E.   Dette subordonnée à terme

La somme des éléments des catégories 1 et 2 peut être considérée comme représentant les fonds propres, sous réserve des limites ci-après.
- A.   Le total des éléments (complémentaires) de la catégorie 2 est limité à un maximum de 100 % du total des éléments de la catégorie 1.
- B.   La dette subordonnée à terme est limitée à un maximum de 50 % des éléments de la catégorie 1.
- C.   Les éléments suivants doivent être déduits:
  - De la catégorie 1
    — L'achalandage *(goodwill)*
  - Du total des fonds propres
    — Investissements dans les filiales bancaires et financières non consolidées.
    — Investissements sous forme de participation au capital d'autres banques et établissements financiers (à la discrétion des autorités nationales).

La composition des fonds propres pour le calcul du ratio Cooke doit respecter certaines normes. À cette fin, on distingue les fonds propres principaux (le noyau dur) des fonds propres complémentaires: on trouvera au tableau 8.8 les éléments constitutifs des fonds propres.

Tableau 8.9

RATIO COOKE:
Pondération des risques par catégorie d'actifs

0 %
A. Encaisse
B. Créances sur les administrations centrales et banques centrales, libellées dans leur monnaie nationale et financée dans cette monnaie
C. Autres créances sur les administrations centrales et banques centrales de l'OCDE
D. Créances contre nantissement d'espèces ou de titres des administrations centrales de l'OCDE ou garanties par les administrations centrales de l'OCDE

20 %
A. Créances sur les banques multilatérales de développement (BIRD, BID, BAsD, BAD et BEI), créances garanties par elles et prêts contre nantissement de titres émis par elles
B. Créances sur les banques enregistrées dans l'OCDE et prêts garantis par des banques de cette zone
C. Créances sur les banques enregistrées hors de l'OCDE, assorties d'une échéance résiduelle maximale d'un an, et prêts à échéance résiduelle allant jusqu'à un an garantis par des banques ayant leur siège à l'extérieur de l'OCDE
D. Créances sur les entités du secteur public des autres pays de l'OCDE et prêts garantis par ces entités
E. Actifs liquides en cours de recouvrement

50 %
A. Prêts hypothécaires intégralement couverts par un bien immobilier qui est ou sera occupé par l'emprunteur ou qui est en location

100 %
A. Créances sur le secteur privé
B. Créances sur les banques enregistrées hors de l'OCDE, dont l'échéance résiduelle est supérieure à un an
C. Créances sur les administrations centrales extérieures à l'OCDE (sauf si elles sont libellés en monnaie nationale et financées dans cette monnaie)
D. Créances sur les sociétés commerciales contrôlées par le secteur public
E. Immeubles, installations et autres immobilisations
F. Actifs immobiliers et autres investissements
G. Instruments de capital émis par d'autres banques (sauf s'ils sont déduits des fonds propres)
H. Tous les autres actifs

Pour le calcul du dénominateur du ratio, le comité Cooke a choisi de traiter chaque créance dans une optique de *risque de crédit* et donc de reconnaître que le risque associé à une créance dépend de la nature de l'engagement, de l'identité de la contrepartie et du pays (ou plus exactement de la zone économique) où les fonds sont engagés. À cette fin, on a déterminé un certain nombre de pondérations des risques par catégorie d'actifs. Ces pondérations apparaissent dans le tableau 8.9. Ainsi, les engagements sur les États de l'OCDE ont un coefficient de 0 %, puisqu'on considère que le risque de défaillance est nul, tandis que des créances sur le secteur privé ont un coefficient de 100 %. Autrement dit sur un prêt effectué à un gouvernement d'un pays de l'OCDE la couverture de fonds propres peut être de 0 %; elle est au minimum de 8 % pour un prêt à une entreprise.

Parallèlement, le comité Cooke a défini les taux de capitalisation à respecter pour les instruments servant à la protection du risque de taux d'intérêt et à la protection du risque de taux de change; et pour tous les autres engagements apparaissant hors bilan (tels que les garanties). Tous ces engagements sont traités à l'aide de coefficients appropriés comme des *risques équivalents crédits*.

8.3.3   L'impact sur la pratique bancaire

L'accord de Bâle de 1988 a eu un impact important dans le domaine du crédit bancaire et donc sur le marché des eurocrédits.

Tout d'abord, les banques ont dû, dès l'annonce de l'accord, commencer à prendre des dispositions pour être certaines de respecter le ratio de capitalisation le 1er janvier 1993. Comme les conditions du marché boursier rendaient extrêmement difficile l'augmentation des fonds propres, nombre d'entre elles se sont retirées du marché international pour diminuer le volume de leurs encours.

Mais surtout l'introduction du ratio Cooke a eu un impact sur la *pratique bancaire* en matière de crédit:

- Ainsi, on constate que les banques ont tendance à privilégier pour leurs fonds les emplois auxquels sont associés *les taux de pondération les plus bas*. Ainsi en période d'incertitude, les banques sont plus intéressées à détenir des titres publics (bons du Trésor ou obligations gouvernementales) qui ne consomment pas de fonds propres, que de faire des prêts au secteur privé. Il peut en résulter une véritable raréfaction des crédits[6]. Notons bien que c'est le secteur industriel qui est affecté puisque le coefficient de pondération est de 100 %. Le marché interbancaire n'est pas autant touché, puisque le coefficient appliqué aux créances bancaires n'est que de 20 %.

---

6.   On a beaucoup parlé aux États-Unis, au début des années 1990, d'un *crédit-crunch* résultant de la volonté des banques d'améliorer leurs positions de bilan en détenant des actifs sans risque et ne consommant pas de fonds propres. Ce phénomène a sans doute aussi été accéléré par la structure des taux d'intérêt alors en vigueur aux États-Unis qui favorisait grandement la détention par les banques de titres à moyen ou long terme alors que leur coût de financement à court terme étaient particulièrement bas.

- Les banques *tarifient leurs produits et choisissent les marges d'après la classification des créances retenue dans la définition du ratio Cooke*. En ce qui concerne les eurocrédits, on comprend que l'origine géographique de l'emprunteur a entraîné une forme de segmentation entre les pays de l'OCDE et les pays qui n'en font pas partie. Cette distinction pèse en particulier sur les risques souverains de l'Europe de l'Est et de l'ancienne Union soviétique; elle affecte aussi les pays en voie de développement et tous les États d'Amérique latine. Les exemptions accordées aux organisations multilatérales de développement (Banque mondiale, Banque européenne d'investissement, Banque africaine de développement, etc.), pour lesquelles le coefficient qui s'applique est de 20%, peuvent dans l'avenir contraindre certains États à assurer leur financement par le biais de ces organisations.

- L'implantation du ratio universel de capitalisation favorise la *titrisation* des créances. Cette pratique consiste à céder à une institution financière des créances homogènes (hypothèques, crédits à la consommation, crédits sur cartes bancaires, etc.); cette institution finance cet achat en émettant des titres négociables qui offrent en garantie les créances acquises. En recourant à la titrisation, les banques allègent leur bilan.

- Par ailleurs, les contraintes que représentent le ratio de capitalisation poussent certaines banques à développer des *activités non bancaires*, telles que le conseil d'entreprise et l'expertise informatique qui ne sont pas touchées par le ratio Cooke.

8.4   Le rôle joué par les limites par pays dans la décision d'une banque et l'analyse du risque-pays

L'impact d'une décision en matière de crédit sur le ratio de capitalisation de la banque n'est bien sûr qu'un des éléments qui est pris en considération au moment où l'on s'engage à mettre des fonds à la disposition d'un emprunteur. Dans le cas de l'activité internationale bancaire, les limites par pays et l'analyse du risque-pays jouent aussi un rôle essentiel.

8.4.1   L'analyse intrinsèque du crédit proposé

En règle générale, parce qu'il s'agit de sommes importantes, les décisions sur les eurocrédits syndiqués sont prises au siège social de la banque. La direction internationale dispose d'une certaine latitude pour prendre des décisions d'acceptation ou de refus. Néanmoins, au-delà d'un certain montant, la décision finale est prise (ou au minimum approuvée) par la direction générale ou des représentants du conseil d'administration dûment mandatés.

Si la facilité est mise en place pour le compte d'une entreprise, l'analyse portera, d'une part, sur son crédit général et, d'autre part, sur les mérites de la facilité. Au premier chef, on analyse la santé financière de l'entreprise, son degré d'endettement et sa capacité de faire face à ses obligations. Ensuite, on examine si la proposition avancée est intéressante (en termes de taux ou de maturité) et si les garanties additionnelles sont adéquates.

S'il s'agit d'un eurocrédit classé dans la catégorie des risques souverains, l'analyse se concentrera sur les termes et conditions de la facilité. On comparera ceux-ci avec les caractéristiques de prêts faits antérieurement ou avec les caractéristiques de facilités mises en place pour le compte d'emprunteurs de même stature.

Le critère majeur d'acceptation pour une banque, une fois que l'on est satisfait des termes et conditions, sera la place disponible à l'intérieur de la limite du pays.

8.4.2 La détermination des limites par pays

La plupart des banques définissent, en effet, le volume maximum de prêts qu'elles sont disposées à consentir par pays. Ainsi, avant que les propositions de prêts ne soient soumises pour approbation à la direction générale, cette dernière s'est prononcée sur des limites d'exposition par pays (et par zone géographique). Ces limites ne sont pas basées sur la demande potentielle de crédits, mais sur la perception qu'a la banque de ce qu'il est souhaitable et prudent de faire comme avances.

Le niveau d'exposition souhaité dépend de plusieurs paramètres.

- Il dépend tout d'abord de l'appréciation de la solvabilité du pays et de sa stabilité; tel est l'objet de l'analyse du risque-pays (voir ci-après).
- Il dépend aussi de la taille du pays. Ainsi, les occasions d'affaire pour une banque sont plus nombreuses au Mexique qu'à Chypre, même si ces deux pays ont des classements très proches en termes de risque-pays.
- Stratégiquement, certaines banques ont une vocation leur faisant choisir des secteurs économiques plutôt que d'autres (par exemple, l'énergie), ce qui les prédispose à s'engager dans des pays où ces secteurs sont bien représentés.
- Des raisons historiques ou de proximité géographique expliquent un niveau d'exposition souhaité important. Ainsi, les banques françaises seront naturellement plus présentes en Afrique que des banques hollandaises ou allemandes.
- La volonté de réaliser une certaine diversification préside aussi au choix de la composition du portefeuille optimal.
- Cette diversification ne portera pas que sur des aspects géographiques. La banque sera aussi sensible à une diversifica-

tion des marges, recherchant un équilibre entre les pays susceptibles de procurer des marges substantielles et ceux où elles sont étroites.

- Enfin, depuis la crise de l'endettement, les limites par pays ou groupes de pays sont fortement influencées par les recommandations (plus ou moins contraignantes) faites à ce propos par les autorités de surveillance nationales.

Une saine gestion suppose que toute banque ayant des activités internationales fixe ses limites d'exposition par pays, *antérieurement* à la demande de crédits et *indépendamment* de celle-ci. Néanmoins, lorsque les encours approchent la limite préétablie, la direction internationale demandera à la direction générale (ou au conseil d'administration) de réviser la limite à la hausse. La décision qui sera prise à cet effet dépend de la volonté de la direction générale de continuer à s'engager vis-à-vis du pays concerné et de continuer à développer ses activités internationales. Elle sera grandement influencée par les analyses de risque-pays faites par les spécialistes de la banque.

8.4.3   L'analyse du risque-pays

Les études de risque-pays entreprises par les banques visent essentiellement à évaluer dans quelle mesure un État est en position de faire face à ses engagements financiers internationaux et dans quelle mesure cet État, ou les entreprises dont il garantit les emprunts, pourraient être amenés à faire défaut dans le versement de leurs intérêts ou les remboursements de leurs dettes.

La détermination du risque-pays s'est longtemps faite sur une base essentiellement économique. Elle vise tout d'abord à analyser les conditions de la croissance, à repérer les éléments de politique économique interne susceptibles d'amener des difficultés, à court ou moyen terme (inflation, déficits budgétaires, croissance de la masse monétaire, etc.). Elle se concentre ensuite sur une analyse détaillée et si possible sur une projection de la balance des comptes courants et de la balance des paiements. Une attention toute particulière est accordée à la dépendance des revenus d'exportation aux fluctuations de prix totalement exogènes; c'est ainsi que pour beaucoup de pays en développement, les résultats de leur commerce extérieur sont largement fonction de l'évolution du prix des matières premières.

Enfin, cette analyse économique se termine généralement par une évaluation de quelques ratios clés pour l'étude de la solvabilité du pays. Parmi ceux-ci le rapport service de la dette/exportation est le plus communément utilisé[7].

---

7.   Le service de la dette est égal aux intérêts annuels auxquels on ajoute le montant de la dette remboursable durant l'année en cours.

De plus en plus, à cette analyse strictement économique, on ajoute des éléments d'appréciation qualitatifs portant sur la façon dont est géré le pays et sur le degré de stabilité des gouvernements et des institutions. Les banques doivent, en effet, composer avec d'autres risques qui peuvent entraîner l'arrêt des paiements, voire la répudiation de la dette. Ces risques *politiques* ont pris, au cours des dernières années, une place croissante dans l'appréciation du risque-pays.

Dans les grandes banques internationales, ces analyses sont faites par une équipe maison dont la tâche est uniquement de suivre l'évolution de la situation dans les pays où la banque a consenti ou est prête à consentir des emprunts. La pratique la plus courante est de synthétiser l'analyse économique et l'analyse sociopolitique à l'aide d'un indice composite reflétant le niveau de risque (ou à l'inverse la solvabilité), ce qui permet de classer les pays les uns par rapport aux autres.

Les banques de taille moyenne (et typiquement les banques régionales américaines) n'ont pas, en règle générale, leur propre équipe d'évaluation. Elles ont alors recours à des consultants externes ou elles se fient sur les études paraissant régulièrement dans des revues financières. La revue *Institutional Investor* publie tous les six mois une évaluation de la qualité de crédit des principaux pays emprunteurs, en leur attribuant une cote exprimée en pourcentage. De la même façon *Euromoney* publie ses propres évaluations du risque-pays tous les ans au mois de septembre. Ces deux classements ont leurs faiblesses, mais font l'objet d'une très large diffusion.

Tableau 8.10
Analyse de risque-pays
Classement d'«Institutional Investor»
Mars 1993

	Pays	Note		Pays	Note
1	Suisse	92,0	66	Zimbabwe	27,7
2	Japon	91,0	67	Égypte	27,1
3	Allemagne	90,3	68	Philippines	27,1
4	Hollande	89,2	69	Pologne	26,9
5	États-Unis	88,6	70	Sri Lanka	25,5
6	France	87,6	71	Costa Rica	24,8
7	Autriche	85,3	72	Kenya	24,7
8	Royaume-Uni	84,6	73	Roumanie	24,2
9	Luxembourg	84,5	74	Ghana	24,2
10	Canada	82,0	75	Slovénie	22,6
11	Belgique	80,3	76	Syrie	22,4
12	Singapour	80,2	77	Swaziland	22,2
13	Taïwan	78,5	78	Jamaïque	21,9
14	Norvège	77,1	79	Cameroun	21,8
15	Espagne	75,8	80	Népal	21,7
16	Danemark	75,3	81	Estonie	21,4
17	Suède	75,2	82	Jordanie	21,0
18	Italie	75,1	83	Équateur	20,9
19	Finlande	69,6	84	Seychelles	20,7
20	Irlande	69,4	85	Panama	20,4
21	Corée du Sud	68,6	86	Nigéria	20,3
22	Australie	67,9	87	Russie	20,2
23	Portugal	66,1	88	Sénégal	20,0
24	Hong Kong	65,6	89	Lettonie	19,5
25	Malaisie	63,9	90	Bangladesh	19,3
26	Nouvelle-Zélande	63,8	91	Bulgarie	18,9
27	Thaïlande	60,0	92	Lituanie	18,9
28	Arabie Saoudite	58,0	93	Guatemala	18,8
29	Émirats arabes unis	57,9	94	République dominicaine	18,5
30	Chine	56,3	95	Ukraine	18,2
31	Islande	55,1	96	Bolivie	18,1
32	Quatar	52,2	97	Viêt-nam	17,5
33	Indonésie	51,1	98	Belarus	17,4
34	Bahreïn	51,0	99	Côte-d'Ivoire	16,7
35	Oman	50,8	100	Malawi	16,2
36	Chili	48,9	101	Kazakhstan	15,8
37	Koweit	48,9	102	Honduras	15,7
38	Chypre	48,8	103	Congo	15,2
39	Grèce	47,9	104	Salvador	15,2
40	Turquie	45,3	105	Ouzbekistan	14,5
41	Mexique	45,2	106	Croatie	14,2
42	République Tchèque	44,6	107	Liban	14,1
43	Hongrie	44,3	108	Pérou	13,9
44	Botswana	41,1	109	Angola	13,7
45	Afrique du Sud	39,8	110	Tanzanie	12,9
46	Israël	39,6	111	Myanmar	12,4
47	Tunisie	38,8	112	Zambie	11,7
48	Colombie	38,8	113	Albanie	11,1
49	Inde	38,6	114	Yougoslavie	10,0
50	Venezuela	38,6	115	Zaïre	8,8
51	Île Maurice	38,4	116	Ethiopie	8,5
52	Barbade	35,8	117	Mozambique	8,4
53	Uruguay	33,7	118	Nicaragua	8,3
54	Papouasie-Nouvelle-Guinée	32,4	119	Cuba	8,2
55	Maroc	32,2	120	Irak	7,4
56	Iran	32,1	121	Ouganda	7,3
57	Slovaquie	31,0	122	Haïti	7,3
58	Argentine	30,5	123	Corée du Nord	7,3
59	Trinité et Tobago	29,6	124	Grenade	7,3
60	Pakistan	28,9	125	Soudan	7,0
61	Libye	28,6	126	Sierra Leone	6,7
62	Algérie	28,2	127	Libéria	6,0
63	Gabon	28,0			
64	Paraguay	27,8			
65	Brésil	27,7		Note moyenne :	36,8

Annexe 8.A

Exemples de *tombstones* d'eurocrédits

THE REPUBLIC OF TRINIDAD AND TOBAGO
US. $150,000,000
Medium Term Loan

MANAGED BY
THE ROYAL BANK OF CANADA (LONDON) LIMITED

ALGEMENE BANK NEDERLAND N.V.
THE BANK OF TOKYO, LTD.
MORGAN GUARANTY TRUST COMPANY OF NEW YORK
NATIONAL WESTMINSTER BANK GROUP
THE NATIONAL COMMERCIAL BANK OF TRINIDAD AND TOBAGO LIMITED

CO-MANAGED BY

THE BANK OF NOVA SCOTIA GROUP	CANADIAN IMPERIAL BANK OF COMMERCE
EUROPEAN BRAZILIAN BANK LIMITED —EUROBRAZ—	INTERNATIONAL MEXICAN BANK LIMITED —INTERMEX—
ORION BANK LIMITED	TORONTO DOMINION BANK

FUNDS PROVIDED BY

The Royal Bank of Canada (Overseas) N.V   The Royal Bank of Canada International Limited (Nassau)
Algemene Bank Nederland N.V   The Bank of Tokyo. Ltd
International Westminster Bank Limited   Morgan Guaranty Trust Company of New York
The National Commercial Bank of Trinidad and Tobago Limited
The Bank of Nova Scotia International Limited   Canadian Imperial Bank of Commerce
European Brazilian Bank Limited—EUROBRAZ   International Mexican Bank Limited—INTERMEX
Intermex International Bank Limited   Orion Bank Limited   Toronto Dominion Bank
Bank of Montreal International Limited   Société Générale de Banque S.A. — Banque Belge Limited
SFE Banking Corporation Limited — SFE Group   The National Bank of Canada   The Tokai Bank.-Ltd.
Banque Française du Commerce Extérieur (B.F.C.E.)   The Dai-Ichi Kangyo Bank, Limited
National Bank of North America   Nederlandsche Middenstandsbank N.V. Curaçao Branch
County Bank Limited   Marine Midland Interamerican Bank   Scandinavian Bank Limited

AGENT
THE ROYAL BANK OF CANADA (LONDON) LIMITED

June 1980

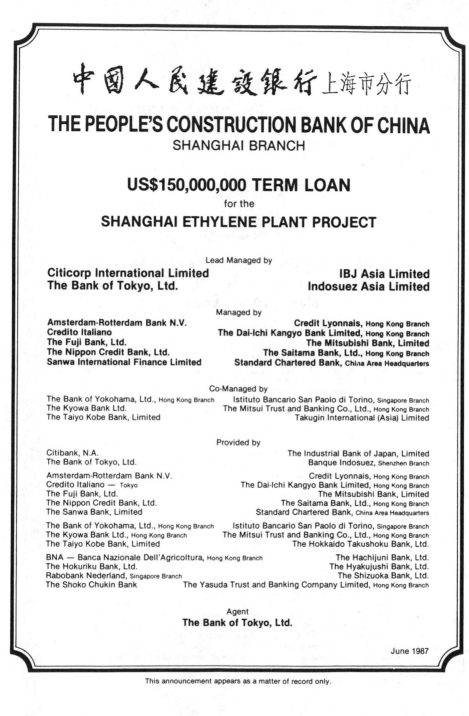

中國人民建設銀行 上海市分行

THE PEOPLE'S CONSTRUCTION BANK OF CHINA
SHANGHAI BRANCH

US$150,000,000 TERM LOAN
for the
SHANGHAI ETHYLENE PLANT PROJECT

Lead Managed by

Citicorp International Limited
The Bank of Tokyo, Ltd.

IBJ Asia Limited
Indosuez Asia Limited

Managed by

Amsterdam-Rotterdam Bank N.V.
Credito Italiano
The Fuji Bank, Ltd.
The Nippon Credit Bank, Ltd.
Sanwa International Finance Limited

Credit Lyonnais, Hong Kong Branch
The Dai-Ichi Kangyo Bank Limited, Hong Kong Branch
The Mitsubishi Bank, Limited
The Saitama Bank, Ltd., Hong Kong Branch
Standard Chartered Bank, China Area Headquarters

Co-Managed by

The Bank of Yokohama, Ltd., Hong Kong Branch
The Kyowa Bank Ltd.
The Taiyo Kobe Bank, Limited

Istituto Bancario San Paolo di Torino, Singapore Branch
The Mitsui Trust and Banking Co., Ltd., Hong Kong Branch
Takugin International (Asia) Limited

Provided by

Citibank, N.A.
The Bank of Tokyo, Ltd.

The Industrial Bank of Japan, Limited
Banque Indosuez, Shenzhen Branch

Amsterdam-Rotterdam Bank N.V.
Credito Italiano — Tokyo
The Fuji Bank, Ltd.
The Nippon Credit Bank, Ltd.
The Sanwa Bank, Limited

Credit Lyonnais, Hong Kong Branch
The Dai-Ichi Kangyo Bank Limited, Hong Kong Branch
The Mitsubishi Bank, Limited
The Saitama Bank, Ltd., Hong Kong Branch
Standard Chartered Bank, China Area Headquarters

The Bank of Yokohama, Ltd., Hong Kong Branch
The Kyowa Bank Ltd., Hong Kong Branch
The Taiyo Kobe Bank, Limited

Istituto Bancario San Paolo di Torino, Singapore Branch
The Mitsui Trust and Banking Co., Ltd., Hong Kong Branch
The Hokkaido Takushoku Bank, Ltd.

BNA — Banca Nazionale Dell'Agricoltura, Hong Kong Branch
The Hokuriku Bank, Ltd.
Rabobank Nederland, Singapore Branch
The Shoko Chukin Bank

The Hachijuni Bank, Ltd.
The Hyakujushi Bank, Ltd.
The Shizuoka Bank, Ltd.
The Yasuda Trust and Banking Company Limited, Hong Kong Branch

Agent
The Bank of Tokyo, Ltd.

June 1987

This announcement appears as a matter of record only.

This announcement appears as a matter of record only

SOCIETÀ FINANZIARIA MECCANICA
FINMECCANICA S.p.A.

US$ 50,000,000
Medium Term Facility

Lead Managers

National Westminster Bank Group
Banco di Santo Spirito (Luxembourg) SA

Managers

DG BANK
Deutsche Genossenschaftsbank
The Mitsui Trust and Banking Company, Limited
Nagrafin Bank Limited, Cayman Islands
The Sumitomo Trust and Banking Co., Ltd.
Wells Fargo Limited

Co-Manager
Australia and New Zealand Banking Group Limited

Lender

DG BANK
Deutsche Genossenschaftsbank

Provided by

Australia and New Zealand Banking Group Limited
Banco di Santo Spirito (Luxembourg) SA
DG BANK INTERNATIONAL
Société Anonyme
International Westminster Bank Limited
The Mitsui Trust and Banking Company, Limited
Nagrafin Bank Limited, Cayman Islands
The National Bank of Kuwait S.A.K.
The Sumitomo Trust and Banking Co., Ltd.
Wells Fargo Bank, N.A.

Agent

♻ International Westminster Bank Limited

July 1980

Imperial Oil

Esso

Imperial Oil Limited

U.S.$2,100 Million
Medium Term Loan

The Royal Bank of Canada

as Arranger

Citibank, N.A.   The Dai-Ichi Kangyo Bank, Limited
National Westminster Bank PLC   Union Bank of Switzerland

as Co-Arrangers

Amsterdam-Rotterdam Bank N.V.   Bank of Montreal
Barclays Bank PLC   Canadian Imperial Bank of Commerce
Credit Lyonnais   CREDIT SUISSE
The Fuji Bank, Limited   Midland Bank PLC
The Sanwa Bank, Limited   The Toronto-Dominion Bank

as Lead Managers

Bankers Trust Company   Credito Italiano
The Sumitomo Bank, Limited   The Tokai Bank, Limited
          Westdeutsche Landesbank Girozentrale

as Managers

THE ROYAL BANK
OF CANADA

as Agent

February, 1989

RÉFÉRENCES BIBLIOGRAPHIQUES

Livres:

- Conseil économique du Canada, *Le nouvel espace financier: les marchés canadiens et la mondialisation*, 1989.
- IMF, *International Capital Markets: Developments and Prospects*, mai 1991.
- KAPSTEIN, E. B., «Supervising International Banks: Origins and Implications of the Basle Accord», *Essays in International Finance*, Princeton, 1991.
- MAROIS, B. et BEHAR, M., *Comment gérer le risque politique lié à vos opérations internationales*, collection L'explorateur CFCE, 1981.
- MAROIS, B., *Le risque-pays*, Presses Universitaires de France, 1990.
- McDONALD, R. I., *International Syndicated Loans*, Euromoney Publications, 1982.

Articles:

- «Bank of England: Financial Market Developments», *Bank of England Quarterly Bulletin*, août 1991.
- *Deutsche Bank*, «L'innovation dans le domaine de l'activité bancaire internationale». (Reproduit dans: Problèmes économiques, juillet 1986).
- DUMAS, G. et LE MOULLAC, D., «Développement et ratio Cooke une problématique pour les banques», *Revue Banque*, février 1993.
- LEIBUNDGUT, B., «Fonds propres: pourquoi, comment et à quel coût?», *Banque*, mai 1993.
- MATHERAT, S., «La détermination des pondérations dans le ratio Cooke», *Banque*, février 1993.
- McCARTHY, M., «Aspects pratiques de l'affectation des fonds propres aux risques», *Banque*, mai 1993.
- PROUST, J., «Peut-on allouer des fonds propres en fonction du risque», *Banque*, mai 1993.

Chapitre 9
Les banques et la crise de l'endettement

Comme on l'a vu dans le chapitre précédent, le marché des eurocrédits syndiqués connut un coup de frein brutal en 1982. Cet arrêt a été provoqué par la *«crise de l'endettement»*. Cette expression fait référence aux difficultés majeures auxquelles firent face beaucoup de pays en voie de développement, des pays semi-industrialisés ou de l'Europe de l'Est pour servir leur dette et rembourser leurs crédits consortiaux arrivant à échéance.

Cette crise affecta durablement plusieurs économies, mais elle posa également un très sérieux défi pour le système bancaire international. Bien des banques qui s'étaient lancées dans l'aventure internationale sans mesurer les risques auxquels elles s'exposaient se trouvèrent malgré elles solidaires des plus grandes institutions financières aux prises avec des problèmes dont l'ampleur inquièta bien des observateurs, des organismes de surveillance et des gouvernements.

Dans ce chapitre, nous nous intéressons particulièrement à la réaction des banques face à cette crise. On le fera en deux temps : on verra tout d'abord qu'il aura fallu plusieurs années pour que la communauté bancaire internationale accepte de considérer la crise comme une crise de solvabilité et non comme seulement une crise de liquidité ; on verra par la suite comment la crise s'est résorbée.

9.1 Un comportement évolutif: de l'incrédulité au réalisme

9.1.1 La prise de conscience du problème

Au début du mois d'août 1982, le ministre des Finances du Mexique informa les gouverneurs des banques centrales des grands pays industrialisés que son pays n'était plus en mesure d'assurer le service de sa dette extérieure et d'honorer certaines obligations vis-à-vis d'un grand nombre de banques. Pensant qu'il s'agissait d'une opération ponctuelle, on prépara rapidement, par le biais de la Banque de règlements internationaux, un plan d'aide. Hélas, l'assemblée annuelle du Fonds monétaire international et de la Banque mondiale, qui se tint quelques semaines plus tard à Toronto, fut l'occasion de se rendre compte que les difficultés n'étaient pas l'apanage de ce seul pays et que bien des prêts souverains allaient connaître de gros problèmes.

On sait aujourd'hui que c'est la conjonction de plusieurs éléments qui a déclenché la crise. Le second choc pétrolier (1979) et le ralentissement très sensible de la conjoncture (1981) ont joué un rôle: mais, en fait, c'est le formidable renversement de tendance sur les taux d'intérêt réels qui aura été l'élément majeur. Ils avaient été faibles et même longtemps négatifs durant la décennie 1970; ils devinrent positifs et très élevés durant toute la décennie 1980.

Tableau 9.1

Créances détenues par les banques commerciales sur quelques pays, en juin 1982

(en milliards de dollars)

Mexique	64,4	Philippines	11,4	Taiwan	6,4
Brésil	55,3	Yougoslavie	10,0	Israël	6,1
Venezuela	27,2	Allemagne de l'Est	9,4	Colombie	5,5
Argentine	25,3	Algérie	7,7	Égypte	5,4
Corée du Sud	20,0	Hongrie	6,4	Malaisie	5,3
Pologne	13,8	Indonésie	8,2	Pérou	5,2
Chili	11,8	Nigéria	6,7	**Total**	**311,5**

Source: CLINE, W.R., *International Debt and the Stability of the World Economy*, IFIE, n° 4, septembre 1983.

Il est assez remarquable, avec le recul, de constater que la crise de l'endettement a pris la plupart des acteurs sur les marchés financiers internationaux par surprise.

Dans ce nouveau contexte, les emprunteurs souverains des pays semi-industrialisés et en voie de développement qui avaient largement profité de la situation dans les années 1970, se sont trouvés dans une position insoutenable.

En fait, emprunteurs et prêteurs ont commis conjointement bien des erreurs, mais ils furent accompagnés en cela par les observateurs du marché et les économistes. Et l'on peut aujourd'hui affirmer que la myopie collective a été alimentée par une erreur d'analyse. On a traité les problèmes d'endettement comme des problèmes de flux (annuels) et non pas comme des problèmes de stock. En soi, l'endettement annuel n'était pas alarmant, mais l'accumulation de l'endettement l'était.

Cette myopie collective conduisit à une situation de précarité du système bancaire. Des chiffres tels ceux que publia W. Cline en 1983, donnent un bonne idée de l'engagement démesuré des banques américaines sur l'Amérique latine.

Tableau 9.2

**Encours des plus grandes banques américaines
sur cinq pays d'Amérique latine**
(en pourcentage de leur capital en 1982)

	Argentine	Brésil	Mexique	Venezuela	Chili	Total
Citibank	18,2	75,3	54,6	18,2	10,0	**174,5**
Bank of America	10,2	47,9	52,1	41,7	6,3	**158,2**
Chase Manhattan	21,3	56,9	40,0	24,0	11,8	**154,0**
Morgan Guaranty	24,4	54,3	34,8	17,5	9,7	**140,7**
Manufacturers Hanover	47,5	77,5	66,7	42,4	28,4	**262,8**
Chemical	14,9	52,0	60,0	28,0	14,8	**169,7**
Continental Illinois	17,8	22,9	32,4	21,6	12,8	**107,5**
Bankers Trust	13,2	46,2	46,2	25,1	10,6	**141,5**
First National Chicago	14,5	40,6	50,1	17,4	11,6	**134,2**
Security Pacific	10,4	29,1	31,2	4,5	7,4	**82,5**
Wells Fargo	8,3	40,7	51,0	20,4	6,2	**126,6**
Croker National	38,1	57,3	51,2	22,8	26,5	**196,0**
First Interstate	6,9	43,9	63,0	18,5	3,7	**136,0**
Marine Midland	n.d.	47,8	28,3	29,2	n.d.	n.d.
Mellon	n.d.	35,3	41,1	17,6	n.d.	n.d.
Irving Trust	21,6	38,7	34,1	50,2	n.d.	n.d.
First National Boston	n.d.	23,1	28,1	n.d.	n.d.	n.d.

Source: CLINE, W.R., *International Debat and the Stability of the World Economy*, IFIE, n° 4, septembre 1983.

Il est bon de souligner que les chiffres sur la situation des banques n'ont pas été disponibles partout avec la même rapidité. La transparence dans le domaine bancaire varie considérablement d'un pays à l'autre. Il faut aussi reconnaître qu'une utilisation maladroite de certains ratios aurait pu créer un vent de panique chez les déposants. À vrai dire, les banques et les autorités de surveillance avaient suffisamment de travail pour évaluer la situation et prendre des mesures, sans avoir besoin d'une curiosité dommageable de la presse ou des politiciens; ces derniers d'ailleurs n'ont pas cherché à exploiter une situation en elle-même assez périlleuse.

Toujours est-il, qu'après des années d'euphorie où elles avaient vu le rendement sur investissement de leurs activités internationales dépasser celui de leurs activités domestiques, les banques durent faire face, à partir de 1983, à une triple réalité.

Tout d'abord le volume des nouveaux eurocrédits chuta rapidement. Ensuite, les banques durent faire face à la détérioration de leurs bilans et de leurs ratios de capitalisation; enfin, elles durent se préparer à répondre à une mutation très rapide qui se produisait sur les marchés internationaux des capitaux.

9.1.2 Les premières réactions bancaires

Dans un premier temps, les banques eurent recours à des solutions très classiques.

Vis-à-vis des emprunteurs, elles adoptèrent une ligne de fermeté en misant essentiellement sur la restructuration des dettes. Elles offrirent, par ailleurs, un front uni et surent éviter les actions intempestives de quelques prêteurs tentés par une utilisation (qui aurait été assez vaine) des clauses de mise en défaut. Cette attitude des banques faisait contraste avec celle des emprunteurs qui ne purent jamais mettre en place un cartel efficace. Il faut dire que tous les intervenants (y compris le FMI) favorisaient ouvertement la recherche d'une solution cas par cas.

Face à la détérioration de la qualité de leur bilan, les banques eurent recours à deux réactions, elles aussi classiques. D'une part, et même avant d'y être invitées par leurs autorités de surveillance respectives, elles commencèrent modestement à prendre des provisions; d'autre part, elles réduisirent leur dépendance du marché interbancaire, où elles ne disposaient que de fonds à court terme, en émettant massivement des obligations à moyen terme. Elles bénéficièrent de la vigueur d'alors du marché des notes à taux variables (FRN) dont elles accaparèrent régulièrement près de 25 % des émissions entre 1982 et 1986.

Durant cette période, les banques (et certains analystes proches du milieu bancaire) entretinrent de faux espoirs de solutions globales de la crise qui reposaient essentiellement sur une forme de transfert de leurs responsabilités auprès d'organisations multinationales qui ne virent jamais le jour.

9.1.3 Le refus d'allègement de la dette

Si les banques, au fil des renégociations, durent accepter d'aller de plus en plus loin dans les concessions entourant le rééchelonnement des dettes, il est un principe sur lequel elles refusèrent de revenir, durant les cinq premières années de la crise: celui de la renonciation partielle de leurs créances sur les pays débiteurs.

Elles craignaient tout d'abord un affaiblissement de la discipline des emprunteurs. Pour beaucoup de banques, adopter une attitude trop accommodante, c'était inciter les pays débiteurs à ne pas suivre des politiques disciplinées ou à ne pas procéder aux ajustements nécessaires.

Se posait aussi la question du «hasard moral». En effet, en accordant des concessions aux pays ne pouvant faire face à leurs obligations, on incitait les pays débiteurs en meilleure situation à suspendre leurs paiements pour espérer bénéficier des mêmes avantages.

Les banques avaient ensuite beaucoup de difficultés à apprécier quelle allait être la réaction des marchés financiers si l'on reconnaissait ouvertement que certains actifs étaient définitivement perdus. Ne risquait-on pas de provoquer des faillites parmi les institutions les plus exposées, faillites dont se ressentirait tout le secteur bancaire?

Par ailleurs se posaient des problèmes de nature juridique, car quelques formes d'allègement qu'étaient prêtes à accepter certaines banques venaient en contradiction avec certaines clauses juridiques des contrats de prêt.

Enfin, elles craignaient qu'en adoptant une politique d'allègement des dettes, elles ne donnent des armes à ceux qui souhaitaient une politisation de la crise.

Cette attitude des banques était en fait dictée par leur volonté de garder leur pouvoir de négociation. Créanciers et débiteurs se trouvaient, en effet, dans une situation assez classique de la théorie des jeux. Les emprunteurs essayaient de minimiser leurs obligations en matière de dette sans pour autant mettre en péril leur accès futur au financement international; les créanciers s'efforçaient de maximiser la valeur attendue des flux de service de la dette sans pour autant provoquer la répudiation ou le défaut.

Pour maintenir leur pouvoir de négociation respectif chacun des joueurs faisait des concessions, les banques en offrant des conditions moins contraignantes lors des renégociations, les emprunteurs en maintenant, même avec retards, certains paiements d'intérêt (les relations entre les banques, d'une part, et l'Argentine et le Brésil, d'autre part, entre 1985 et 1987 fournissent une excellente illustration de ces comportements).

L'équilibre entre les joueurs dépendait bien sûr de la crédibilité de leurs menaces. Tant et aussi longtemps que la crise a été perçue et traitée comme une crise de liquidité, la menace des banques de ne plus fournir de fonds additionnels fut crédible. Au fur et à mesure que les aspects de liquidité devinrent secondaires, elles perdirent leur pouvoir de négociation et, dans ce contexte, il n'était pas question d'amoindrir encore leur position en laissant circuler l'hypothèse de renonciation partielle de leurs créances.

9.1.4   La création d'un marché secondaire

Indépendamment de la crise de l'endettement, les marchés financiers connurent une très profonde transformation à partir de 1983-1984.

De nouvelles possibilités d'échange d'actifs encouragèrent les banques à rééquilibrer leur portefeuille sur une base géographique en remplaçant certaines créances par d'autres; puis, elles franchirent un pas de plus en procédant discrètement à des ventes d'actifs. Ceci aboutit à la création d'un véritable marché secondaire de titres de dette. On avait cru tout d'abord que ce marché était une curiosité temporaire; en fait, il se révéla être à la base de toute une série d'opérations de conversion. Les banques se mirent à échanger des créances détenues sous forme de prêt contre des participations dans des entreprises locales, principalement au Brésil (dès 1984) en Argentine et au Chili (dès 1985) puis au Mexique et en Équateur.

Ces opérations furent d'abord possibles grâce à l'imagination et aux réseaux d'affaires de quelques grandes banques new yorkaises. Mais rapidement les autorités des pays débiteurs en prirent l'initiative et organisèrent des soumissions d'offres de conversion. En accordant ce privilège aux institutions ayant fait les meilleures propositions, elles commencèrent à récupérer la «rente» que représentait la décote sur le marché secondaire; elles entraînaient, en fait, l'ensemble de la communauté bancaire vers de nouvelles concessions.

9.1.5   Le changement d'attitude vis-à-vis de la constitution de provisions

Dans les mois qui suivirent le déclenchement de la crise, les banques constituèrent des provisions pour leurs prêts souverains. L'attitude à cet égard a varié de pays en pays et de banque en banque.

En fait, quatre facteurs ont influencé les choix qui ont été effectués en ce domaine:

- la perception de la qualité des créances et donc l'analyse faite par les banques de la capacité (et de la volonté) des débiteurs à faire face à leurs obligations;

- la performance d'ensemble de leur portefeuille de prêts: les banques ont d'autant plus facilement accepté de provisionner leurs prêts aux PED que leurs activités domestiques ou leurs prêts aux pays industrialisés étaient satisfaisants;

- la réglementation nationale en matière de provisions. Et cette réglementation était plus contraignante dans certains pays européens qu'aux États-Unis. Par ailleurs, elle s'est adaptée petit à petit à la réalité de la crise;

- les considérations fiscales. Elles aussi furent variables et devinrent de plus en plus incitatives (en France et au Canada, par exemple).

Les prises de provisions pesant sur les bénéfices, les banques, jusqu'en 1987, eurent tendance à ne pas aller au-delà de leurs obligations réglementaires minimales et ce, surtout, parce qu'elles craignaient que l'on interprète leur démarche comme un signal précurseur de concessions futures.

Dans ce contexte, la décision de Citicorp d'augmenter d'un seul coup ses réserves de 3 milliards de dollars prit tout le monde par surprise. Citicorp annonça cette nouvelle politique le 19 mai 1987; par le fait même, les actionnaires apprirent que leur banque déclarerait une perte de 2,5 milliards de dollars au deuxième trimestre de cette année-là.

Brusquement, la prise de provision qui avait été essentiellement une opération passive, devenait une arme stratégique. Citicorp pensait qu'on limitait l'emprise des débiteurs en démontrant sa capacité d'absorber les non-paiements des intérêts et les non-remboursements. En choisissant cette conduite, les banques pourraient mieux résister aux demandes de fonds additionnels qui accompagnaient les négociations de restructuration.

En quelques semaines, toutes les banques américaines emboîtèrent le pas à Citicorp et 1987 fut une année de pertes record. Cependant, leurs titres à la Bourse, malmenés depuis de nombreuses années, n'eurent pas à souffrir de cette décision. Le mouvement,

---

Tableau 9.3

Prix indicatif de la dette sur le marché secondaire, un an après l'initiative de Citicorp
(en pourcentage de la valeur initiale)

	Prix indicatif en juin 1988		Prix indicatif en juin 1988
Argentine	26	Nicaragua	2
Bolivie	10	Nigéria	27
Brésil	50	Panama	26
Chili	61	Pérou	6
Colombie	66	Philippines	54
Costa Rica	14	Roumanie	87
Côte-d'Ivoire	28	Sénégal	48
République dominicaine	19	Soudan	2
Équateur	26	Uruguay	61
Honduras	22	Venezuela	55
Jamaïque	37	Yougoslavie	48
Maroc	51	Zaïre	19
Mexique	50		

Sources: Banque mondiale, Salomon Brothers dans: SACHS, J.D., « New approaches to the Latin American Debt Crisis », Essay in *International Finance*, n° 174, juillet 1989.

à vrai dire, ne se limita pas aux États-Unis et dans le monde entier on vit augmenter de façon substantielle les volumes de réserves pour créances douteuses. Le geste de Citicorp eut au moins trois conséquences:

- Il ébranla sérieusement la belle unanimité démontrée jusque-là par les grandes banques (les *money-centers*), dans la mesure où cette décision soudaine mettait certaines d'entre elles en difficulté. On alla même jusqu'à se demander si le geste de Citicorp ne visait pas tout autant Manufacturers Hanover et Bank of America que le Brésil. •

- Il accéléra le dégagement des banques de taille moyenne et des banques régionales américaines, qui souvent allèrent beaucoup plus loin que les *money-centers*, dans leurs prises de réserve et qui en profitèrent pour liquider une partie de leurs créances sur les PED par le biais du marché secondaire.

- Il eut immédiatement un impact sur l'accélération de la décote des dettes de PED sur le marché secondaire, donnant ainsi raison à ceux qui pensaient que toute augmentation de la prise de provision serait interprétée comme un geste de faiblesse des banques. C'est ainsi que, entre janvier 1987 et juillet 1988, la valeur de la dette argentine passa de 65 à 26, celle du Brésil de 75 à 50 et celle du Mexique de 57 à 50; les chiffres étaient exprimés en pourcentage de la valeur initiale.

9.1.6 Lassitude et réalisme

Ces prises de provision massives et les révélations qu'apportaient les cotations du marché secondaire firent beaucoup pour faire accepter l'idée qu'il était temps d'étudier des formules permettant d'éliminer une partie de la dette.

Petit à petit, l'idée selon laquelle le poids même de la dette réduisait les chances de repaiement partiel fit son chemin. Pour qu'un pays débiteur puisse envisager faire des paiements d'intérêt et des remboursements il est nécessaire, disait-on, que les sorties de fonds ne viennent pas asphyxier l'économie qui doit les générer. Ainsi, peut-être existerait-il pour la dette extérieure l'équivalent de la courbe de Laffer: passé un certain montant d'endettement l'espérance mathématique du paiement des intérêts et des remboursements diminue (graphique 9.1).

La question se posait donc de savoir si pour plusieurs pays on n'avait pas dépassé le sommet de la courbe. Si tel était le cas, des programmes d'allègement étaient nécessaires et il fallait faire preuve de réalisme.

9.2 Résorption de la crise de l'endettement

Le plan Baker de 1986, qui fut un échec, ne tenait pas compte du fait que beaucoup de pays se trouvaient du mauvais côté de la

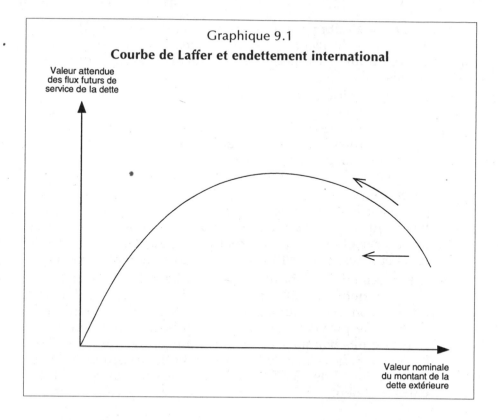

Graphique 9.1

Courbe de Laffer et endettement international

Valeur attendue
des flux futurs de
service de la dette

Valeur nominale
du montant de la
dette extérieure

courbe de Laffer. L'initiative Brady, en mars 1989, reconnut implicitement que d'une façon ou d'une autre des concessions portant sur le volume même de la dette étaient nécessaires. Il faut dire qu'une certaine lassitude commençait à gagner les banques devant les sempiternelles renégociations et que beaucoup commençaient à se demander si les résultats médiocres obtenus année par année méritaient tous les efforts qui étaient déployés.

9.2.1   L'expérience «du menu mexicain»

Le test de l'initiative Brady fut la mise en place de ce qu'on a appelé le «menu mexicain» de l'été 1989 dans lequel trois possibilités étaient offertes aux banques ayant des créances à restructurer sur la période de 1990-1994: elles pouvaient restructurer leurs prêts sans concessions, mais devaient apporter de nouveaux fonds (*new money*); elles pouvaient échanger leurs prêts contre des obligations à 20 ans portant un intérêt fixe de 6 % seulement; la troisième option consistait à accepter une réduction de 35 % de leurs créances initiales, sans contributions additionnelles.

Après de longues discussions avec les représentants des 460 banques impliquées, on aboutit à un accord en février 1990. Il est révélateur à cet égard que pour seulement 10 % des créances concernées les banques choisirent l'option de restructuration les obligeant à faire des prêts additionnels; pour 49 % des créances elles optèrent pour l'échange leur offrant des obligations ; mais pour 41 % des créances en négociation, les banques choisirent une réduction officielle de 35 % de la valeur des prêts initiaux[1].

Le choix des banques entre les trois options fut largement dicté par des considérations fiscales et règlementaires dans leur pays d'origine. Le tableau ci-après résume les choix effectués par les banques de différentes nationalités.

	Tableau 9.4 Le «menu mexicain»: Le choix des banques (en pourcentage)		
Pays d'origine	Option 1 New money	Option 2 Obligation à Taux fixe	Option 3 Concession de 35 %
Allemagne	0	80	20
Canada	0	48	52
États-Unis	19	58	24
France	12	79	9
Japon	0	18	81
Royaume-Uni	6	48	45

Source : JONATHAN, H. et P. NIRMALJIT, *Regulation and Taxation of Commercial Banks during the International Debt Crisis*, World Bank Technical Paper 158.

Cette opération permettait ainsi au Mexique de réduire de près de 8 milliards sa dette, sans parler des allègements sur les intérêts obtenus pour 22,5 milliards de prêts.

9.2.2 Le succès des programmes de réduction de dette

L'initiative Brady fut un succès. Suite à l'expérience mexicaine, de nombreux pays entamèrent des négociations avec les banques commerciales en vue de la restructuration et la réduction de leur dette. Chaque négociation représenta un cas particulier, mais dans presque tous les cas, on retrouva des formules inspirées du modèle mexicain avec différentes options offertes aux banques, dont plusieurs comportaient un allègement de la dette.

Tableau 9.5 Accords de restructuration comportant un volet de réduction de dette			
Mexique	Avril 1989	Sénégal	Septembre 1990
Philippines	Août 1989	Chili	Octobre 1990
Costa Rica	Novembre 1989	Uruguay	Novembre 1990
Madagascar	Avril 1990	Colombie	Décembre 1990
Venezuela	Juin 1990	Niger	Janvier 1991
Jamaïque	Juin 1990	Nigéria	Mars 1991

1. La décote sur le marché secondaire à cette époque était d'environ 42 %.

Tous ces mécanismes, en réduisant la pression sur les pays endettés ont contribué à la résorption de la crise de l'endettement.

9.2.3   L'augmentation des prix sur le marché secondaire

À partir de 1990, un autre élément est venu confirmer que pour les banques, on était rentré dans une phase nouvelle: les prix des créances de dettes sur le marché secondaire commencèrent à augmenter. Ceci fut particulièrement le cas pour les créances détenues sur l'Amérique latine.

Au moins trois facteurs expliquent cet état de fait:

- la baisse très rapide des taux d'intérêt à court terme sur le dollar a réduit d'autant le poids du service de la dette. De janvier 1989 à janvier 1992, le LIBOR est passé de 9,5 % à 4,25 %;

- l'amélioration de la situation économique de plusieurs débiteurs, et donc l'amélioration des perspectives de remboursement expliquent aussi l'augmentation des prix.

Les politiques d'ajustement structurel recommandées par le FMI ont permis de réduire en plusieurs endroits des déséquilibres flagrants des économies. Parallèlement, et pour la première fois depuis de nombreuses années, des signes encourageants sur le front de l'inflation sont venus de pays comme le Brésil et l'Argentine. La performance très encoura-

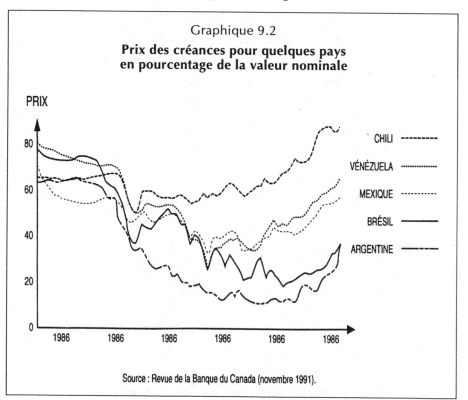

Graphique 9.2

Prix des créances pour quelques pays en pourcentage de la valeur nominale

Source : Revue de la Banque du Canada (novembre 1991).

geante du Chili a certainement incité plusieurs de ses voisins à s'inspirer de l'orthodoxie financière pratiquée par ce pays;

- enfin, le début de la décennie 1990 aura enregistré l'arrêt de la fuite des capitaux et même quelques mouvements de retour de capitaux partis au cours des années 1980. La faiblesse des rendements sur les dépôts en dollars, des mesures d'amnistie[2] et le rétablissement de la confiance ont facilité ce phénomène.

9.2.4   Stabilisation de la position des banques commerciales

La diminution des encours et les prises de provision ont réduit considérablement les pressions sur les banques.

Ainsi dans le cas des banques canadiennes, la perte implicite (calculée comme le volume des prêts[3] multiplié par le prix sur le marché secondaire) est passée de 13,3 milliards de dollars en 1987 à 6,8 milliards en 1991. Or, comme les deux tiers des encours résiduels avaient fait l'objet de provision, le volume des pertes implicites moins les provisions qui étaient de 5,6 milliards en 1987 s'est transformé en un «gain» de 1,41 milliard de dollars. Ainsi, pour les banques canadiennes, les dettes sur les pays en développement ne représentent plus aujourd'hui un très gros problème.

Tableau 9.6

Prix sur le marché secondaire en pourcentage de la valeur nominale

	Janvier 1989	Janvier 1990	Janvier 1991	Janvier 1992
Argentine	18,5	12,5	19,4	39,9
Bolivie	11,0	n.d.	10,0	14,0
Brésil	34,0	28,5	25,0	33,1
Chili	60,0	63,5	75,5	92,0
Colombie	57,0	63,5	66,0	85,0
Côte-d'Ivoire	n.d.	n.d.	4,1	8,0
Équateur	13,0	15,0	19,8	25,0
Maroc	n.d.	n.d.	37,3	41,6
Mexique	38,0	38,5	46,0	62,1
Nigéria	n.d.	n.d.	35,6	40,3
Pérou	5,0	6,5	4,5	15,0
Philippines	45,0	49,5	38,7	52,8
Uruguay	n.d.	n.d.	56,0	75,0
Venezuela	36,0	36,5	51,5	66,8

Source: Merill Lynch Capital Market

N.B.:   On notera que les prix indiqués pour le Mexique et le Venezuela sont les prix associés aux emprunts antérieurs aux restructurations dans le cadre du plan Brady.

---

2.   On pourra consulter sur le phénomène: «Private Market Financing for Developping Countries», *IMF World Economic and Financial Surveys*, December 1991, p. 29-33.

3.   Il s'agit des prêts sur les pays désignés par l'organisme de surveillance des banques canadiennes (le BSIF).

Tableau 9.7

Position des banques canadiennes
(en milliards de dollars)

	Encours sur les pays désignés	Provisions en pourcentage de l'encours	Perte implicite sur la base des prix	Perte implicite moins provisions
1986	25,2	11,0 %	8,5	5,6
1987	23,8	36,0 %	13,3	4,6
1988	18,8	42,5 %	10,6	2,6
1989	15,4	66,4 %	10,1	− 0,06
1990	13,6	68,1 %	9,2	− 0,13
1991	12,4	66,6 %	6,8	− 1,41

Source : Revue de la Banque du Canada, novembre 1991.

Le tableau 9.8 illustre, quant à lui, la situation des banques américaines. On notera également l'amélioration très sensible de leur position. À titre indicatif, on notera que le ratio des fonds propres/encours sur pays en développement est passé de 65,5 % en 1984 à 232,0 % en 1990.

Certes, toutes les banques dans le monde n'ont pas une situation aussi enviable que celle des banques canadiennes, mais on peut néanmoins trouver dans cet exemple une illustration du changement considérable de la situation des banques commerciales en ce qui concerne leurs créances sur les pays en développement. À vrai dire, beaucoup d'entre elles sont aujourd'hui beaucoup plus préoccupées par leur portefeuille de prêts immobiliers que par leur portefeuille de prêts souverains.

Tableau 9.8

Encours sur les PVD des banques américaines par rapport à leurs fonds propres et à leur actif

	1984	1985	1986	1987	1988	1989	1990
	en milliards de dollars						
Encours sur PVD	140,8	128,8	118,6	108,8	93,2	78,8	65,9
Actif total	1 413,0	1 529,0	1 613,0	1 633,0	1 670,3	1 770,0	1 764,1
Fonds propres	92,2	105,4	116,1	129,2	135,6	145,2	152,9
	Ratios (en pourcentage)						
Fonds propres/actif	6,5	6,9	7,2	7,9	8,1	8,2	8,7
Encours sur PVD/Actif	10,0	8,4	7,4	6,7	5,6	4,5	3,7
Fonds propres/Encours sur PVD	65,5	81,8	97,9	118,8	145,6	184,3	232,0

Source : IMF, *Private Market Financing for Developing Countries*, 1991, p. 57.

RÉFÉRENCES BIBLIOGRAPHIQUES

Livres:

- BIRD, G., «Loan-Loss Provisions and the Third-World Debt», *Essays in International Finance*, Princeton, 1989.

- CLINE, W. R., *International Debt and the Stability of the World Economy*, Institute for International Economics, n° 4, septembre 1983.

- GUTTENTAG, J. et HESSING, R., «Accounting for Losses on Sovereing Debt: Implications for New Lending», *Essays in International Finance*, Princeton, 1989.

- IMF, *Private Market Financing for Developing Countries*, 1991.

- JONATHAN, H. et NIRMALJIT, P., «Regulation and Taxation of Commercial Banks during the International Debt Crisis», *World Bank Technical Paper 158*.

- LARRAIN, F. et VELASCO, A., «Can Swaps Solve the Debt Crisis?», *Essays in International Finance*, Princeton, 1990.

- ROBINSON, D., «LDC derivatives: Stock at the Crosroads», *Euromoney*, octobre 1992.

- SACHS, J. D., «New Approachs on the Latin American Debt Crisis», *Essays in International Finance*, n° 174, juillet 1989.

- World Bank, «World Debt Tables 1992-1993, External Finance for Developing Countries», 1992.

Articles:

- DADAS, A., «Système financier international: l'analyse de l'instabilité», *Banque*, mai 1993.

- LEROUX, F., «Changements majeurs sur le marché secondaire des créances des pays lourdement endettés», *Cahier du CETAI-HEC*, juillet 1991.

- LEROUX, F., «La relation des banques face à la crise de l'endettement», *Cahier de l'Institut d'économie appliquée*, IEA-90-06, HEC, juin 1990.

- LUSSIER, J., «Doit-on prêter aux pays en voie de développement», *Gestion*, février 1980.

- POWELL, J., «La stratégie internationale de la dette: Évolution récente et perspective», *Revue de la Banque du Canada*, automne 1993.

- POWELL, J., «L'évolution des créances des banques canadiennes sur les pays en développement lourdement endettés», *Revue de la Banque du Canada*, novembre 1991.

Chapitre 10

Les facilités renouvelables à prise ferme et les facilités à options de tirage multiples

La crise de l'endettement et les débuts de la déréglementation ont redéfini le cadre dans lequel s'est exercée la concurrence entre les intermédiaires sur les marchés internationaux. La contraction subite du marché des eurocrédits syndiqués et la volonté d'émettre des titres négociables à court terme ont favorisé alors l'apparition des facilités renouvelables à prise ferme. On montrera dans ce chapitre comment l'émergence de cet instrument, sous ses différentes formes, s'est inscrite dans la logique de l'évolution des marchés.

On analysera également les facilités à options de tirage multiples qui ont été en vogue au milieu des années 1980, mais qui n'ont plus guère de succès aujourd'hui, en grande partie parce qu'elles n'offraient qu'une trop faible rentabilité aux banques et aux intermédiaires financiers.

Les instruments dont on parle dans ce chapitre ont joué un rôle important dans la mutation des marchés internationaux des capitaux et ont permis le développement des marchés de l'euro-papier commercial et des euronotes à moyen terme.

10.1 Les facilités renouvelables à prise ferme : NIF, RUF, euronotes et assimilés

On présentera tout d'abord ces instruments et leurs caractéristiques avant de voir les avantages et les risques qui y sont associés.

10.1.1 Des instruments hybrides

Au risque de blesser les promoteurs de ces intruments, on peut considérer que les RUF *(Revolving underwriting facilities)*, les NIF *(Note issuance facilities)* ou les SNIF *(Short term note issuance facilities)* recouvrent la même réalité. Le terme générique en français est «facilité renouvelable à prise ferme» ou «facilité de soutien de programme d'émission d'effets». Mais les acronymes RUF et NIF sont largement utilisés[1].

Les configurations abondent pour les RUF et l'on présentera ci-après les différentes techniques de placement retenues, mais, pour le moment, disons que dans un RUF il y a quatre types d'intervenants :

- l'emprunteur;
- le groupe de placement;
- le groupe de garantie (ou preneurs fermes);
- les investisseurs.

Dans un NIF, l'*emprunteur* s'entend avec une ou des banques *(les arrangeurs)* pour mettre en place un programme d'émission d'effets à court terme (les *notes* ou *euronotes*). Un *groupe de placement* est chargé de placer ces notes auprès des *investisseurs*; si la chose s'avère impossible, les notes seront placées auprès de *preneurs fermes (underwriters)* à un taux dont le calcul est déterminé à l'avance.

Les banques ou maisons de courtage du groupe de placement s'efforcent de placer les notes à des taux inférieurs au taux prévu au cas où une partie de la facilité serait prise en charge par le groupe de garantie. Que les notes se placent auprès des investisseurs ou non, l'emprunteur est sûr de recevoir les fonds dont il a

1. C'est Citibank qui a proposé l'acronyme NIF en décembre 1978 lors de la mise en place d'une facilité pour le compte de la Shipping Corporation of New Zealand. L'acronyme RUF a été inventé par Merrill Lynch.

besoin à chaque échéance. Son coût maximal est le coût convenu si les notes sont prises en charge par les preneurs fermes. Son coût d'emprunt effectif diminue en fonction de la facilité avec laquelle ses notes sont placées auprès des investisseurs. Pour chaque période d'émission, le taux d'intérêt *maximal* des notes est calculé sur la base d'un taux de référence (LIBOR, LIBID, certificats de dépôt, taux préférentiel US, etc.) auquel on ajoute une marge.

Lorsque l'on publicise les facilités renouvelables à prise ferme, on précise généralement le montant *maximal* de la facilité. Cependant l'emprunteur n'a pas d'obligation à chaque période d'émission (par exemple tous les trois mois) d'émettre des euronotes pour le montant maximal. Le montant tiré est la valeur effectivement émise à une période donnée.

Ainsi un NIF ou un RUF est un instrument *hybride* qui a emprunté certaines de ses caractéristiques aux eurocrédits syndiqués et d'autres aux effets à court terme.

L'expérience des premières années d'existence de cet instrument a montré que 90 % des notes émises étaient placées auprès d'investisseurs (principalement des banques) et seulement 10 % des fonds provenaient des preneurs fermes. Le mode de placement des euronotes est donc primordial et l'accès ou non au groupe de placement par les institutions participant au groupe de garantie fut l'objet d'âpres discussions.

10.1.2 Différentes configurations pour le placement des euronotes

Pour le placement des euronotes, le marché a utilisé plusieurs configurations.

a)   Les preneurs fermes assurent la distribution

Lors de la mise en place des premières facilités, les preneurs fermes recevaient les euronotes à chaque période avec une marge correspondant à celle prévue dans la facilité de soutien. Les banques avaient alors la possibilité de garder les notes jusqu'à l'émission suivante ou au contraire de les placer auprès des investisseurs.

Ce mécanisme extrêmement simple se rapprochait beaucoup de la syndication traditionnelle des eurocrédits et, en fait, a permis de maintenir la formation indirecte de syndicats bancaires lorsque les banques de taille moyenne refusèrent, du fait de la crise de l'endettement, de s'engager à long terme.

b)   L'agent de placement unique (*Sole Placing Agency*)

Les notes sont émises au taux prévu pour la facilité de soutien, mais sont placées par une institution financière qui ne fait pas partie des preneurs fermes. Ces derniers reçoivent les titres qui n'ont pu être placés. Le rôle d'agent de placement unique est joué par l'institution qui obtient de l'emprunteur le mandat de mettre en place la facilité. Cette institution a tout intérêt à placer auprès d'investisseurs la majeure partie des euronotes; elle y a des intérêts financiers bien sûr, puisqu'elle touche une rémunération pour ce travail, mais elle démontre aussi de cette façon sa capacité à distribuer les titres. L'émetteur de son côté est assuré que les euronotes seront placées de façon uniforme et ordonnée et que le marché secondaire ne sera pas inondé de papiers que des courtiers ou des banques n'ont pu placer. En fait, cette technique suppose que l'agent ait une force de vente exceptionnelle pour assurer à chaque échéance la vente des euronotes.

Ce mode de placement, relativement standard durant les deux premières années du marché, a été l'occasion de tensions entre l'agent de placement et les preneurs fermes. En effet, ces derniers ne participaient que modestement au financement proprement dit et manifestèrent rapidement leur volonté de jouer un rôle actif dans le placement des euronotes (ne serait-ce d'ailleurs que pour développer leur expertise dans ce domaine).

c)   **La technique de l'agence de placement multiple**
     (*Multiple Placing Agency*)

La technique tentait de répondre aux demandes des preneurs fermes en leur permettant de participer conjointement avec l'agent principal au placement des euronotes, au prorata de leur participation à la facilité.

Cette solution assurait, à l'avance, à chaque preneur ferme un certain montant de notes à distribuer. Mais l'inconvénient majeur venait de ce que tous les membres du groupe des preneurs fermes ne disposaient pas de la même capacité à placer les notes. L'agent ne peut pas, dans cette configuration, sélectionner les membres du groupe de placement d'après leurs succès antérieurs. Et les faiblesses apparues aux premières échéances risquent de se renouveler par la suite sans qu'il soit possible de changer la répartition des euronotes. Par ailleurs, le placement auprès des investisseurs peut se faire de façon non uniforme et la valeur des notes peut en être immédiatement affectée sur le marché secondaire. Cette configuration, en fait, n'a pas été fréquemment utilisée.

d)   Introduite sur le marché par le Crédit Suisse – First Boston, **la technique du syndicat soumissionnaire** (*Tender Panel*)

La technique est devenue, à l'usage, la configuration classique des NIF et des RUF. Dans cette configuration, au moment de chaque nouvelle émission d'euronotes, les banques et institutions financières faisant partie du syndicat de soumission, font des offres pour l'obtention des titres qui sont répartis aux soumissionnaires ayant proposé les taux les plus bas.

THE MOLSON COMPANIES LIMITED

(Incorporated with limited liability under the laws of Canada)

U.S.$75,000,000

NOTE ISSUANCE FACILITY

Co-Arrangers

Credit Suisse First Boston Limited   **Morgan Guaranty Ltd**

Participants

Algemene Bank Nederland N.V.	Bank of Montreal
The Bank of Nova Scotia Group	Banque Nationale de Paris
Credit Suisse	Fuji International Finance Limited
Morgan Grenfell & Co. Limited	Morgan Guaranty Ltd

National Westminster Bank Group

Facility Agent   *Issuing and Paying Agent*

Bank of Montreal   **Morgan Grenfell & Co. Limited**

June, 1986   *This announcement appears as a matter of record only.*

This announcement appears as a mater of record only.

CRÉDIT NATIONAL

U.S.$300,000,000

Revolving Multiple Option Facility

Arranged by

BankAmerica Capital Markets Group
Orion Royal Bank Limited

Bank of Tokyo International Limited
Société Générale

Senior Lead Manager
Banque Paribas

Lead Managers

Algemene Bank Nederland N.V.

Arab Banking Corporation (B.S.C.)
Paris Branch

Barclays Bank S.A., Paris
Citicorp Investment Bank Limited

Crédit Lyonnais
The Fuji Bank Ltd
Istituto Bancario San Paolo di Torino
London Branch

The Mitsubishi Bank, Limited

Morgan Guaranty Trust Company of New York
Sumitomo Bank Merchant Banking Group

Amsterdam-Rotterdam Bank N.V.
Paris Branch

Banque Indosuez

Chase Investment Bank
Commerzbank
Aktiengesellschaft

First Chicago Limited
The Industrial Bank of Japan, Limited
Manufacturers Hanover Trust Company

Mitsui Finance International Limited
Mitsui Bank Capital Markets Group

Sanwa International Limited
The Tokai Bank, Limited

Managers

Bankers Trust International Limited
Lloyds Merchant Bank Limited
Republic National Bank of New York
London Branch

Banque Nationale de Paris
Nomura Europe N.V.
Security Pacific National Bank

Co-Managers

Banque Bruxelles Lambert S.A.
Credito Italiano
London Branch

Crédit Commercial de France
Société Générale Alsacienne de Banque

Facility Agent
The Bank of Tokyo, Ltd.

Swing-Line Agent
Bank of America International Limited

Tender Agent for Short-term Advances and Dollar
Notes

Orion Royal Bank Limited

Tender Agent for ECU Notes

Banque Paribas (Luxembourg) S.A.

Du point de vue de l'émetteur, cette technique présente l'avantage, d'augmenter la compétition entre les banques pour le placement des euronotes et, par le fait même, d'assurer de meilleurs taux. De plus, par ce procédé, l'émetteur est en contact avec un nombre plus élevé de banques. En revanche, cette procédure est plus lourde (il faut compter une semaine entre l'avis de tirage et la réception des fonds) et elle peut entraîner des problèmes sur le marché secondaire si des soumissionnaires sont très agressifs pour l'obtention des notes sans avoir la capacité de placement adéquate.

10.1.3 Les commissions

La structure des commissions des NIF a été inspirée de celle utilisée pour les eurocrédits.

a)   La commission de direction (*management fee*)

Il s'agit d'une commission forfaitaire (environ $^1/_8$ %), payée à la signature, et répartie entre les participants. Cette répartition reflète deux éléments: la part relative de la facilité assurée par le récipiendaire et son statut à l'intérieur du syndicat. Comme dans le cas des eurocrédits classiques, la part du lion revient au chef de file.

b)   La commission de garantie (*underwriting fee ou facility fee*)

Cette commission est payée tous les six mois aux membres du groupe de garantie indépendamment de l'utilisation de la facilité. Elle constitue l'un des éléments de la négociation et dépend des concessions obtenues (ou faites) sur les autres commissions. Au milieu des années 1980, elle était de l'ordre de $^1/_{32}$ % à $^1/_{16}$ %.

c)   La commission d'engagement (*commitment fee*)

La commission d'engagement est une commission, payée tous les six mois, sur la partie non tirée de la facilité. Elle est versée aux membres du groupe de garantie (*underwriters*) au prorata de leur participation. Elle remplit le même rôle ici que dans les eurocrédits classiques en protégeant partiellement les banques participantes contre la non-utilisation de la facilité.

d)   La commission d'utilisation (*utilization fee*)

Cette commission est à la fois l'opposé et le complément de la commission d'engagement. Si les conditions du marché deviennent défavorables, ou si la qualité de l'emprunteur se détériore, il pourra arriver que les euronotes ne puissent être vendues à certaines échéances. Dans ce cas, et c'est l'essence même de cet instrument, l'emprunteur utilisera la facilité de soutien et les banques et institutions financières du groupe de garantie devront financer ces euronotes. À titre de compensation, les banques, dans cette éventualité, reçoivent une commission additionnelle qui est la commission d'utilisation. Dans la plupart des cas, la commission d'utilisation n'est versée qu'à partir d'un certain pourcentage de la facilité de tirage ; elle ne sera déclenchée, par exemple, que si plus de 50 % des notes n'ont pu être placées. On comprend cependant que plus l'emprunteur doit verser de commission d'utilisation, moins il a à verser de commission d'engagement.

e)   Les frais d'agence

Comme dans les eurocrédits classiques, l'emprunteur assume une fois par an des frais d'agence ; ce rôle est généralement tenu par la banque ou la maison de courtage qui monte l'opération.

10.1.4 Les avantages et les inconvénients de ces instruments

Au moment où ces instruments sont apparus, les observateurs leur associaient cinq avantages (indépendamment du coût).

- À chaque période d'émission, l'emprunteur peut déterminer le volume d'euronotes qu'il veut placer. Il peut le moduler en fonction de ses besoins et obtenir ainsi une *souplesse* exceptionnelle de trimestre en trimestre, ou même de mois en mois. Des formules furent d'ailleurs retenues par certaines banques qui permettaient de multiplier le nombre d'échéances offertes à chaque période d'émission.
- Cette technique accroît le nombre de banques avec lesquelles l'émetteur est en contact, et c'est d'autant plus le cas que la technique de placement retenue élargit le nombre d'institutions pouvant participer au placement des titres. De plus, ces instruments permettent d'exposer l'émetteur à l'investisseur final.
- Du fait du renouvellement continuel des émissions, l'emprunteur bénéficie immédiatement d'une amélioration de sa cote (on notera néanmoins que c'est une arme à double tranchant !).
- L'emprunteur peut mettre fin à son programme en tout temps et sans pénalité.
- La documentation est moins volumineuse pour des euronotes que pour du papier commercial américain.

En revanche, cette technique de financement présentait des inconvénients :

- Tout d'abord, l'emprunteur est à la merci de tensions sur le marché des titres à court terme.
- Même s'il y a eu quelques NIF en écu, le marché était essentiellement limité au dollar. De ce point de vue, il présentait à l'origine moins de flexibilité qu'un eurocrédit syndiqué multidevise.

10.1.5 Les avantages en termes de coût pour les emprunteurs

Au milieu des années 1980, une étude de la Réserve fédérale de Washington, mit en évidence que les NIF présentaient des avantages en termes de coût. Sur la base d'une comparaison de plusieurs financements, son auteur, R. Mills[2], relevait les points suivants:

- Sur la période janvier 1984-juillet 1985, le *spread* était en moyenne inférieur de 30 points de base si l'on mobilisait les fonds à l'aide d'un NIF plutôt qu'à l'aide d'un eurocrédit syndiqué classique.

- Le montant des commissions était en général plus élevé sur les NIF que sur les eurocrédits à cause de la présence de la commission de garantie payée tous les six mois ou annuellement. Mills estimait que cette commission représentait en moyenne 12 points de base (annuellement).

- En revanche, les commissions forfaitaires payées à la signature (*front-end fees*) étaient en règle générale plus faibles dans les NIF que dans les eurocrédits. En répartissant sur une base annuelle cet avantage, Mills a estimé que le gain pour l'emprunteur était, en moyenne, équivalent à 5 points de base.

- Ainsi, en moyenne, mais avec une très grande dispersion en fonction du risque associé à chaque emprunteur, Mills estimait que l'avantage des NIF par rapport aux eurocrédits syndiqués se situait aux alentours de 23 points de base.

Cet écart, à lui seul, expliquait pourquoi certains emprunteurs de première qualité ont choisi, au milieu des années 1980, de rembourser par anticipation des eurocrédits négociés antérieurement, pour lever des fonds à l'aide de NIF.

10.1.6 Les investisseurs

Au cours des années 1980, un pourcentage relativement faible des euronotes émises a été pris en charge par les banques du groupe de garantie. Mais cependant, la majeure partie des euronotes fut souscrite par le secteur bancaire. La minorité détenue par le secteur non bancaire le fut par des gestionnaires de fonds mutuels, des compagnies d'assurance ou des trésoriers de firmes multinationales qui utilisaient ces notes comme un substitut aux certificats de dépôt.

Trois raisons expliquent pourquoi il était difficile de placer les euronotes à l'extérieur du secteur bancaire:

---

2. MILLS, R.H., «Comparing Costs of Note Issuance Facilities and Eurocredit», International Finance Discussion Papers n° 264, *Fed. Res. System*, Washington, septembre 1985.

- Les dénominations courantes (100 000 à 500 000 dollars) sont bien plus élevées que celles utilisées pour les notes à taux variable.
- Le marché secondaire a toujours été très étroit.
- Les euronotes émises pour la plupart en dollars étaient en concurrence avec le papier commercial américain pour lequel il existe un système de notation *(rating)* indicatif de la qualité de crédit de l'émetteur ; ce *rating* n'existe pas pour les euronotes.

10.1.7 Les risques associés aux NIF

Les risques courus par les banques dépendent bien sûr de leur position dans la structure du NIF.

- Le risque le plus important est supporté par les banques du groupe de garantie. En effet, leur service n'est requis que dans le cas où l'émetteur ne peut placer les notes sur le marché. Et il y a de bonnes chances que cela se produise seulement lorsque les conditions du marché sont peu favorables, en particulier lorsque la qualité du crédit de l'émetteur s'est beaucoup détériorée.
- Les banques également courent un *risque de liquidité*. Les émetteurs ont recours aux preneurs fermes lorsque les euronotes ne peuvent être placées sur le marché des titres à court terme. Or, à des degrés divers, les banques elles aussi dépendent de la liquidité de ce marché à court terme, en particulier par le biais du marché interbancaire.
- Enfin, il y a le *risque de crédit* traditionnel pour le détenteur de notes durant toute leur durée de vie.

En fait, très rapidement après l'apparition de cet instrument, on a souligné combien la distribution des risques dans un NIF est très asymétrique et défavorise les banques du groupe de garantie[3].

Trois raisons expliquent que, malgré tout, les banques commerciales se soient engagées dans cette voie.

- La première est liée à la très forte contraction du marché des eurocrédits traditionnels après 1982. Pour les banques commerciales qui voyaient, par le fait même, s'estomper les possibilités d'affaires dans un secteur qui avait été très porteur au cours de la décennie précédente, il y avait là une occasion de redéployer leur activité.

---

3. C'est ainsi qu'une banque participant au groupe de garantie recevait des commissions annuelles d'environ $^1/_8$ % (pour un encours de 10 millions de dollars, ceci représente 12 500 $ par an) alors qu'une perte de 1 million de dollars sur un tirage éventuel aurait nécessité des encours de même nature de 800 000 000 $ pour être compensée.

- La seconde raison est beaucoup plus de nature réglementaire. Au moment de l'émergence de ce marché, les NIF et les RUF étaient considérés comme des activités hors bilan. Ainsi, tant que ces nouvelles opérations furent profitables, il y avait là un moyen d'améliorer la rentabilité globale sans toucher à la capitalisation.

- La troisième raison tient à la volonté de beaucoup de banques commerciales d'élargir leur champ d'activité et de se lancer dans la négociation de titres. Elles y furent incitées d'ailleurs lorsque l'on se rendit compte que la faible rentabilité des NIF, pouvait être amélioré si on avait accès au placement et à la négociation des euronotes.

10.2   Les facilités à options de tirage multiples (ou MOF)

On peut considérer que les facilités à options de tirage multiples[4] constituent le prolongement naturel des facilités renouvelables à prise ferme; elles représentent l'aboutissement logique d'une tendance apparue vers 1982-1983. Perçu par certains, au milieu des années 1980, comme la panacée, cet instrument devait avoir un cycle de vie relativement court et sa quasi-disparition a entraîné dans sa chute des NIF et des RUF.

10.2.1 Les caractéristiques

Une MOF est essentiellement une facilité mise en place par une banque ou un groupe de banques (les arrangeurs) permettant à un emprunteur, pour une durée déterminée (typiquement 5 ans), de mobiliser des fonds à court terme sur toute une série de marchés ou sous plusieurs formes, par le biais d'une seule convention; cette facilité s'accompagne d'une ligne de soutien pouvant se substituer aux programmes d'émission.

On peut donc considérer qu'une MOF est, en fait, un RUF élargi et multidimensionnel, mais dans lequel la liaison entre le programme d'émission et le «filet de sécurité» est plus souple[5].

Typiquement dans une MOF on retrouve un groupe de banques assurant le même rôle que le groupe de direction dans les NIF, un groupe de preneurs fermes (qui procurent le filet de sécurité) et plusieurs syndicats soumissionnaires (*tender panels*), chacun pouvant être activé séparément ou conjointement par l'emprunteur

---

4.   Le terme générique «facilité à options de tirage multiples» est le terme habituellement utilisé en français pour l'expression anglaise *Multiple option facility*, mieux connue sur le marché par son acronyme MOF.

5.   La première facilité à options de tirage multiples fut mise en place en juillet 1985 par Samuel Montagu pour le compte de Colgate-Palmolive. Il s'agissait d'une facilité de 200 millions de dollars, pour laquelle la commission de garantie (*facility fee*) était de $1/16$ %.

pour lever des fonds sous une forme ou sous une autre. Il est fréquent de retrouver des configurations dans lesquelles les mêmes institutions appartiennent simultanément à plusieurs syndicats soumissionnaires.

C'est la pression de la concurrence qui a amené les banques à offrir un tel instrument; le marché dans la deuxième partie des années 1980 étant très favorable aux emprunteurs, ceux-ci exigèrent qu'en plus du placement des euronotes, les facilités de soutien leur permettent aussi d'obtenir des avances bancaires à court terme, des crédits rotatifs, des avances en plusieurs devises ou même des lignes *stand-by* pour des programmes de papier commercial aux États-Unis.

Dans une MOF, la structure des commissions est sensiblement la même que dans un NIF ou dans un RUF; la structure est néanmoins plus complexe du fait de la multiplication des options de tirage. Pour la même raison, la documentation d'une MOF est beaucoup plus volumineuse que celle d'un RUF ou que celle d'un eurocrédit syndiqué. Il n'est pas rare que la documentation d'une MOF dépasse 150 pages. Bien que standardisée pour les principaux éléments, la convention régissant les rapports entre les banques et l'emprunteur a eu tendance à devenir plus spécifique avec l'adjonction de *conditions restrictives* à l'utilisation de la facilité, à la fin des années 1980.

10.2.2 Les avantages des MOF

La simple présentation des caractéristiques des facilités à options de tirage multiples permet de soupçonner pourquoi les emprunteurs les plus importants les préférèrent aux NIF et aux RUF, dès qu'elles firent leur apparition. En revanche, l'attrait pour les banques est moins évident.

a) Les avantages pour les emprunteurs

Les avantages des MOF sont de même nature que ceux des NIF et des RUF; mais en multipliant les options, on offrait en fait une flexibilité encore beaucoup plus grande aux emprunteurs. En particulier, on leur permettait de faire des arbitrages entre plusieurs segments du marché à court terme et surtout de choisir indifféremment dans le cadre d'une seule facilité entre le marché domestique et certains marchés internationaux. Les emprunteurs se voyaient par ailleurs offrir un filet de sécurité pour une gamme beaucoup plus large d'opérations que ce n'était le cas avec les NIF. De plus, l'emprunteur se trouve en contact, directement ou indirectement, avec un très grand nombre d'institutions financières venant d'horizons très variés.

Le présent avis est publié à titre d'information seulement.

PROVINCE DE QUÉBEC

1 000 000 000 $ CAN
Ouverture de Crédit de Dix Ans à Options Multiples

Mise en place par
BANQUE NATIONALE DU CANADA

Chefs de File

BANQUE NATIONALE DU CANADA	**LA BANQUE DE NOUVELLE-ECOSSE**
LA BANQUE DE TOKYO DU CANADA	**BANQUE CHASE MANHATTAN DU CANADA**
CRÉDIT LYONNAIS CANADA	**CITIBANQUE CANADA**

Co-Chefs de File

Banque de Montréal	Banque Canadienne Impériale de Commerce	Banque Indosuez
Banque Nationale de Paris	Banque Continentale du Canada	Banque Fuji du Canada
Banque Industrielle du Japon (Canada)	Banque Midland Canada	Banque Mitsui du Canada
The Mitsui Trust and Banking Company Limited	The Nippon Credit Bank, Ltd.	The Saitama Bank, Ltd.
Banque Sanwa du Canada	The Taiyo Kobe Bank Limited	Union de Banques Suisses (Canada)
Banque ABN du Canada	La Caisse centrale Desjardins du Québec	Banque Chemical du Canada
Crédit Suisse Canada	Banque National Westminster du Canada	Société de Banque Suisse (Canada)
Banque BT du Canada	Caisse de dépôt et placement du Québec	Commerzbank Aktiengesellschaft
Banque Dai-Ichi Kangyo (Canada)	Daiwa Bank Trust Co.	Banque First Interstate du Canada
Banque Lloyds Internationale du Canada	Société Générale	The Sumitomo Trust and Banking Co., Limited

Chefs de File Adjoints

Crédit Commercial de France (Canada)	**Landesbank Rheinland-Pfalz und Saar**
Banque Paribas du Canada	**International S.A.**
The Hokkaido Takushoku Bank, Ltd.	**The Mitsubishi Bank, Ltd.**

Octroyée par

GROUPE DE SOUMISSIONS CRÉDIT NON-ENGAGÉ D'AVANCES À COURT TERME	CRÉDIT ROTATIF ENGAGÉ	GROUPE DE SOUMISSIONS CRÉDIT NON-ENGAGÉ D'ÉMISSIONS D'EURONOTES
Banque Nationale du Canada	Banque Nationale du Canada	Banque Nationale du Canada
La Banque de Nouvelle-Ecosse	La Banque de Nouvelle-Ecosse	La Banque de Nouvelle-Ecosse
The Bank of Tokyo Limited	La Banque de Tokyo du Canada	The Bank of Tokyo Limited
The Chase Manhattan Bank, N.A.	Banque Chase Manhattan du Canada	Chase Manhattan Limited
Crédit Lyonnais	Crédit Lyonnais Canada	Crédit Lyonnais
Citicorp Investment Bank Limited	Citibanque Canada	Citicorp Investment Bank Limited
Banque de Montréal	Banque de Montréal	Banque de Montréal
CIBC Limited	Banque Canadienne Impériale de Commerce	CIBC Ltd.
Banque Indosuez	Banque Indosuez	Banque Indosuez
Banque Nationale de Paris	Banque Nationale de Paris	Banque Nationale de Paris
Banque Continentale du Canada	Banque Continentale du Canada	Banque Continentale du Canada
The Fuji Bank Ltd.	Banque Fuji du Canada	Fuji International Finance Ltd.
Banque Industrielle du Japon (Canada)	Banque Industrielle du Japon (Canada)	Banque Industrielle du Japon (Canada)
Banque Midland Canada	Banque Midland Canada	Banque Midland Canada
Banque Mitsui du Canada	Banque Mitsui du Canada	Banque Mitsui du Canada
The Mitsui Trust and Banking Company Limited	The Mitsui Trust and Banking Company Limited	The Mitsui Trust and Banking Company Limited
The Nippon Credit Bank, Ltd.	The Nippon Credit Bank, Ltd.	Nippon Credit International (Hong Kong), Ltd.
The Saitama Bank, Ltd.	The Saitama Bank, Ltd.	The Saitama Bank, Ltd.
Banque Sanwa du Canada	Banque Sanwa du Canada	Sanwa International Limited
The Taiyo Kobe Bank, Limited	The Taiyo Kobe Bank, Limited	The Taiyo Kobe Bank (Luxembourg) S.A.
Union de Banques Suisses	Union de Banques Suisses (Canada)	Union Bank of Switzerland (Securities) Limited
Banque ABN du Canada	Banque ABN du Canada	Banque ABN du Canada
La Caisse centrale Desjardins du Québec	La Caisse centrale Desjardins du Québec	La Caisse centrale Desjardins du Québec
Banque Chemical du Canada	Banque Chemical du Canada	Chemical Bank International Limited
Crédit Suisse Canada	Crédit Suisse Canada	Crédit Suisse Canada
International Westminster Bank, plc	Banque National Westminster du Canada	County Bank Ltd.
Société de Banque Suisse (Canada)	Société de Banque Suisse (Canada)	Swiss Bank Corporation International Limited
Bankers Trust Company	Banque BT du Canada	Bankers Trust International Limited
Caisse de dépôt et placement du Québec	Caisse de dépôt et placement du Québec	Caisse de dépôt et placement du Québec
Commerzbank Aktiengesellschaft	Commerzbank Aktiengesellschaft	Commerzbank Aktiengesellschaft
The Dai-Ichi Kangyo Bank, Ltd.	Banque Dai-Ichi Kangyo (Canada)	The Dai-Ichi Kangyo Bank, Ltd.
Daiwa Bank Trust Co.	Daiwa Bank Trust Co.	Daiwa Bank Trust Co.
Banque First Interstate du Canada	Banque First Interstate du Canada	First Interstate Capital Markets Limited
Banque Lloyds Internationale du Canada	Banque Lloyds Internationale du Canada	Lloyds Merchant Bank Limited
Société Générale	Société Générale	Société Générale
The Sumitomo Trust and Banking Co., Limited	The Sumitomo Trust and Banking Co., Limited	Sumitomo Trust International Limited
Crédit Commercial de France (Canada)	Crédit Commercial de France (Canada)	
Landesbank Rheinland-Pfalz und Saar International S.A.	Landesbank Rheinland-Pfalz und Saar International S.A.	
Banque Paribas du Canada	Banque Paribas du Canada	
The Hokkaido Takushoku Bank, Ltd.	The Hokkaido Takushoku Bank, Ltd.	
The Mitsubishi Bank, Ltd.	The Mitsubishi Bank, Ltd.	
The Norinchukin Bank	The Norinchukin Bank	
The Sumitomo Bank, Limited	The Sumitomo Bank, Limited	

Agent du Crédit	Agent du Groupe de Soumissions d'Avances à Court Terme
BANQUE NATIONALE DU CANADA	**CRÉDIT LYONNAIS**
Agent du Groupe de Soumissions d'Euronotes	Agent émetteur et Agent payeur
THE CHASE MANHATTAN BANK, N.A.	**BANQUE NATIONALE DU CANADA**

Agent
BANQUE NATIONALE DU CANADA

Novembre 1985

b)   Les avantages pour les banques

Il faut se souvenir que cet instrument est apparu au moment où la concurrence était particulièrement vive entre les institutions financières. Plusieurs observateurs pensaient d'ailleurs que cette concurrence effrénée devenait dangereuse, car les banques offrirent des concessions telles qu'à priori leur participation ne pouvait être rentable. Elles acceptaient de participer au groupe de garantie, malgré des commissions très faibles, dans le seul but de pouvoir être membre d'un ou de plusieurs syndicats soumissionnaires.

Interrogés sur la rentabilité douteuse de ces opérations, beaucoup de banquiers répondaient qu'au-delà de la rentabilité à court terme d'une opération isolée, une banque pouvait espérer créer des liens avec les emprunteurs et réaliser des gains sur d'autres types de services (opérations de change, financement des exportations et des importations, vente d'expertise ou de conseils, etc.)[6]. Mais en fait ces attentes étaient mal fondées dans la mesure où il était illusoire de penser que tous les membres des groupes soumissionnaires pourraient tirer des avantages compte tenu de la taille même de ces groupes[7].

10.3   Évolution du marché des NIF, MOF et assimilés

Avec le recul, on peut voir que les NIF et les MOF ont été des instruments de transition sur les marchés internationaux des capitaux. Mais leur nature hybride correspondait à des besoins spécifiques durant une période de mutation.

10.3.1 Taille du marché

Le tableau 10.1 décrit l'évolution du marché des NIF et des MOF entre 1983 et 1992. On constate qu'il est passé par un zénith en 1989 lorsque le volume a atteint 29 milliards de dollars. Cela représentait l'équivalent de 25 % des crédits bancaires internationaux mis

Tableau 10.1
Facilités renouvelables à prise ferme et facilités à options de tirage multiples (en milliards de dollars)

	1983	1984	1985	1986	1987	1988	1989	1990	1991	1992
NIF, MOF et assimilés	0,9	12,4	34,4	24,8	29,0	14,4	5,5	4,3	1,8	1,5
dont MOF				19,6	8,3	1,3	2,3	1,2	n.d.	n.d.

Source : OCDE : *Tendances des marchés des capitaux.*

---

6.   On pensait également que même si la rentabilité était très faible, il y avait là un moyen de couvrir une partie des frais fixes associés aux activités internationales.

7.   Sur certaines pierres tombales, pas moins de 120 banques sont présentes.

en place cette année-là. À partir de ce sommet, le déclin fut assez rapide puisqu'en 1992 seulement 1,5 milliard de NIF (et assimilés) furent mis en place.

C'est dans les pays industrialisés que se sont recrutés de façon quasi exclusive les utilisateurs des NIF et des MOF. Ceci n'est pas, à vrai dire, surprenant dans la mesure où depuis la crise de l'endettement les pays en voie de développement se trouvaient pratiquement exclus de la plupart des marchés et que, par ailleurs, leur qualité de crédit n'était sûrement pas suffisante pour leur permettre de placer des titres à court terme. Ce sont par ailleurs principalement les États et les agences gouvernementales bénéficiant de la garantie gouvernementale qui ont utilisé ces facilités de soutien (tableau 10.2).

10.4   Des instruments de transition

Le succès relatif des facilités renouvelables à prise ferme au milieu des années 1980 est une bonne illustration du décloisonnement des marchés et des métiers de la finance qui fut caractéristique du milieu de la décennie 1980[8].

La nature hybride des NIF (et plus tard des MOF) conduisit à une compétition intense entre, d'une part, les banques commerciales cherchant à redéployer leur activité et, d'autre part, les banques d'investissement et les grandes maisons de courtage en pleine expansion. Ceci a amené, à l'époque, une certaine redistribution des cartes entre les institutions financières pour la domination des marchés internationaux des capitaux. Ceci a nécessité aussi beaucoup d'adaptations de part et d'autre, puisque les compétences pour la syndication des crédits ou pour le placement des titres ne sont pas les mêmes.

À titre indicatif, il est révélateur, de consulter la liste des principaux arrangeurs de NIF ou MOF au moment de leur émergence (tableau 10.3). On constate qu'ils viennent autant du côté de l'intermédiation bancaire que du secteur du placement.

Tableau 10.2	
NIF et MOF **Répartition par catégories d'utilisateurs** **1983-1987**	
États et agences gouvernementales	38 %
Entreprises non financières	31 %
Institutions financières	27 %
Entités supranationales	4 %
Total	**100 %**

---

8.   Cf. chapitre 6.

Tableau 10.3
Banques et institutions financières les plus actives **sur le marché des facilités renouvelables à prise ferme** **(1984-1985)**

1	Bank America Capital Markets Group
2	Credit Suisse – First Boston
3	Merrill Lynch Capital Markets
4	Citicorp
5	Salomon Brothers International
6	Morgan Guaranty
7	Banker Trust
8	Goldman Sachs Ltd.
9	Manufacturers Hanover
10	Enskilda Securities

Au début des années 1990, la part du financement assuré par les NIF et les MOF était réduit à un pourcentage très faible. Trois raisons expliquent cet état de fait:

- La rentabilité trop faible pour les banques a fini par décourager les offreurs.
- Le traitement comptable des NIF a été affecté d'abord par des directives émanant des autorités de surveillance nationale, puis par les normes universelles de capitalisation. Ces activités ne purent plus être classées hors bilan.
- Enfin, le succès de l'europapier commercial et des euronotes à moyen terme (cf. chapitre 14) évinça les NIF et les RUF. Ces nouveaux marchés sont en fait des héritiers de ceux qui ont été présentés dans ce chapitre.

RÉFÉRENCES BIBLIOGRAPHIQUES

Livres :

- DUFEY, G. et GIDDY, I., *The Evolution of Instruments and Techniques in International Financial Markets*, SUERF, 1981.
- MELNIK, A. L. et PLANT, S. E., *The Short-Term Eurocredit Market*, Monograph serie in Finance and Economics, New York University, 1991.
- RHODES, T., *Syndicated Lending, Practice and Documentation*, Euromoney Books, 1993.

Articles :

- BANKSON, L. et LEE, M., «Euronotes», *Euromoney Publications*, London, 1986.
- CRABBE, M., GRANT, C. et FRENCH, M., «The Euronote explosion», *Euromoney*, novembre 1985.
- GRANT, C., «Mapping a route through the Euromarket Chaos», *Euromoney*, janvier 1986.
- GRANT, C., «How the big borrowes do it», *Euromoney*, novembre 1985.
- HERNANDEZ, R., «La MOF: un outil souple et puissant de financement des entreprises», *La Revue Banque*, juin 1988.
- LEROUX, F., «Les facilités renouvelables à prise ferme et les euronotes», *Cahier du CETAI-HEC*, Montréal, 1986.
- MILLS, R. H., «Comparing Costs of Note Issuance Facilities and Eurocredit», *International Finance Discussion Papers*, n° 264, Fed. Res. System, Washington, septembre 1985.
- MILLS, R. H., «The nifty way to beat Euroloans», *Euromoney*, octobre 1985.
- ROSS, O. M., «Le marché des euronotes et son évolution vers l'eurocommercial paper», *La Revue Banque*, n° 460, avril 1986.

Troisième partie

Les marchés obligataires internationaux et les programmes d'émission d'effets à court et à moyen termes

Cette troisième partie est consacrée aux marchés des obligations internationales et aux programmes d'émission d'effets internationaux à court et à moyen termes. Elle comprend quatre chapitres.

Dans le chapitre 11, on présente les principaux instruments et les modes d'émissions. Le chapitre 12 s'intéresse aux principales caractéristiques des marchés et le chapitre 13 en analyse les spécificités.

Même si les effets à court et à moyen termes diffèrent des obligations, l'évolution récente des pratiques sur les marchés les rapproche des obligations internationales dont ils sont à la fois des compléments et des substituts pour les émetteurs et les investisseurs. Le chapitre 14 est donc consacré au marché de l'europapier commercial et à celui des euronotes à moyen terme.

Chapitre 11
Instruments et procédures d'émission sur le marché obligataire international

Ce premier des trois chapitres consacrés aux obligations internationales présente les principaux instruments à la disposition des emprunteurs et des investisseurs et examine les procédures d'émission et de placement des titres.

Le financement international par le biais des obligations peut se faire sur les marchés étrangers et sur l'euromarché[1]. En présentant les procédures d'émission, on fera référence à celles que l'on rencontre sur le marché euro-obligataire en dollars; c'est, en effet, le compartiment le plus important du marché et celui dont les pratiques ont inspiré celles des autres segments du marché.

La présentation des particularités des différents segments est réservée au chapitre 13.

---

1. Cf. chapitre 1.

11.1 Obligations étrangères et euro-obligations

11.1.1 Définitions

Les obligations étrangères sont des titres de créances négociables à moyen et à long termes, émis sur un marché autre que celui de l'émetteur; ces titres, libellés, dans la majorité des cas, en monnaie locale, sont placés par un syndicat bancaire, très souvent dominé par les banques locales, principalement auprès d'investisseurs locaux.

Les euro-obligations sont des titres de créances négociables, à moyen et à long termes, «bénéficiant d'un statut fiscal privilégié, émis en eurodevises par un syndicat international de banques et placés principalement dans d'autres pays que celui dont la monnaie sert à libeller l'emprunt[2]».

Ainsi, un emprunteur canadien qui émet en Suisse, en francs suisses, fait un emprunt sur un marché étranger, tandis qu'une entreprise française qui émet depuis Londres des obligations libellées en dollars américains, lève des fonds sur le marché euro-obligataire.

11.1.2 Le rôle des autorités réglementaires et fiscales

On peut identifier quatre catégories d'agents qui jouent un rôle dans le processus de décision et d'exécution d'une émission internationale: ce sont les emprunteurs, les intermédiaires, les investisseurs et les autorités réglementaires et fiscales. Emprunteurs, intermédiaires et investisseurs ont un rôle actif et direct. L'impact des décisions des autorités réglementaires et fiscales est indirect mais primordial.

a) La réglementation a un impact sur le type d'instrument utilisé, les procédures d'émissions, la composition des syndicats bancaires, le mode de placement, la circulation et la détention des titres ainsi que sur le fonctionnement du marché secondaire.

Comme les marchés étrangers sont une extension des marchés domestiques, on peut facilement voir comment ils sont affectés par la réglementation nationale. En revanche, comme les euro-marchés ont la double particularité d'être délocalisés et de s'être

---

2. DE LA BRUSLERIE, H., *Gestion obligataire internationale*, Economica, 1990, p 35.

développés à l'abri de la réglementation, on pourrait, dans un premier temps, douter de l'existence d'un impact des réglementations nationales sur ce segment. Mais, en fait, elles jouent un rôle parce que les emprunteurs, les intermédiaires et les investisseurs sont localisés. Les autorités nationales peuvent donc exercer un contrôle sur les émetteurs nationaux et résidents (elles peuvent interdire l'émission sur des marchés extérieurs ou la rendre conditionnelle à l'obtention d'autorisation). Elles peuvent restreindre ou encadrer les activités internationales des intermédiaires nationaux ou résidents (par réglementation ou par le biais de la «persuasion morale»). Enfin, elles peuvent influencer le comportement des investisseurs nationaux et résidents, particuliers ou institutionnels, en fixant, par exemple, des plafonds à la détention d'actifs financiers internationaux.

b) Les considérations fiscales influencent elles aussi le choix de la monnaie du libellé des émissions internationales et la sélection du compartiment qui sera retenu par l'émetteur.

La ponction fiscale peut s'exercer soit sous forme de retenue à la source au moment du versement de l'intérêt par l'emprunteur, soit sous forme d'impôt direct au moment où l'investisseur doit déclarer ses revenus.

La récupération de la retenue à la source ne pose pas trop de problèmes dans le cas où l'émetteur et l'investisseur sont de même nationalité. Cependant, dans la majorité des cas, quand il s'agit d'euro-obligations, cette condition ne serait pas remplie. Certes, les traités pour éviter la double taxation existent, certains sont même très pratiques, mais ils ne couvrent pas toutes les situations et, dans les meilleurs cas, le recours à ces conventions peut être coûteux en frais de conseil juridique. Mais, surtout, comme la plupart des titres euro-obligataires sont au porteur et que leurs détenteurs recherchent l'anonymat qu'ils procurent pour ne pas acquitter d'impôt, la récupération de la retenue à la source serait, à toutes fins pratiques, impossible.

C'est donc en ayant en tête ces considérations que, dès l'origine, s'est répandue la pratique de l'*absence de retenue à la source* pour les euro-obligations.

D'ailleurs, ceci se reflète dans les clauses devenues standard dans la convention accompagnant toute euro-émission. Il est intéressant de noter, au passage, que cette défiscalisation apparaissait nécessaire au cours des premières années du marché, lorsque les souscripteurs étaient majoritairement des particuliers, mais qu'elle s'est maintenue lorsque les investisseurs institutionnels se sont mis à jouer un rôle dominant au début des années 1980[3].

---

3.   Cette défiscalisation était nécessaire pour que le marché euro-obligataire puisse se développer; mais elle constitue aussi l'une des explications de son succès. En tout cas, on retrouve bien autour de cette question la tendance généralisée de l'activité

11.2 Les instruments

Jusqu'à la fin des années 1970, les instruments utilisés par les émetteurs étaient relativement uniformes à quelques exceptions près. La volatilité des taux d'intérêt et des taux de change, la nouvelle compétition entre les banques et les courtiers internationaux, ainsi qu'une plus grande sophistication des investisseurs se sont traduites par l'apparition de nouvelles formes d'obligations.

Dans un premier temps, disons jusqu'au milieu des années 1980, l'innovation avait pour but de trouver des formes d'obligations répondant à des besoins spécifiques d'investisseurs. Ces besoins pouvaient être de nature conjoncturelle, (par exemple, à la suite de la perte de valeur de portefeuilles composés d'obligations à taux fixe lorsque les taux d'intérêt étaient à la hausse) ou inspiré par des demandes spécifiques de certaines clientèles (fonds de pension ou riches investisseurs individuels). Dans ce dernier cas, ceci a abouti au repérage de niches d'investisseurs potentiels et à la mise en marché de produits taillés sur mesure.

Ces pratiques néanmoins ne pouvaient prétendre transformer durablement le marché car, d'une part, la conjoncture évolue, rendant caduques les solutions proposées à un environnement donné et, d'autre part, les niches se saturent rapidement sans que l'on puisse espérer les remplacer par de nouvelles clientèles. De plus, la contrepartie de la spécificité des titres émis réside dans leur manque de liquidité. Or, plus le marché a gagné en volume et plus les souscripteurs ont attaché d'importance à cette caractéristique.

Les choses ont donc changé au milieu des années 1980 et ceci, en grande partie, à la suite de l'arrivée et du succès des nouveaux produits financiers (en particulier les swaps)[4] qui ont permis de *segmenter les risques* et de transformer les caractéristiques de portefeuilles composés, au point de départ, de titres traditionnels.

On peut grouper les obligations internationales en quatre grandes catégories:

- les obligations à taux fixes (ou classique);
- les notes à taux variable;
- les obligations convertibles;
- les autres formes d'obligation.

Malgré l'innovation importante qu'ont constitué les notes à taux variables et malgré la croissance importante de cet instrument au début des années 1980, les obligations de type classique restent celles qui sont émises en plus grand nombre. Le déplacement d'un type d'instrument à un autre est en partie influencé par le climat économique en général, par les anticipations inflationnistes et par les performances des marchés boursiers. Lorsque l'offre de fonds est

---

4.   On présentera ces nouveaux produits dans la quatrième partie.

faible, à cause des incertitudes sur l'évolution des taux d'intérêt, les notes à taux variables et les autres formes d'obligations attirent les investisseurs. En revanche, lorsque le climat économique est plus serein, les obligations classiques retrouvent leur attrait[5].

On présentera ci-après les caractéristiques essentielles de ces principaux instruments.

11.2.1 Les obligations classiques (*straight*)

Les obligations classiques sont des titres négociables à taux d'intérêt fixe. À ces titres sont attachés des coupons arrivant à échéance avec une fréquence fixe et à des dates prédéterminées.

a)   La taille de l'émission

On ne peut pas parler de taille optimale d'une émission. Celle-ci est surtout déterminée par deux paramètres: les besoins de l'emprunteur et la capacité d'absorption du marché au moment du lancement. À ceci, il faut ajouter que les banques ou maisons de courtage vont sensibiliser l'émetteur aux normes en vigueur sur chaque segment potentiel et aux attentes des souscripteurs. On comprend que si l'émission est de petite taille, la recherche des investisseurs paraît simplifiée, mais il faut tenir compte aussi du fait que la liquidité des titres sur le marché secondaire augmente avec la taille de l'émission et que cette caractéristique est importante pour les investisseurs institutionnels.

Au cours des dernières années, on peut observer deux tendances opposées sur le marché international: on voit, d'une part, des émissions de plus en plus importantes pour les noms les plus connus et, d'autre part, des efforts déployés par certains intermédiaires pour amener sur les marchés euro des entreprises nouvelles, de plus petite taille, et qui abordent les marchés avec des émissions inférieures à 100 millions de dollars.

b)   La dénomination des titres

C'est certainement sur la base de la monnaie de soutien des obligations que le marché international est le plus facile à segmenter. On le verra en détail dans les deux prochains chapitres, mais pour le moment on peut retenir que 95% de toutes les émissions internationales sont effectuées en 10 devises. Même s'il y a eu, au cours des dernières années, beaucoup de rapprochements entre les différents secteurs, il reste néanmoins des spécificités propres à chaque secteur. En particulier, la taille des coupures les plus souvent utilisées est dictée par les conventions traditionnelles de chaque

---

5.   En 1992, 79,5% de toutes les nouvelles émissions internationales portaient sur des obligations classiques, 13,1% étaient des notes à taux variables, alors que 6,3% étaient des obligations convertibles.

chaque secteur. En particulier, la taille des coupures les plus souvent utilisées est dictée par les conventions traditionnelles de chaque marché. On notera à ce propos que parmi les options disponibles dans un secteur donné, le choix qui est fait par l'émetteur, en accord avec son syndicat d'émission, est influencé par les objectifs de placement. On constate parfois avec surprise que pour de très grandes émissions, on offre encore des titres en petites coupures (1 000 dollars par exemple). Ceci s'explique par le fait que l'on essaie de rejoindre parallèlement une clientèle de détail et une clientèle institutionnelle.

c)   Les coupons

Les coupons des euro-obligations sont des coupons *annuels* copiant en cela la tradition européenne. Les coupons sur les obligations étrangères aux États-Unis (*Yankee Bond Market*) sont découpés sur une base semestrielle.

Comme les intérêts sont versés sur une base moins fréquente avec une euro-obligation qu'avec une obligation étrangère, pour un même taux d'intérêt, le rendement effectif pour le détenteur est plus élevé avec la première qu'avec la seconde.

d)   La maturité

Les obligations sont traditionnellement des titres à long terme. Cependant, la maturité moyenne varie sensiblement d'un segment à l'autre et en fonction du temps.

Ici aussi les habitudes des investisseurs ou la nature de leur besoin ne sont pas uniformes d'une place financière à l'autre. Un certain nombre de références ont pendant longtemps été fournies par les caractéristiques des titres d'État sur le marché domestique ou par la réglementation locale.

Comparaison de taux

Les taux d'intérêt sur les obligations ne sont pas systématiquement des taux annuels. On rencontre fréquemment des taux semestriels ou même trimestriels. La comparaison de différents taux peut se faire à l'aide des formules suivantes :

Conversion d'un taux semestriel en taux annuel :

$$taux\ annuel = 100 \times \left[\left(1 + \frac{taux\ semestriel}{200} \right)^2 - 1 \right]$$

Conversion d'un taux trimestriel en taux annuel :

$$taux\ annuel = 100 \times \left[\left(1 + \frac{taux\ semestriel}{400} \right)^4 - 1 \right]$$

Conversion d'un taux annuel en taux semestriel :

$$taux\ semestriel = 200 \times \left[\left(1 + \frac{taux\ annuel}{100} \right)^{1/2} - 1 \right]$$

Conversion d'un taux annuel en taux trimestriel :

$$taux\ trimestriel = 400 \times \left[\left(1 + \frac{taux\ annuel}{400} \right)^{1/4} - 1 \right]$$

L'expérience des vingt dernières années semble montrer, par ailleurs, que l'inflation, ou plus exactement les anticipations inflationnistes, jouent un rôle déterminant sur la maturité moyenne des titres émis. La période d'inflation généralisée de la fin des années 1970 s'est traduite par un raccourcissement des échéances au cours des cinq premières années de la décennie suivante. En revanche, l'environnement beaucoup plus stable en matière de prix (et des taux d'intérêt réels élevés) au début des années 1990 s'est traduit par un rallongement progressif des maturités moyennes sur les principaux marchés.

e)   L'inscription en bourse

La majeure partie des émissions publiques est l'objet d'une inscription en bourse (le plus souvent les émissions en eurodollars sont cotées à Londres ou à Luxembourg, celles en deutsche mark à Luxembourg, celles en yen à Londres, etc.). Même si bon nombre de transactions sur le marché secondaire se font sans passer par la bourse, l'inscription est nécessaire pour faciliter le placement des titres : en effet, certains investisseurs institutionnels ne peuvent détenir des titres non inscrits.

f)   La cotation d'une obligation

Le cours des obligations internationales, sur le marché primaire et sur le marché secondaire, est exprimé *en pourcentage* du montant nominal. Pour obtenir le prix à payer pour un titre, il faut par contre rajouter les intérêts courus depuis l'encaissement du dernier coupon à avoir été détaché.

g)   L'amortissement

Les obligations émises sur le marché international sont, en règle générale, remboursables par tranche avant la maturité. Cependant, pour certaines émissions, les emprunteurs peuvent obtenir de rembourser la totalité de l'émission à l'échéance (on parle alors de *bullet bond*), mais c'est plutôt l'exception que la règle.

Comme sur le marché domestique américain, l'un des procédés utilisés sur le marché euro-obligataire est la constitution d'un fonds d'amortissement (*sinking fund*). Sous réserve de dispositions régissant le remboursement anticipé, il s'agit plutôt d'une obligation qui contraint l'emprunteur à racheter un certain pourcentage des titres selon un calendrier déterminé lors de l'émission. Cette pratique a comme résultat de diminuer la durée du prêt. Du point de vue du détenteur, ceci réduit le risque de non-remboursement. Cet amortissement peut être effectué soit par remboursement d'obligations désignées au moyen de tirages au sort annuels, soit par l'annulation d'obligations rachetées en bourse ou de gré à gré.

Par ailleurs, sur l'euromarché on a parfois recours au procédé du fonds de rachat (*purchase fund*) en combinaison ou au lieu du fonds d'amortissement. Ce procédé donne la possibilité à l'emprunteur de racheter ses titres sur le marché secondaire, mais il ne peut le faire que si le prix descend en dessous d'un certain niveau (habituellement le prix d'émission). Le montant qui peut être racheté est limité à un certain pourcentage du volume de l'émission. L'existence d'un fonds de rachat présente l'avantage de soutenir les cours sur le marché secondaire[6].

h)   Le remboursement anticipé

Certaines émissions donnent lieu à des clauses permettant le rachat anticipé des titres de créance par l'émetteur. L'emprunteur, dans ce cas, verse aux détenteurs, en guise de compensation, une prime dont le montant est prédéterminé. Cette option (appelée *call*) débute généralement après quelques années. Elle permet ainsi à l'émetteur de racheter des titres devenus trop onéreux à la suite des fluctuations de taux d'intérêt. Le remboursement anticipé peut également avoir lieu pour des raisons fiscales. Les euro-obligations sont, en effet, émises dans un cadre fiscal favorable aux investisseurs: en particulier, ceux-ci n'ont pas à payer de retenues à la source. Dans plusieurs conventions euro-obligataires, il est prévu que l'émetteur peut effectuer un remboursement par anticipation en totalité, si le cadre fiscal prévu au moment du placement des titres est affecté par des changements émanant du gouvernement du pays de l'émetteur.

11.2.2 Les notes à taux variables

a)   Caractéristiques

Les notes à taux variables (*Floating Rate Notes* ou FRNs) sont des obligations portant un intérêt dont le montant varie, sur une base régulière. Le taux d'intérêt est la somme d'un taux de référence (typiquement le LIBOR à 3 ou 6 mois) et d'une marge fixe (typiquement $1/4\%$). Cette façon de calculer le taux d'intérêt apparente ces notes à la pratique courante rencontrée pour les eurocrédits[7]. Mais la ressemblance s'arrête ici, car ces notes sont négociables.

Les notes à taux variables sont généralement des titres à moyen terme (5 à 7 ans)[8]. La taille des émissions varie grandement en fonction de la réputation et des besoins de l'émetteur et de l'état

---

6.   L'existence des fonds de rachat est beaucoup moins fréquente dans les années 1990 que quinze ans plus tôt.

7.   Cf. chapitre 7.

8.   Certains termes particulièrement courts ont permis une continuité entre ce marché et celui des certificats de dépôt à taux flottants; le taux d'intérêt est cependant plus élevé sur les notes que sur les certificats.

du marché[9]. En règle générale, les coupures sont plus élevées que pour les obligations traditionnelles (25 000, 50 000 ou 100 000 dollars) ce qui indique clairement qu'elles sont essentiellement destinées à la clientèle institutionnelle. Habituellement ces émissions ne s'accompagnent ni de plan d'amortissement ni de possibilité de remboursement par anticipation.

Ces notes ont été utilisées pour la première fois en 1970, mais ce n'est guère avant 1975 qu'elles ont joué un rôle significatif. Même si, au point de départ, les investisseurs institutionnels étaient quelque peu réticents à acquérir ces instruments, du fait de l'incertitude sur le rendement nominal futur, la croissance des taux d'intérêt à la fin des années 1970 et, par voie de conséquence, les pertes encourues par les détenteurs de portefeuilles obligataires furent des arguments convaincants pour accélérer l'acceptation de ces instruments. Du côté des emprunteurs, ce véhicule a été, dès son origine, fort populaire auprès des banques; elles trouvèrent là, en effet, un instrument facilitant l'appariement de leurs passifs et de leurs actifs et une alternative au marché interbancaire.

b) Risques des notes à taux variable

Puisque le taux d'intérêt versé suit l'évolution du marché, le détenteur d'obligation à taux variable pouvait s'attendre à posséder des obligations dont la valeur serait relativement stable durant toute leur vie. Or, la pratique a révélé que ce n'était pas tout à fait le cas, car, indépendamment du risque de crédit présent dans tout titre, certains risques spécifiques sont associés aux notes à taux variable[10].

- Il y a tout d'abord un risque de marge. En effet, on peut considérer une note à taux variable comme étant composée de deux éléments: l'un fixe (la marge), l'autre variable (le taux de référence); de ce fait, l'élément fixe est soumis à des variations de prix, en cas d'évolution importante des taux d'intérêt.

- Il y a, d'autre part, un risque de taux de référence, dans la mesure où tout au long de la vie de l'obligation, le taux choisi peut perdre son statut de référence universelle, ou être l'objet de perturbations spécifiques n'ayant rien à voir avec le marché obligataire. Ainsi, une tension particulière sur le marché interbancaire le jour où est déterminée la valeur du taux de référence affecte la valeur du coupon.

- Il y a, enfin, un risque de déformation de la courbe de rendement (*yield curve*). Les détenteurs de notes à taux variables

---

9. La taille des émissions a varié de 10 millions à 1,8 milliard de dollars.

10. Sur ce point, on consultera, SOLNIK, B., «Risque de taux d'une obligation à taux variable», *Banque*, juillet-août 1988.

investissent, en fait, dans des titres à moyen terme dont la rémunération est basée sur un taux d'intérêt à court terme. Une inversion de la structure des taux d'intérêt leur est très favorable (comme ce fut le cas au début des années 1990 sur plusieurs marchés). À l'inverse lorsque la pente de la courbe de rendement s'accentue, l'écart entre la rémunération des titres à court terme et des titres à moyen terme augmente, ce qui fait pression sur la valeur des premiers par rapport aux seconds.

À ces facteurs, il faut ajouter que des variations de prix à court terme peuvent être dues à ce que le taux variable fluctue considérablement entre deux dates de fixation des intérêts. Imaginons, par exemple, une note à taux variable dont le taux est déterminé tous les six mois; si, par exemple, on établit le taux le 1er juillet, et que le LIBOR entreprend une ascension très rapide quinze jours plus tard, le titre rapportera un montant fixe et inférieur aux titres du marché monétaire pour une période pouvant aller jusqu'à cinq mois et demi. On parle alors d'un coût de portage qui, dans ce cas, se maintiendra jusqu'à la fin du mois de janvier suivant.

11.2.3 Obligations convertibles en actions

a)   Caractéristiques

Les obligations convertibles résultent de la combinaison de deux éléments, d'une part, une reconnaissance de dettes portant intérêt (fixe ou variable), d'autre part, un droit de convertir ce titre en actions ordinaires de la compagnie émettrice. Ainsi, dans l'évaluation d'une obligation convertible, l'investisseur appréciera les caractéristiques propres de l'emprunt (le rendement, le rang de ces créances, la capacité de remboursement, etc.) et les caractéristiques propres à l'action (anticipation des profits futurs, anticipation du ratio cours/bénéfice, conditions de conversion, etc.)

Ces instruments existent depuis très longtemps sur le marché domestique américain et ont fait leur apparition dès 1965 sur le marché euro-obligataire. Les firmes japonaises et américaines ont traditionnellement dominé ce segment du marché auquel seules les meilleures signatures peuvent avoir recours. Cette notoriété est d'autant plus indispensable que pour une émission euro aucune notation n'est nécessaire[11].

b)   Obligations convertibles et point de vue de l'investisseur

Avant d'acheter des obligations convertibles, l'investisseur prend en considération les points suivants:

---

11. Ainsi l'investisseur ne dispose pas des informations fournies, conformément aux exigences de la Securities and Exchange Commission, sur le marché américain pour ce genre de titres.

- Elles combinent les avantages des obligations et des actions: d'une part, elles offrent la certitude du revenu (avec un risque de perte en capital relativement faible ou inexistant si les obligations sont des notes à taux d'intérêt variables) et, d'autre part, elles permettent à l'investisseur de participer éventuellement à l'appréciation des actions de la compagnie.

- Elles constituent un instrument moins risqué que les actions, mais peuvent se révéler plus profitables que les simples obligations. Le côté spéculatif de ces titres donne a priori l'impression d'être asymétrique.

- Mais, en fait, pour obtenir le droit de participer éventuellement à l'appréciation future des titres de la compagnie, l'investisseur doit accepter un taux de rendement plus faible que celui qu'il aurait obtenu avec des obligations classiques.

- Par ailleurs, lorsque la valeur des actions d'une compagnie diminue, cela peut être interprété comme une détérioration de sa qualité, ce qui affecte l'ensemble des titres et par ricochet les obligations convertibles.

c)   Obligations convertibles et point de vue de l'émetteur

Du point de vue de l'émetteur, les obligations convertibles présentent deux grands avantages:

- Tout d'abord, il y a un avantage de coût: en effet, on peut offrir un taux d'intérêt plus bas que celui qui aurait dû être offert avec une obligation classique puisque le souscripteur acceptera un coupon plus faible en contrepartie de la possibilité qui lui est offerte d'obtenir éventuellement des titres sur lesquels il pourra réaliser un gain de capital.

- Mais aussi, c'est un moyen indirect de placer des actions, par anticipation, avec une prime sur la valeur au moment de l'émission.

d)   Les obligations avec *warrant*[12]

Se rapprochant des obligations convertibles, mais ne devant pas être confondues avec elles, les obligations avec *warrant* sont un droit d'achat, dans le futur, d'actions de l'émetteur à un prix déterminé à l'avance. Le *warrant* est un droit de souscription et non un droit de conversion en actions comme c'est le cas avec les obligations convertibles. Le *warrant* est habituellement détachable et négociable. Ce type d'obligation est bien sûr particulièrement populaire durant les périodes d'euphorie boursière. Le marché des obligations en yen en a fourni un bel exemple à la fin des années 1980, juste avant l'effondrement du marché à Tokyo.

---

12.   On parle aussi d'obligations avec bons de souscription d'actions.

e)   Autres obligations convertibles

Au cours de brèves périodes, le marché international a vu apparaître quelques autres types d'obligations convertibles:

- *Les notes à taux flottants convertibles en obligations classiques*

En 1979, apparurent sur le marché domestique américain des obligations à taux variables convertibles, au gré du porteur, en obligations classiques à plus long terme. Quelques semaines plus tard, cet instrument fut introduit avec succès sur le marché des euro-obligations par Manufacturers Hanover. Il s'agissait d'une note à taux variable, pouvant être convertie en une obligation à 15 ans à taux fixe durant les 7 premières années. Non convertie durant cette période, elle se transformait automatiquement en obligation classique au début de la huitième année.

Du point de vue de l'investisseur, cet instrument est particulièrement intéressant, spécialement lorsque la structure des taux d'intérêt est inversée. L'investisseur se trouve protégé des fluctuations des taux dans les deux directions. Cependant, pour jouir de ce privilège, il devra accepter de payer une certaine prime sur les titres.

Du point de vue de l'émetteur, cet instrument ne sera utilisé que lorsque le marché des titres classiques est fermé.

- *Les notes convertibles «avec cliquet»* (drop-lock FRNs)

Il s'agit de notes à taux variables convertibles fort semblables aux précédentes, si ce n'est que la conversion s'exerce de façon automatique lorsque le taux de référence descend au-dessous d'un certain niveau fixé a priori. Cet instrument présente donc une assurance pour l'investisseur que son rendement ne tombera pas au-dessous d'un seuil préétabli. En revanche, l'investisseur n'est pas protégé contre une hausse subséquente des taux d'intérêt, une fois que la conversion a été effectuée.

11.2.4 Quelques autres formes d'obligations

On a présenté précédemment les instruments les plus communément utilisés. Cependant, cette liste n'est que partielle, car on a vu apparaître une multitude de nouveautés. Pour répondre aux conditions changeantes des marchés et de l'environnement économique, les maisons de courtage ont proposé des instruments visant soit à faciliter le placement en répondant à des besoins spécifiques de certaines clientèles soit à tirer avantage de conditions fiscales particulières. Toutes les innovations n'ont pas été couronnées de succès et la pérennité de plusieurs instruments est très précaire. Sans être exhaustif, on présentera certains de ces instruments.

a)   Les notes à double devise (*dual currency bonds*)

Il s'agit de notes dont le prix et le coupon sont déterminés dans une monnaie, mais dont le remboursement à l'échéance est effectué dans une autre monnaie, à un taux de change prédéterminé. La majorité de ces notes ont été exprimées à l'origine en yen (le taux d'intérêt est donc relativement faible) avec un remboursement en dollars. Ainsi, un émetteur américain peut approcher un segment du marché international avec un coupon plus faible que celui qu'il aurait à payer sur le marché en dollars sans prendre de risque de change sur le remboursement.

b)   Les obligations sans coupon (ou à coupon-zéro)

Les obligations sans coupon sont des titres négociables émis à escompte et qui ont la particularité de ne pas entraîner le versement d'intérêt. Leur valeur faciale est le prix qui sera remboursé à l'échéance.

Après le succès phénoménal de certaines émissions sur le marché domestique américain (pour J.C. Penney, Pesico, IBM et Xerox) c'est en 1982 que cet instrument est arrivé sur le marché euro-obligataire en dollars. Les segments euro en yen et en deutsche mark n'ont été ouverts qu'après la déréglementation des marchés japonais et allemand au milieu de 1985.

Conscients d'offrir des titres avantageux pour les investisseurs, les émetteurs ont pu les placer sans trop de difficulté en offrant des taux de rendements inférieurs à ceux pratiqués sur les autres segments du marché. Les emprunteurs ont donc pu réduire leurs coûts de financement principalement pendant la période des taux d'intérêt élevés.

- *Avantages pour l'investisseur et pour l'émetteur*

Dès son lancement, l'obligation à coupon-zéro a principalement eu comme objectif de faire bénéficier ses détenteurs d'un avantage fiscal, trouvant son origine dans le traitement plus favorable du gain de capital par rapport au revenu d'intérêt.

D'autre part, le risque de remboursement anticipé de la part des emprunteurs est inexistant, car le cours de ces titres est toujours inférieur au pair.

Contrairement aux détenteurs d'obligations classiques, les détenteurs des «coupon-zéro» n'ont pas à se soucier du taux de réinvestissement des intérêts reçus. Cet avantage est particulièrement attrayant, pour les investisseurs qui prévoient une chute des taux d'intérêt et qui veulent s'assurer un rendement élevé, ou pour des investisseurs institutionnels ayant des paiements futurs à respecter dans le cadre de régimes d'assurances ou de fonds de pension.

Comme le cours de ces titres est très volatil, ils présentent un intérêt pour les investisseurs voulant prendre des positions ou prêts à s'engager dans la spéculation sur les taux; en cas de baisse de ceux-ci, ces obligations offrent de bonnes perspectives de plus-values. En revanche, le risque de crédit supporté par l'investisseur est important, puisque le remboursement total du titre et des intérêts sont reportés à l'échéance.

- *Impact de la réglementation et des considérations fiscales*

Au début des années 1980, le marché japonais a été particulièrement attrayant pour les émissions à coupon-zéro. En effet, le fisc ne taxait pas le gain de capital dont bénéficiait le détenteur. Plusieurs compagnies américaines (Exxon et IBM par exemple) ont profité de cet état de fait pour émettre des titres destinés aux investisseurs nippons au moment où les taux d'intérêt particulièrement élevés incitaient les trésoriers à explorer toutes les alternatives.

Le ministère des Finances japonais, conscient qu'il y avait là un abri fiscal qui contribuait à détourner l'épargne japonaise vers des titres étrangers s'efforça, en 1982, d'endiguer ce phénomène en interdisant toute transaction sur ces obligations. Cette mesure fut levée quelques mois plus tard, mais un coup de frein sérieux avait été donné à l'expansion des «coupon-zéro». De plus, à partir de 1986, le gain de capital résultant de la disposition d'une telle obligation doit être inclus dans la disposition du revenu imposable.

Le fisc américain, de son côté, a rapidement réagi en considérant la décote du prix d'acquisition par rapport au pair comme le versement d'un intérêt à intégrer dans le calcul du revenu imposable. Au Canada, la loi de l'impôt exige la déclaration de la plus-value du titre comme un revenu imposable, et ceci au minimum tous les trois ans. Au Royaume-Uni, les obligations à coupon-zéro n'ont pu apparaître que lorsque le système fiscal a mis au point une formule pour convertir en revenu imposable les gains de capital réalisés sur ces obligations.

Si cet instrument a des caractéristiques intéressantes, son rôle est intermittent et il n'accapare qu'une partie assez faible du marché.

c) Les obligations à achat différé

Il s'agit d'obligations dont le paiement est étalé sur une période assez longue (par exemple 6 mois) de telle sorte que l'acheteur ne paie qu'une partie de la somme à verser au moment de l'émission.

Ces titres présentent plusieurs avantages du point de vue de l'émetteur. Il peut tout d'abord choisir une structure de versement qui soit adaptée aux besoins de fonds sur la base de cash-flows anticipés. D'autre part, cela lui permet d'émettre un volume plus important de titres et d'éviter d'avoir à supporter des frais et des commissions s'il était contraint à revenir sur le marché, quelques mois après une première émission. Par ailleurs, l'émetteur peut obtenir un taux d'intérêt légèrement inférieur à celui qu'il aurait à servir avec un taux fixe classique parce qu'il offre à l'acheteur la possibilité de se procurer plus tard des titres à un taux d'intérêt connu à l'avance alors que celui-ci peut baisser.

d)   Quelques formes spécifiques de notes à taux variables

- *Les notes à taux variables en série (série FRNs)*

Il s'agit de notes à taux variables dont l'amortissement obligatoire sera effectué selon un calendrier préétabli. Ce type d'instrument, lors de son introduction, visait surtout des investisseurs ayant besoin de fonds dans le futur sur une base régulière et répétitive. Ces notes présentaient un intérêt pour les investisseurs planifiant leur retraite. Le marché, assez étroit, a été rapidement saturé.

- *Les obligations non datées*

Il s'agit d'une obligation traditionnelle à taux variable, sans date prévue de remboursement, mais offrant à l'investisseur la possibilité d'être convertie en note à taux variable d'une durée déterminée. Généralement ces notes sont convertibles (au pair), à la demande du détenteur, un certain laps de temps après leur émission (souvent après deux ou trois ans).

- *Les obligations perpétuelles*

Il s'agit, comme les précédentes, d'obligations à taux variables, mais qui n'ont pas de date de remboursement ni d'option de conversion.

Ces obligations ont connu un certain succès au milieu des années 1980, quand plusieurs émissions ont été lancées avec succès principalement par des banques. Pour ces institutions, cet instrument présente l'avantage d'un appariement immédiat du passif et de l'actif (dont une bonne partie est constituée de prêts à taux variables) sans avoir à se soucier du risque de liquidité toujours présent sur le marché interbancaire.

11.3 L'émission d'obligations et le rôle central du syndicat d'émission

11.3.1 Le recours à un syndicat

L'émission d'obligations internationales se fait par le biais d'un syndicat d'émission qui se charge directement ou indirectement de trouver des souscripteurs aux titres émis.

Dans chaque pays où existe un marché obligataire domestique développé, la structure du syndicat et le mode de placement des titres sont régis tout à la fois par des règlements locaux et des habitudes de fonctionnement nationales.

Sur les marchés internationaux, plusieurs configurations existent pour placer les obligations. Un mode relativement standard s'était développé sur l'euromarché, mais il a été remis en cause à partir du milieu des années 1980.

11.3.2 Les trois fonctions du syndicat d'émission

Quelle que soit la structure retenue pour le syndicat d'émission, il y a essentiellement trois fonctions qui doivent être remplies par les banques et les courtiers.

La première est une fonction d'organisation générale et de coordination de l'émission, la seconde est une fonction de garantie ou de prise ferme, la troisième est une fonction de placement proprement dit des titres.

À l'intérieur du syndicat, quelques intermédiaires vont participer aux trois fonctions, d'autres à deux seulement et enfin quelques-uns ne participeront (dans certaines configurations) qu'à la fonction de placement.

Il existe ainsi une certaine hiérarchie à l'intérieur du syndicat: le groupe de direction, le groupe de garantie et le groupe de placement.

11.3.3 Le groupe de direction (*managing syndicate*)

Il est composé du chef de file et des co-chefs de file. Le chef de file doit coordonner les activités de tous les autres intervenants et s'assurer du bon déroulement des opérations. Présent à toutes les phases de l'émission, il en assume la responsabilité ultime.

C'est le chef de file qui voit à la formation du syndicat de direction, du syndicat de garantie et du groupe de placement. L'importance de cette fonction a conduit, vers la fin des années 1980, à une nouvelle appellation pour le chef de file. On parle volontiers de *book runner*, traduit en français par l'expression peu élégante de «teneur de book».

Habituellement, le chef de file se fait seconder par un groupe d'établissements: les co-chefs de file. Le chef de file choisit ses partenaires dans ce groupe conjointement avec l'émetteur. Ce dernier a tendance à sélectionner les institutions avec lesquelles il entretient déjà des relations d'affaires tout en gardant à l'esprit l'importance de leurs origines géographiques pour le placement des titres auprès des investisseurs.

Les co-chefs de file doivent souscrire une part importante de l'émission et cette position se trouve, par le fait même, réservée aux maisons ayant une certaine envergure.

11.3.4 Les preneurs fermes (*underwriters*) et le syndicat de garantie

La technique de la prise ferme, contraint le groupe de direction à mettre en place un syndicat de garantie (*underwriting syndicate*). Comme son nom l'indique, ce syndicat a pour rôle de garantir à l'emprunteur les fonds correspondant au montant de l'émission, quel que soit l'accueil du marché.

Le risque des preneurs fermes est non négligeable dans un marché volatil; il s'accroît lorsque l'émetteur n'est pas très connu. Si l'émission ne peut être entièrement placée, les preneurs fermes doivent acheter les titres au prorata de leur engagement. Les membres du groupe de direction font partie des preneurs fermes. Il est assez rare qu'ils assument moins de 40 % de cette fonction.

Le nombre de preneurs fermes varie avec la taille de l'émission et le degré de dispersion géographique souhaité pour le placement des titres.

Dans les configurations où l'on fait appel à des preneurs fermes à l'extérieur du groupe de direction, la pratique a dégagé une certaine hiérarchie entre les *underwriters*. Sur une pierre tombale[13], certains preneurs fermes appartiendront au *special bracket*: ce sont ceux qui garantissent de 1,5 % à 2 % de l'émission. Puis viendront les *major underwriters* (0,75 %) les *sub-major underwriters* (environ 0,375 %) et les *minor underwriters* (0,1 % à 0,2 %).

11.3.5 Le groupe de placement *(selling group)*

Les institutions qui font partie du groupe de placement sont sélectionnées sur la base de leur capacité à trouver rapidement des souscripteurs pour les titres; elles n'assument aucune portion de la prise ferme et elles sont rémunérées sur une base de commission. En ce sens, elles ne prennent pas de risque à proprement parler puisqu'elles n'ont qu'un engagement moral à vendre un certain montant de l'émission. Cependant, une institution ne peut espérer se faire un nom dans le marché et être appelée à participer aux placements d'autres émissions si elle ne démontre pas sa capacité effective à vendre les obligations. Les membres du groupe de direction et les preneurs fermes font partie du groupe de placement.

Rarement la part de l'émission reçue par un membre du groupe de placement dépasse 0,5 % du montant global.

11.3.6 La rémunération des membres du syndicat

La rémunération des différents participants se fait sous la forme de commissions. Pour l'émetteur, il faut donc prévoir trois commissions:

- la commission de direction (*management fee*);
- la commission de garantie (*underwriting fee*);

---

13. Comme dans le cas des eurocrédits syndiqués, une émission sur le marché obligataire donne lieu à la publication dans la presse spécialisée d'un «tombstone».

- la commission de placement (*selling concession*).

On notera que la commission de direction n'est pas divisée au prorata entre les membres du groupe de direction, puisque, comme pour les eurocrédits, le chef de file garde un *praecipium*.

11.4 Le mode de placement traditionnel sur le marché des euro-obligations

11.4.1 Un mode de placement spécifique

Le marché euro-obligataire s'étant développé dans un cadre déréglementé, il avait la possibilité de mettre en place un mode de syndication et de placement qui lui soit propre. Et c'est ce qui s'est effectivement produit. Ce mode de placement, dit mode de placement traditionnel[14], a été celui le plus utilisé sur le marché euro jusqu'au milieu des années 1980, période où de nouvelles procédures et configurations sont apparues, assez proches de la pratique new yorkaise.

Ce mode de placement est celui qui s'est révélé le mieux adapté à la réalité des années 1970 et du début des années 1980. Les émetteurs devaient, en effet, faire face à une double contrainte: d'une part, la dispersion géographique des souscripteurs potentiels, puisque la grande majorité des titres devait être placée à l'extérieur du pays d'émission et, d'autre part, l'importance, à l'époque, de la clientèle de détail. Le groupe de direction devait donc nécessairement mettre en place un groupe de placement assez vaste et devait pouvoir compter sur sa capacité de placer les titres.

C'est ainsi que la structure traditionnelle comporte toujours un groupe de placement et qu'il est caractérisé par l'existence d'une période de préplacement qui permet au groupe de direction de se faire une idée sur la façon dont l'émission sera reçue par les investisseurs et par les maisons de courtage travaillant au détail.

11.4.2 Déroulement d'une émission selon le mode traditionnel

Une émission sur le mode traditionnel se déroule en six étapes.

1re étape: Les négociations préliminaires et la préparation

2e étape: Le préplacement

3c étape: La fixation des conditions finales

4e étape: La répartition des titres

5e étape: Le placement proprement dit

6e étape: La clôture de l'émission

On présentera ces étapes tour à tour.

---

14. Certains préfèrent parler de mode européen.

1re étape: Les négociations préliminaires et la préparation

Les émetteurs potentiels sur le marché international sont habituellement en contact avec des maisons de courtage ou des banques qui se chargent de leurs émissions. S'il existe une forte fidélité dans le choix des chefs de file pour les émetteurs réguliers, il se fait néanmoins une concurrence très vive entre les chefs de file potentiels pour détenir les mandats. Ainsi les maisons de courtage et les banques sont en contact régulier et fréquent avec les emprunteurs ce qui leur permet d'apprécier leurs besoins. Par ailleurs, pour les nouvelles signatures sur le marché, il se fait un démarchage intense, tant et si bien que l'initiative d'une émission, dans ces cas-là, appartient souvent aux intermédiaires.

Un projet de financement international commence par une période de négociation et de préparation avec un chef de file ou plusieurs chefs de file potentiels. L'institution financière qui espère obtenir le mandat met au point les détails de la facilité. Elle doit tout d'abord s'assurer que l'émetteur potentiel a accès au marché. Pour ceux qui sont déjà évalués par Standard and Poor's ou Moody's, la procédure est simple: les émetteurs ayant une cote inférieure à BBB ne sont pas des émetteurs acceptables sur le marché euro-obligataire. Pour les autres, le nom, la taille de l'entreprise et sa fréquence d'appel au marché domestique permettent d'évaluer les chances de succès d'une opération sur le marché euro.

Dans les cas de risque souverain, le chef de file effectue une analyse détaillée de la situation socio-économique de l'État émetteur et évalue la réponse potentielle du marché à l'émission de nouveau papier. Une fois cette analyse préliminaire effectuée, les représentants de l'institution financière rencontrent ceux de l'émetteur et discutent de la stratégie de financement. C'est ici qu'intervient le choix de la devise dans laquelle sera libellé l'emprunt. C'est une décision stratégique majeure.

Ce n'est qu'à cette étape que la banque (ou la maison de courtage) propose à l'émetteur (par écrit) différentes formules de financement sur les principaux segments du marché euro ou des marchés étrangers. Les quatre variables principales étant: le montant de l'émission, la durée de l'emprunt, le taux de coupon et le prix d'émission. Ces propositions valables pour une courte durée reflètent l'état du marché.

Cette phase se termine lorsque l'emprunteur, comme dans le cas des eurocrédits, confie le mandat de monter l'émission à la banque ou à la maison de courtage qui sera le chef de file. Commence alors la deuxième étape.

2e étape: Le préplacement

Une fois le mandat obtenu, le chef de file va rechercher des partenaires.

a)   Lancement (*Announcement Day*)

La formation des syndicats se fait par le biais d'invitations envoyées par télex. Le choix des institutions contactées et les conditions proposées sont essentiellement fonction de la capacité de chacune à placer les titres sur certains segments du marché. Le pouvoir de placement et des considérations d'équilibre géographique joueront donc un rôle crucial.

Les télex, qui sont confirmés par les lettres d'invitation, contiennent les caractéristiques générales de l'émission (termes et conditions). Pour les institutions ayant été approchées pour faire partie du groupe de garanties, des précisions sont données sur le montant à garantir et sur les conditions minimales pour faire partie du *special bracket*. Ces aspects de la garantie sont bien sûr absents des télex envoyés aux maisons appelées à constituer le groupe de placement. En revanche, on leur précise la partie de l'émission qui leur est impartie et les conditions qui leur sont offertes.

Le jour du lancement, le chef de file fait parvenir un prospectus provisoire dans lequel sont décrits plus en détail les conditions de l'emprunt, les commissions, le cadre juridique et où sont données des informations détaillées sur l'emprunteur (et son garant le cas échéant). Ce prospectus est préparé conjointement par l'émetteur et le chef de file.

Parallèlement et afin d'accélérer les étapes ultérieures, le chef de file fait parvenir un projet des différents protocoles d'accord qui régiront les rapports entre l'émetteur et le groupe de garantie (c'est le *contrat de prise ferme*, ou *convention de souscription*, ou *underwriting agreement*), entre les garants (le *protocole d'accord entre les garants* ou *agreement among underwriters*), et entre le groupe de direction et le groupe de placement (la *convention de placement* ou *selling group agreement*).

b)   Période de préplacement

Cette étape, d'une durée de deux semaines environ, est cruciale car les résultats obtenus au cours de celle-ci vont fortement influencer la détermination des conditions finales de l'émission. Durant cette période, les institutions invitées sondent le marché pour tenter de déterminer la réceptivité des investisseurs (institutionnels et particuliers) face à l'émission proposée. Elles tentent d'évaluer la demande potentielle pour en faire part ensuite au chef de file. Disposant de ces informations, le chef de file pourra modifier certaines conditions rattachées à l'offre de titres. Au fur et à mesure que les réponses à ses télex lui parviennent, il est mieux en mesure de se faire une idée globale de la valeur de l'émission, chacune des institutions lui faisant alors part du nombre de titres qu'elle désire se voir octroyer.

3e étape: La fixation des conditions finales (*Pricing Day*)

Cette étape-ci et la suivante durent chacune une journée et constituent le point tournant d'une émission.

Le jour du *pricing day*, le chef de file, conjointement avec les autres membres du groupe de direction, compare les conditions de l'émission à celles prévalant sur le marché à ce moment-là et en établit les conditions finales[15]. Celles-ci peuvent très bien demeurer les mêmes que celles établies lors du lancement, mais peuvent également être modifiées pour mieux répondre aux conditions effectives du marché qui ont pu évoluer depuis la période de lancement. Les modifications apportées à la proposition initiale peuvent porter sur les variables suivantes:

- **Montant de l'émission:** Si la réceptivité des investisseurs durant la période de préplacement a été particulièrement favorable et s'il devient évident qu'il serait possible de placer un montant supérieur à celui initialement prévu, le chef de file peut proposer à l'émetteur d'accroître la taille de l'émission. Le cas inverse est peu fréquent;

- **Taux:** L'instabilité qu'ont connue les taux d'intérêt au cours des dernières années fait que le chef de file doit, à l'occasion, ajuster à la hausse le taux du coupon pour répondre aux nouvelles exigences du marché. Encore ici, la mesure contraire est plutôt rare;

- **Prix:** C'est la variable sur laquelle il est le plus facile d'agir. Le prix d'émission pourra être légèrement supérieur ou inférieur au pair pour assurer un rendement équivalent à celui que le marché réclame.

Une fois déterminé le niveau de toutes les variables clés de l'émission, l'*underwriting agreement*, dont il a été précédemment fait mention, est signé par l'émetteur et le syndicat de garantie, ce qui a pour effet d'officialiser la formation de ce dernier.

4e étape: La répartition des titres entre membres du groupe de placement (*Offering Day*)

C'est nécessairement le lendemain du *pricing day*. Le chef de file procède alors à la répartition des titres entre les différentes institutions ayant répondu par l'affirmative à son invitation. Les firmes participantes en sont informées par voie de télex où l'on précise le nombre de titres qui est alloué; cette offre est non négociable: souvent leur demande initiale est considérablement réduite.

---

15. Pour ce faire, le chef de file se base sur les demandes spécifiques formulées par chacune des institutions ayant répondu à l'invitation. Cependant, les règles du jeu de ce marché font que certaines d'entre elles ont tendance à gonfler leurs demandes, au-delà de leur capacité de placement; il doit donc se prémunir contre ces excès d'optimisme et faire une évaluation de la façon dont sera reçue l'émission.

Par ailleurs, chacune d'elles reçoit le prospectus définitif, une liste complète des *underwriters* ainsi qu'un projet de *tombstone*.

5e étape: Le placement proprement dit

Le groupe de placement procède ensuite, au cours des deux semaines suivantes, au placement proprement dit des titres auprès des investisseurs finaux. Pendant ce temps, le chef de file veille à soutenir le titre qui se transige maintenant sur le marché secondaire, afin d'éviter des fluctuations trop fortes ou la chute du prix si un *underwriter* décide de se départir massivement de ses titres invendus.

6e étape: La clôture de l'émission

L'émetteur reçoit le produit net de l'émission, c'est-à-dire le montant de l'émission moins les commissions au syndicat. Les titres définitifs sont émis et transférés aux investisseurs. C'est alors que le *tombstone* est publié dans les médias appropriés.

11.4.3 Problèmes associés au mode de distribution traditionnel

Le fonctionnement qui vient d'être décrit a présidé à la plupart des euro-émissions jusqu'au milieu des années 1980. Cependant, à l'usage, il est apparu que cette structure présentait des faiblesses.

a)   La longueur de la période de préplacement

La procédure traditionnelle a été conçue pour un environnement relativement stable. Or, le marché obligataire international est soumis à des fluctuations brusques et violentes. Ainsi les conditions peuvent être bouleversées entre le jour de l'annonce et le jour où sont fixées les conditions définitives (*pricing day*). Certes les conditions finales vont refléter ces changements, mais le chef de file ne peut, dans certains cas, complètement annuler les impressions défavorables ayant circulé dans le marché sur le prix des titres.

D'autre part, la longueur de cette période de préplacement prolonge la période d'incertitude pour l'emprunteur quant aux conditions effectives de l'émission.

b)   Le potentiel de tension entre les membres du syndicat

La rémunération des membres des différents syndicats se fait à l'aide de commissions. Or, un certain nombre de pratiques encouragées par la procédure de distribution traditionnelle vient réduire indirectement ces commissions.

D'une part, pour gagner le mandat auprès de l'emprunteur, certains chefs de file ont tendance à surévaluer le prix d'une émission. En conséquence, les titres ne peuvent être écoulés qu'à un prix inférieur à celui attendu, la différence étant à la charge du syndicat.

L'emprunteur en tire profit, mais cela réduit sensiblement la rentabilité de l'opération pour tous les intermédiaires. Le chef de file est bien sûr affecté, mais moins que les autres institutions du fait du praecipium.

D'autre part, l'appréciation de la capacité de placement effective des membres du groupe de placement est toujours difficile. Or, certaines institutions désireuses de se faire connaître dans le marché gonflent leur demande de titres au-delà de leur capacité effective. Immédiatement après la répartition des titres, durant la période de placement proprement dite, ces institutions auront tendance à se débarrasser de leurs surplus sur le marché secondaire faisant ainsi pression sur le cours.

Cette pratique extrêmement dommageable est encouragée par l'incertitude des membres du groupe de placement, quant au volume qui leur sera effectivement alloué. Aussi peuvent-ils avoir tendance à gonfler leur demande dans le seul but de disposer de suffisamment de titres pour satisfaire leurs clients.

L'analyse attentive des réponses aux télex d'invitation et la précision dans la détermination des conditions finales pour refléter fidèlement la situation du marché peuvent réduire ce genre de difficulté.

Théoriquement, ce type de problèmes ne peut venir des membres du groupe de direction puisque traditionnellement ils pensent en termes de coût de stabilisation du cours durant la période de placement; ces coûts diminuent d'autant la commission de direction. En fait, cette activité désordonnée sur le marché secondaire est possible parce que les titres émis sont au porteur; il est, en effet, très difficile de retracer les institutions qui se débarrassent durant cette phase d'une partie importante du volume qui leur avait été alloué. Elles gardent ainsi intacte leur réputation.

c)   Le marché gris

Les faiblesses du mode de distribution traditionnel ont été mises en évidence par l'émergence du marché gris (*grey market*). Il s'agit d'un prémarché animé par quelques maisons spécialisées durant la période de préplacement. Comme on l'a vu cette période dure environ deux semaines. Certaines institutions ont pensé profiter de ce laps de temps pour prendre des positions, de gré à gré, sur les titres à être distribués. Si le prix envisagé par le chef de file est trop élevé ou le coupon trop faible, ces institutions vont vendre à découvert les obligations avec un escompte. Ceci ne facilite pas, bien sûr, le placement des titres dans la mesure où les investisseurs savent que les titres qu'ils vont acheter se transigent déjà à la baisse. Cette pratique a engendré beaucoup de tension à l'intérieur des syndicats: le syndicat de placement, d'un côté, se trouve lésé par cette pratique rendue possible par l'erreur d'appréciation du chef de file des conditions du marché. Le syndicat de direction, en cas d'escompte, doit soutenir l'émission au détriment de ses commissions.

Les chefs de file ne purent, à vrai dire, éliminer le marché gris. D'ailleurs bien des commentateurs du marché font remarquer qu'il joue un certain rôle régulateur en rendant beaucoup plus compliquée, pour les chefs de file, la tentation d'offrir aux émetteurs des conditions irréalistes dans le seul but d'obtenir le mandat.

11.5 Les nouveaux modes de distribution

Les difficultés du mode traditionnel de distribution résultent en bonne partie de la longueur du processus et de l'impossibilité pour le chef de file d'imposer une stricte discipline au sein du groupe de placement. De nouveaux modes de distribution se sont efforcés de pallier ces difficultés ·

11.5.1 Segmentation sur une base géographique

Face aux problèmes du mode de placement traditionnel, on a assisté, dans un premier temps, à des tentatives visant à segmenter le syndicat sur une base spatiale. Chaque zone géographique a, à sa tête, une institution qui joue le rôle de co-chef de file, avec l'exclusivité de répartition dans son secteur, ce qui permet de mieux apprécier et contrôler les différentes maisons participant au placement final.

Cette innovation ne réglait qu'une faible partie des problèmes.

11.5.2 L'instauration du *bought deal*

Beaucoup plus significative a été la généralisation du *bought deal*.

Dans ce mode d'émission, le chef de file (ou un groupe de direction), après avoir obtenu le mandat, s'entend avec l'émetteur sur les termes généraux; ensemble, ils envisagent des dates de lancement éventuelles, en fonction de l'évolution des marchés.

Dès que les conditions paraissent favorables, le chef de file (au nom de son groupe de direction) fait une proposition ferme pour l'ensemble de l'emprunt à l'émetteur. Celui-ci ne dispose que de quelques heures pour accepter ou refuser les conditions proposées. Si les conditions conviennent à l'emprunteur, l'émission est lancée. La banque chef de file (ou le groupe de direction) achète l'ensemble de l'émission. Ceci n'empêche pas, bien sûr, qu'une partie ait été préplacée auprès d'investisseurs institutionnels. Mais l'émetteur n'a pas à subir l'attente qui était imposée par le préplacement pour connaître le prix auquel ses titres seront vendus; il peut donc savoir exactement quel sera le montant net qui lui reviendra.

Cette technique a pu se généraliser parce que certains des paramètres du marché obligataire international ont évolué au cours des années 1980.

- La restructuration généralisée de l'industrie des services financiers à partir de 1985[16] a eu comme conséquence d'accroître la capitalisation de beaucoup de maisons de courtage qui purent ainsi plus facilement assumer le risque de la prise ferme. La voie dans cette direction avait été indiquée par les grands courtiers japonais (Nomura, Nikko, Daiwa et Yamachi) historiquement beaucoup mieux capitalisés que leurs contreparties occidentales.

- La diminution de la place relative des particuliers en tant que souscripteurs a eu comme conséquence que les membres des syndicats d'émission ont pu plus facilement concentrer leurs efforts de placement sur les investisseurs institutionnels, avec lesquels ils sont en relation sur une base régulière.

- Enfin, le développement considérable du marché secondaire des titres euro-obligataires a augmenté l'information à la disposition instantanée des intermédiaires sur l'état du marché et sur les prix pratiqués pour des titres semblables à ceux que l'on pense placer sur le marché primaire.

11.5.3 La technique du *fixed price re-offering*

Si la techique du *bought deal* a raccourci le processus, elle ne permettait pas de régler le problème de la réduction indirecte des commissions.

Pour limiter la tension potentielle entre les membres du syndicat, on a vu sur les euromarchés apparaître la technique dite du *fixed price re-offering*. Elle fut introduite la première fois en août 1989 par Morgan Stanley lors d'une émission pour le compte de la Nouvelle-Zélande. C'était en fait appliquer à l'euromarché le mode de distribution en vigueur à New York sur le *Yankee Bond Market*.

La particularité de ce mode de placement, c'est que tous les participants s'engagent à n'accorder aucune concession de prix aux investisseurs tant et aussi longtemps que le syndicat d'émission n'est pas dissous.

Dans un premier temps (1989-1991), cette technique a obtenu les résultats qu'on attendait d'elle; le placement des titres s'est fait de façon ordonnée et contrôlée et ce, d'autant plus que, dans un premier temps, seules les plus grosses maisons ont pu imposer cette nouvelle forme de distribution.

Cependant, ce nouveau mode n'a pas résolu tous les problèmes et, dès le milieu de l'année 1992, on pouvait sentir de nouvelles frictions à l'intérieur des syndicats de placement et ce, pour quatre raisons principalement:

---

16. Cf. chapitre 6.

- tout d'abord, la belle discipline des premières années a été de plus en plus difficile à faire respecter dès que la concurrence pour les parts de marché est redevenue très forte.
- deuxièmement, lorsque ce mode de placement est devenu standard, on s'est aperçu que certaines banques n'avaient pas le pouvoir suffisant pour faire respecter la fixation de prix, soit qu'elles n'avaient pas les moyens d'exercer le contrôle, soit que leurs menaces de représailles n'étaient pas crédibles.
- troisièmement, cette forme de distribution modifia le comportement de certains investisseurs qui eurent tendance à attendre la dissolution du syndicat pour se procurer des titres, espérant obtenir sur le marché secondaire de meilleurs prix que lors de la distribution primaire.
- enfin, il fut impossible d'empêcher sur le marché euro un certain nombre de pratiques interdites par réglementation sur le *Yankee Bond Market*. C'est ainsi que malgré les protestations des chefs de file, on constata de nombreux cas d'*over-trading*. Un courtier pratique l'*over-trading*, lorsqu'il accepte de racheter à un investisseur des titres en circulation au-dessus du prix courant en échange de l'acquisition d'obligations nouvellement émises.

11.5.4 Les émissions mondiales ou globales

Le début des années 1990 fut, par ailleurs, témoin d'une nouvelle initiative des très grandes banques et des plus grands courtiers: les émissions globales. Dans ce type d'émission, un emprunteur émet des obligations simultanément sur plusieurs segments du marché. Pratiquement, cela veut dire qu'une émission en dollars est lancée conjointement sur l'euromarché à Londres, sur le *Yankee Bond Market* à New York et sur le marché asiatique. Ces émissions sont alors de très grande taille: elles dépassent systématiquement le milliard de dollars. Cette procédure est donc réservée aux emprunteurs les plus importants et dont les signatures sont connues dans le marché; elle requiert une très grande maîtrise technique de la part du chef de file ainsi qu'un grand synchronisme du placement. La documentation juridique est aussi beaucoup plus volumineuse que dans le cas d'une émission plus traditionnelle; elle a néanmoins eu tendance à se standardiser d'une émission globale à la suivante.

Les avantages de ce type d'émissions sont multiples: pour les émetteurs ayant des programmes de financement ou de refinancement importants une émission globale permet de placer un grand volume de titres en une seule opération, tout en réduisant le temps de préparation. Les investisseurs vont être attirés par les titres émis de cette façon, car ils vont bénéficier d'une liquidité supérieure à celle des euro-obligations traditionnelles. Enfin, les plus grandes maisons trouvent dans ces opérations l'occasion de démontrer leur capacité de placement et leur expertise à lire correctement les conditions du marché. Ce dernier point est en effet crucial, car le risque des preneurs fermes est sensiblement plus élevé que dans une émission traditionnelle; les possibilités d'événements extérieurs imprévisibles venant perturber le placement des titres augmentent avec la multiplicité des marchés abordés.

Une partie du succès de cette nouvelle procédure s'explique par la réglementation américaine à l'égard des euro-obligations. En effet, les investisseurs américains ne peuvent acheter des euro-obligations émises en dollars que 40 jours après leur émission[17]. En proposant simultanément des titres sur le marché américain et sur le marché euro, cette réglementation peut facilement être légalement contournée.

On remarquera, par ailleurs, que cette nouvelle procédure a reçu un large appui des grandes banques américaines qui en ont fait la promotion auprès des signatures les plus importantes du marché international. En effet, leur avantage sur la place de New York est tel qu'en recommandant cette technique, elles rendent leur présence indispensable dans les groupes de direction des émissions globales.

---

17. Certains émetteurs ne sont pas soumis à cette réglementation, en particulier les organismes supranationaux.

Annexe 11.A

L'agent financier et le fiduciaire

Lors d'une émission obligataire internationale, le chef de file choisit, en accord avec l'émetteur, un agent financier (*principal paying agent*) et un fiduciaire (*trustee*).

L'agent financier (ou agent payeur principal)

Le rôle de l'agent financier est d'assurer la gestion financière de l'emprunt, c'est-à-dire d'effectuer les paiements d'intérêt et tous les versements rendus nécessaires suite à un rachat, à une annulation ou à toute autre opération requérant des versements monétaires. Très souvent, l'agent financier est le chef de file. Il s'adjoint le plus souvent toute une série d'agents payeurs, dont le choix est notamment déterminé par des considérations géographiques. L'agent financier et la liste des agents payeurs sont énumérés dans le prospectus définitif mis à la disposition des investisseurs. Les obligations de l'agent payeur principal et les conditions de sa rémunération sont régies par le contrat d'agent financier.

Le fiduciaire

Le chef de file choisit par ailleurs un fiduciaire. Ce n'est pas une institution financière faisant partie du syndicat, c'est généralement une firme d'avocats qui veille à la bonne marche de l'émission, s'assurant du paiement des intérêts et vérifiant l'amortissement du titre. En plus de maintenir le registre des titres en circulation, il est en quelque sorte le représentant des obligataires. Il peut agir en son nom propre ou comme mandataire de ceux-ci. Dans le contrat définissant son rôle (le contrat de fiducie), on prévoit souvent que les obligataires ne peuvent exercer des droits découlant de l'emprunt, à moins d'y avoir été autorisés par écrit par le fiduciaire.

Annexe 11.B

Les commissions et les frais d'émission

Historiquement, les commissions ont toujours été plus élevées pour les euro-obligations que pour les émissions sur les marchés étrangers, essentiellement à cause de la commission de placement. Ceci s'explique parce que, à l'origine, le marché euro était un marché de détail, ce qui nécessitait plus de travail pour le placement[18].

Le montant des commissions est resté relativement stable jusqu'aux alentours de 1982. Elles variaient bien sûr d'un segment du marché à l'autre et en fonction de la maturité des titres émis. Les montants suivants s'appliquaient pour une émission standard jusqu'en 1982.

Commissions (en pourcentage)

	Échéance		
	5 ans	7 ans	10 ans et plus
Commission de direction	0,375	0,375	0,500
Commission de garantie	0,375	0,375	0,500
Commission de placement	1,250	1,500	1,500
Total	2,000	2,250	2,500

Depuis 1982, sous la pression de la concurrence et parce qu'en élargissant sa clientèle, le marché euro-obligataire a perdu un certain caractère exclusif, les commissions payées par l'émetteur ont sensiblement diminué. Ce réalignement a surtout affecté les commissions de placement, reflétant le passage d'un marché de détail à un marché où les investisseurs institutionnels jouent un rôle de plus en plus important.

Ainsi en 1985, la structure des commissions pour une émission de 100 millions de dollars pour 7 ans avait plutôt l'allure suivante:

- commission de direction   0,375 %
- commission de garantie   0,375 %
- commission de placement   1,250 %
   Total   2,000 %

---

18. On notera que c'est pratique courante pour les membres du syndicat de placement de rétrocéder des titres à des intermédiaires et de leur abandonner une partie de la commission.

Dans des modes de distribution plus récents, ces commissions ont encore sensiblement diminué, rapprochant ainsi les marchés euro et les marchés étrangers ou domestiques. Ainsi, au début des années 1990, pour une émission de 100 millions à 7 ans, il fallait compter un total de commissions de 1 $7/8$ %.

Avec la structure traditionnelle, la répartition se faisait de la façon suivante :

• commission de direction	0,375 %
• commission de garantie	0,375 %
• commission de placement	1,125 %
Total	1,875 %

Dans un *bought deal*, les commissions totales payées au groupe de direction étaient à peu près du même ordre de grandeur (1 $7/8$ %). De ce montant, le chef de file gardait un praecipium d'environ $1/8$ %, le reste étant divisé entre le chef de file et les co-chefs de file au prorata du montant souscrit.

Par ailleurs, l'émission de titres sur le marché international entraîne des frais qui sont assumés en grande partie par l'émetteur.

Le tableau suivant donne une idée des frais associés à l'émission de 100 millions de dollars.

Frais supportés par le syndicat

• Téléphone et télex	15 000
• Postes, photocopies, impressions	5 000
• Voyages	15 000
• Frais de signature	5 000
• Publicité	30 000
• Avis légal	50 000
• Frais de stabilisation	25 000
• Dépenses des co-chefs de file	5 000
• Divers	10 000
Total	160 000 $

Frais supportés par l'émetteur

• Frais remboursés au syndicat	150 000
• Impression (circulaires et contrats)	50 000
• Impression (obligations)	50 000
• Inscription (Luxembourg)	10 300
(Londres)	13 400
• Expédition et livraison des titres	20 000
• Assurances	2 000
• Frais juridiques	Variable
• Frais de comptabilité	Variable
• Voyage	Variable

À ces frais, il faut ajouter la rémunération annuelle de l'agent financier (10 000 $ à 20 000 $) et les frais engendrés par le remboursement de l'emprunt (10 000 $).

Annexe 11.C

Quelques *tombstones* d'émissions internationales

Kyushu Electric Power Company, Incorporated

(Incorporated with limited liability in Japan)

U.S.$350,000,000
$6^{3}/_{8}$ per cent. Bonds due 2003

Issue Price 99.54 per cent.

IBJ International plc	Goldman Sachs International Limited
Merrill Lynch International Limited	Morgan Stanley International
Swiss Bank Corporation	UBS Limited

Yamaichi International (Europe) Limited

Credit Suisse First Boston Limited	Daiwa Europe Limited
Deutsche Bank AG London	DKB International
Dresdner Bank Aktiengesellschaft	Kidder, Peabody International Limited
LTCB International Limited	J.P. Morgan Securities Ltd.
Nikko Europe Plc	Nomura International
Paribas Capital Markets	Sumitomo Finance International plc

S.G. Warburg Securities

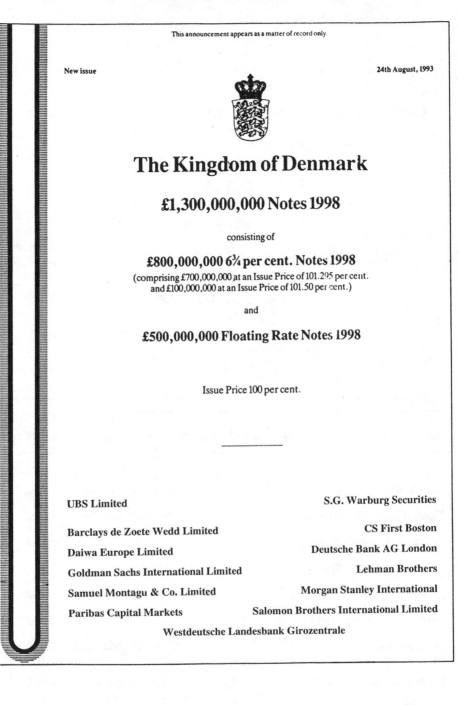

This announcement appears as a matter of record only.

New issue   24th August, 1993

The Kingdom of Denmark

£1,300,000,000 Notes 1998

consisting of

£800,000,000 6¾ per cent. Notes 1998

(comprising £700,000,000 at an Issue Price of 101.295 per cent.
and £100,000,000 at an Issue Price of 101.50 per cent.)

and

£500,000,000 Floating Rate Notes 1998

Issue Price 100 per cent.

UBS Limited   **S.G. Warburg Securities**

Barclays de Zoete Wedd Limited   **CS First Boston**

Daiwa Europe Limited   **Deutsche Bank AG London**

Goldman Sachs International Limited   **Lehman Brothers**

Samuel Montagu & Co. Limited   **Morgan Stanley International**

Paribas Capital Markets   **Salomon Brothers International Limited**

Westdeutsche Landesbank Girozentrale

New Issue
April 6, 1993

These securities having been sold, this
announcement appears as a matter of record only.

VEBA INTERNATIONAL FINANCE B.V.
Amsterdam, The Netherlands

US-$ 300,000,000
6% Bonds of 1993/2000

with Warrants attached to subscribe for common shares of

VEBA Aktiengesellschaft

the Bonds are unconditionally and irrevocably guaranteed by

VEBA Aktiengesellschaft
Düsseldorf and Berlin, Federal Republic of Germany

Deutsche Bank AG London	**Morgan Stanley** International	**Dresdner Bank** Aktiengesellschaft	**Crédit Suisse** First Boston Limited

Commerzbank Aktiengesellschaft	**DG BANK** Deutsche Genossenschaftsbank	**Goldman Sachs International** Limited
Kleinwort Benson Limited	**Swiss Bank Corporation**	**UBS Phillips & Drew** Securities Limited
	WESTDEUTSCHE LANDESBANK GIROZENTRALE	

DM 200,000,000

The Kingdom of Belgium

Zero Coupon Bonds 1986/1996

CSFB-Effectenbank AG	Daiwa Europe (Deutschland) GmbH
Deutsche Bank Aktiengesellschaft	Paribas Bank België N.V./ Banque Paribas Belgique S.A.
Banque Nationale de Paris	Bayerische Vereinsbank Aktiengesellschaft
DSL Bank Deutsche Siedlungs- und Landesrentenbank	Dresdner Bank Aktiengesellschaft
EBC Amro Bank Limited	Mitsubishi Finance International Limited
Morgan Stanley International	Shearson Lehman Brothers International
Swiss Bank Corporation International Limited	Union Bank of Switzerland (Securities) Limited

Westdeutsche Landesbank Girozentrale

<u>NEW ISSUE</u>

20th September, 1985

Republic of Austria

8 per cent Dual Currency
Yen/U.S. Dollar Bonds Due 1995

Issue Price: 102 per cent.

Issue Amount:	¥25,000,000,000
Redemption Amount:	U.S. $119,700,000

Nomura International Limited

Mitsui Trust Bank (Europe) S.A.

Morgan Guaranty Ltd

Commerzbank Aktiengesellschaft

Creditanstalt-Bankverein

Crédit Lyonnais

Daiwa Europe Limited

Genossenschaftliche Zentralbank A.G. Vienna

Girozentrale und Bank der österreichischen Sparkassen Aktiengesellschaft

Merrill Lynch Capital Markets

Mitsubishi Trust & Banking Corporation (Europe) S.A.

Mitsui Finance International Limited

Morgan Stanley International

The Nikko Securities Co., (Europe) Ltd.

Österreichische Länderbank Aktiengesellschaft

Salomon Brothers International Limited

Shearson Lehman Brothers International

Toyo Trust International Limited

Union Bank of Switzerland (Securities) Limited

S. G. Warburg & Co. Ltd.

Yamaichi International (Europe) Limited

ANZ BANK

Australia and New Zealand Banking Group Limited

Incorporated with limited liability in the State of Victoria

U.S.$300,000,000

Perpetual Capital Floating Rate Notes

MORGAN GUARANTY LTD

ANZ MERCHANT BANK LIMITED

BANKERS TRUST INTERNATIONAL LIMITED
COMMERZBANK AKTIENGESELLSCHAFT
MERRILL LYNCH CAPITAL MARKETS
ORION ROYAL BANK LIMITED

BANQUE PARIBAS CAPITAL MARKETS LIMITED
CREDIT SUISSE FIRST BOSTON LIMITED
MORGAN STANLEY INTERNATIONAL
S.G. WARBURG SECURITIES

BANK OF TOYKO INTERNATIONAL LIMITED
BANQUE BRUXELLES LAMBERT S.A.
BARING BROTHERS & CO., LIMITED
CIBC LIMITED
COUNTY NATWEST CAPITAL MARKETS LIMITED
DAIWA EUROPE LIMITED
DKB INTERNATIONAL LIMITED
EBC AMRO BANK LIMITED
KIDDER, PEABODY INTERNATIONAL LIMITED
LLOYDS MERCHANT BANK LIMITED
MITSUBISHI FINANCE INTERNATIONAL LIMITED
MITSUI FINANCE INTERNATIONAL LIMITED
NOMURA INTERNATIONAL LIMITED
SALOMON BROTHERS INTERNATIONAL LIMITED
SUMITOMO TRUST INTERNATIONAL LIMITED
TAKUGIN INTERNATIONAL BANK (EUROPE) S.A.
WESTDEUTSCHE LANDESBANK GIROZENTRALE

BANK OF YOKOHAMA (EUROPE) S.A.
BANQUE NATIONALE DE PARIS
CHASE INVESTMENT BANK
CITICORP INVESTMENT BANK LIMITED
CRÉDIT COMMERCIAL DE FRANCE
DEUTSCHE BANK CAPITAL MARKETS LIMITED
DRESDNER BANK AKTIENGESELLSCHAFT
IBJ INTERNATIONAL LIMITED
KYOWA BANK NEDERLAND N.V.
MANUFACTURERS HANOVER LIMITED
MITSUBISHI TRUST INTERNATIONAL LIMITED
MORGAN GRENFELL & CO. LIMITED
PRUDENTIAL-BACHE SECURITIES INTERNATIONAL
SHEARSON LEHMAN BROTHERS INTERNATIONAL
SWISS BANK CORPORATION INTERNATIONAL LIMITED
UNION BANK OF SWITZERLAND (SECURITIES) LIMITED
YAMAICHI INTERNATIONAL (EUROPE) LIMITED

YASUDA TRUST EUROPE LIMITED

30th October, 1986

All of these securities have been sold. This announcement appears as a matter of record only.

RÉFÉRENCES BIBLIOGRAPHIQUES

Livres:

- DE LA BRUSLERIE, H., *Gestion obligatoire internationale* (Tomes 1 et 2), Economica, 1990.
- DOSOO, G., *The Eurobond Market*, Woodhead-Faulkner, 1992.
- DOWE, M., *Eurobonds*, Square Mile Books, Dow Jones Irwin, 1988.
- FABOZZI, F. J., *Bonds Markets, Analysis and Strategies*, Prentice Hall, 2e édition, 1993.
- MERCIER, G. et RASSI, F., *Marché obligataire et taux d'intérêt*, Les Presses de l'Université Laval.
- SARVER, E., *The Eurocurrency Market Handbook*, New York, Institute of Finance, 2e édition, 1990.

Articles:

- BRADY, S., «Eurobond Markets Get Trigger-Happy», *Euromoney*, mars 1992.
- B.R.I., «The International and Domestic Bond Markets», mai 1991.
- CHESLER-MARSH, C., «The Global Conundrum», *Euromoney*, janvier 1992.
- DYER, G., «Global Bonds Aim to Broaden their Scope», *Euromoney*, juin 1993.
- *Euromoney*, «Happy Days are Here Again», mai 1991.
- FITZMAURICE, G., «The Expenses at Issue, *Corporate Finance*, février 1988.
- KERTUDO, J. M., «L'année charnière», *La Revue Banque*, mai 1991.
- LEWISS, J., «Can the Big Players Save the Game?», *Euromoney*, octobre 1989.
- SOLNIK, B., «Risque de taux d'une obligation à taux variable», *La Revue Banque*, juillet-août 1988.

Chapitre 12
Le marché des obligations internationales

Le chapitre 11 a présenté les principaux instruments utilisés sur le marché obligataire, précisé les procédures d'émission et étudié le rôle des intermédiaires (maisons de courtage, banques, etc.). Dans ce chapitre, on s'intéressera à la taille du marché, à son évolution et à ses principales caractéristiques. On verra ensuite d'où émane la demande de fonds ; on parlera enfin des investisseurs et des intermédiaires avant de présenter les grands traits de l'organisation du marché secondaire.

12.1   La taille du marché obligataire international[1]

La croissance du marché obligataire international a été tout simplement extraordinaire. En effet, en 1973 les emprunteurs avaient été capables d'émettre pour 8,7 milliards de dollars d'obligations sur tous les segments du marché. En 1986, la valeur des émissions a atteint 225,4 milliards de dollars. Notons bien, néanmoins, que cette croissance ne s'est pas faite de façon linéaire. On peut distinguer deux périodes: la première va de 1973 à 1981, la seconde commence en 1981.

12.1.1 Le marché de 1973 à 1981

Le marché obligataire international existait bien antérieurement à 1973, mais cette année est intéressante à retenir à un double titre: c'est à cette date que commence le flottement généralisé des monnaies et c'est aussi à cette époque que débute la crise de l'énergie dont on a déjà évoqué les conséquences sur les marchés internationaux des capitaux. Cette année-là, les montants drainés sur les marchés étrangers et sur le marché euro-obligataire sont pratiquement identiques et, grosso modo, cette répartition en parts à peu près égales se maintint jusqu'en 1980. Ainsi en huit années, le marché a pratiquement quintuplé, mais la plus grosse partie de la croissance a eu lieu durant les trois premières années. En effet, les marchés obligataires ont été largement affectés par deux phénomènes: tout d'abord, ils subirent les contrecoups des faillites de la Franklin National Bank et de la Herstatt. Certes l'impact fut moins important que sur le marché interbancaire, mais le volume des opérations diminua sensiblement en 1977 sur le segment des émissions étrangères et de façon beaucoup plus marquée en 1978 sur le segment euro (tableau 12.1). De plus, l'activité sur les marchés obligataires a été ralentie par l'inflation qui s'installa au niveau mondial et qui allait atteindre, dans beaucoup de pays, des niveaux jamais connus

---

1.   De nombreuses sources statistiques existent partout sur le marché obligataire international. Parmi celles-ci, trois semblent intéressantes à cause de la longueur des observations: ce sont les séries publiées par l'OCDE dans *Tendance des marchés des capitaux*, celles de la Morgan Guaranty Trust dans la publication *World Financial Market* et enfin celles de Salomon Brothers dans le bulletin mensuel *International Market Roundup*; les écarts existant dans les données de différentes sources sont en bonne partie attribuables au taux de change retenu pour effectuer la conversion en dollars des emprunts faits dans une autre devise que la monnaie américaine.

auparavant. Conséquence de cet état de fait, les taux d'intérêts réels devinrent négatifs. Les anticipations inflationnistes s'installèrent alors et il devint beaucoup plus difficile de placer, à long terme, des titres à taux fixes. Ainsi de 1976 à 1980, les émissions au niveau international n'ont augmenté que de cinq milliards de dollars. Cette performance contrastait singulièrement avec la croissance de l'activité sur le marché des eurocrédits.

12.1.2 Le marché depuis 1982

Conformément à ce qui a été dit au chapitre 6, on peut repérer deux sous-périodes sur le marché obligataire après 1982.

a)   Le marché de 1982 à 1987

Le développement de l'activité, qui avait été plus ou moins parallèle sur les marchés étrangers et le marché euro, va se faire à vitesse différente à partir de 1981. Cette année-là, la croissance fut de 51 % sur le marché euro et de seulement 15 % sur les marchés étrangers. En quelques années, le fossé allait se creuser entre ces deux compartiments de telle sorte que le volume d'activité en 1986 était trois fois et demie plus important sur le marché euro.

Plusieurs facteurs peuvent être évoqués pour expliquer cette accélération phénoménale de l'activité sur le marché obligataire entre 1981 et 1986:

Il y eut tout d'abord un changement radical qui s'opéra sur les taux d'intérêt nominaux: alors qu'ils n'avaient fait que croître pendant cinq ans, en 1982 ils rentrèrent dans une phase de désescalade. Pour certains demandeurs de fonds (en particulier les entreprises internationales et certains gouvernements et entreprises publiques), c'était le signe attendu pour revenir sur le marché

	Obligations étrangères	Euro-obligations	Total
Tableau 12.1			
Obligations internationales			
(en milliards de dollars)			
1973	4,5	4,2	8,7
1974	5,2	3,3	8,5
1975	11,2	8,7	19,9
1976	18,4	14,7	33,1
1977	16,2	18,7	34,9
1978	20,7	14,9	35,6
1979	20,3	18,6	38,9
1980	17,9	20,3	38,2
1981	20,5	31,2	51,7

Sources: OCDE et Salomon Brothers.

obligataire qu'ils avaient partiellement déserté au cours des trois ou quatre années précédentes.

Cette «explosion» du marché obligataire s'explique aussi par une augmentation de la demande de fonds liée à la reprise de la croissance économique qui avait été, en fait, médiocre depuis 1975. Or, le climat commence à changer vers 1983, d'abord aux États-Unis puis au Japon et en Europe et c'est le départ d'une longue période de prospérité.

Par ailleurs, du côté de l'offre de fonds, la situation elle aussi évoluait rapidement. Le ralentissement rapide de l'inflation et les succès de la politique monétaire de P. Volker changèrent le paysage familier des années 1970. Les taux d'intérêt réels qui avaient été longtemps négatifs rentraient dans une nouvelle phase et tout indiquait que cette tendance allait se maintenir[2]. La baisse des taux nominaux améliora les performances des détenteurs de portefeuilles ce qui leur permit de gonfler leurs participations aux marchés obligataires.

De plus, le marché euro-obligataire n'était plus réservé à quelques initiés. L'internationalisation des portefeuilles institutionnels et la prolifération de conseillers en placement internationaux allaient canaliser vers les marchés une partie de l'épargne mondiale. Ceci fut particulièrement marquant pour l'épargne japonaise.

b) Le marché depuis 1987

Les émissions internationales obligataires connurent un recul assez sensible en 1987, puisque le total des fonds levés à l'aide de ces instruments régressa d'environ 45 milliards de dollars. Ceci s'explique par le contexte conjoncturel de l'année 1987.

Tout d'abord au printemps de cette année, le marché secondaire réagit fortement à la remontée des taux d'intérêt. C'était, en fait, un brusque changement de direction. Plusieurs mainteneurs de marché à Londres durent même, temporairement, abandonner cette fonction. Mais c'est le marché obligataire international qui fut surtout indirectement victime des événements de l'automne à Wall Street. L'incertitude sur le marché des titres boursiers, suite à la baisse très importante du mois d'octobre, gagna l'ensemble des compartiments et il devint difficile au cours du dernier trimestre de placer de nouvelles émissions. Le marché euro-obligataire fut surtout affecté; les marchés étrangers réagirent mieux en bonne partie à cause de l'importance du compartiment en francs suisses qui fut perçu alors par les investisseurs comme un bon refuge.

Cette pause fut néanmoins de courte durée, car dès 1988 on retrouva les volumes de 1986.

---

2.   Cf. chapitre 6.

	Obligations étrangères	Euro obligations	Total
1982	25,1	50,2	75,3
1983	27,0	50,1	77,0
1984	27,2	82,5	110,3
1985	31,0	135,4	166,4
1986	38,4	187,0	225,4
1987	40,3	140,5	180,5
1988	48,3	178,8	227,1
1989	42,9	212,8	255,7
1990	49,8	180,1	229,9
1991	49,1	248,5	297,6
1992	57,6	276,1	333,7

Tableau 12.2
**Obligations internationales
1982-1992**
(en milliards de dollars)

Source: OCDE.

Le marché, qui était de 227 milliards de dollars en 1988, allait progresser par bonds successifs pour atteindre 333,7 milliards en 1992. La majeure partie de la croissance, durant cette sous-période, est venue du marché euro qui, en 1992, représentait, à lui seul, 82,7 % de toutes les émissions internationales.

12.2   Répartition des émissions internationales par monnaie

Ainsi que le montre le tableau 12.3, l'éventail de monnaies d'émission à la disposition des émetteurs s'est fortement élargi au cours des dix dernières années.

Le dollar reste la monnaie la plus utilisée au plan international (37,9 % de toutes les émissions en 1992), mais cette préséance n'est plus ce qu'elle était dix ans plus tôt (65,2 % en 1982).

Le yen, le deutsche mark, le franc suisse, la livre sterling, le franc français, l'écu et le dollar canadien sont les autres monnaies les plus utilisées. À ces secteurs, il faut ajouter le florin, le franc luxembourgeois, le dollar australien ainsi que, plus récemment, la lire italienne et la peseta espagnole comme monnaies de soutien potentielles pour des émissions internationales.

On reviendra au chapitre suivant sur les spécificités de ces différents marchés. On soulignera simplement ici, qu'en 10 ans, la part des émissions en francs suisses a beaucoup diminué ce qui s'explique en bonne partie par l'absence de marché obligataire en eurofrancs suisses[3].

---

3.   *Infra* tableau 13.1.

Tableau 12.3			
Répartition par monnaie **de l'ensemble des émissions d'obligations internationales** (en pourcentage)			
	1990	**1991**	**1992**
Dollar	34,7	30,2	37,9
Yen	13,3	13,7	12,3
Deutsche mark	7,9	6,7	10,1
Livre sterling	9,1	8,6	7,0
Franc français	4,0	5,7	7,3
Écu	7,8	10,6	6,4
Franc suisse	10,1	6,8	5,4
Dollar canadien	2,8	7,6	4,7
Lire italienne	2,3	2,9	2,3
Florin	1,4	1,0	2,0
Franc luxembourgeois	1,9	1,9	1,6
Dollar australien	2,2	1,5	1,5
Peseta	0,7	0,9	0,5
Divers	1,8	1,9	1,0
Total	**100,0**	**100,0**	**100,0**
Répartition dix ans plus tôt			
	1980	**1981**	**1982**
Dollar	42,2	60,4	65,2
Franc suisse	19,7	16,9	14,4
Deutsche mark	22,1	5,4	6,5
Yen	4,9	6,6	5,6
Livre sterling	3,0	0,3	2,2
Écu	0,3	1,6	0,9
Autres	7,8	8,8	4,8
Total	**100,0**	**100,0**	**100,0**

12.3 Répartition des émissions internationales par type d'instrument

La répartition des nouvelles émissions par catégorie d'instrument varie d'une année à l'autre, mais le marché dans son ensemble reste avant tout un marché d'obligations à taux fixes. Comme le montre le tableau 12.4, en 1992, les obligations classiques représentaient près de 80 % de toutes les émissions. Des considérations conjoncturelles (sur les taux d'intérêt), ou les performances des marchés boursiers, expliquent les poussées des notes à taux variables ou la mode passagère des émissions d'obligations convertibles.

Tableau 12.4

Nouvelles émissions par principaux instruments
(en milliards de dollars)

	1990	1991	1992
Obligations classiques	158,9	234,1	265,4
Notes à taux variables	37,1	17,1	43,6
Obligations convertibles	10,6	9,7	5,2
Obligations avec *warrants*	21,2	31,6	15,7
Obligations à coupon-zéro	1,5	3,8	3,2
Divers	0,6	1,3	0,6
Total	**229,9**	**297,6**	**333,7**
(en pourcentage)			
Obligations classiques	69,1 %	78,7 %	79,5 %
Notes à taux variables	16,1 %	5,7 %	13,1 %
Obligations convertibles	4,6 %	3,3 %	1,6 %
Obligations avec *warrants*	9,2 %	10,6 %	4,7 %
Obligations à coupon-zéro	0,7 %	1,3 %	1,0 %
Divers	0,3 %	0,4 %	0,1 %
Total	**100,0**	**100,0**	**100,0**

Source: OCDE.

12.4   Les emprunteurs sur les marchés obligataires internationaux

On constatera tout d'abord qu'il y a une forte concentration des emprunteurs au niveau géographique, avant de voir comment ils se répartissent par secteur d'activité.

12.4.1 Origine géographique des emprunteurs

Les emprunteurs sur les marchés obligataires internationaux viennent d'une foule de pays, mais en fait ils sont surtout concentrés dans les pays de l'OCDE. Ces pays, à eux seuls, ont émis 86,5 %, 85,2 % et 83,4 % de toutes les obligations internationales respectivement en 1990, 1991 et 1992. Si l'on ajoute à cela que les parts des institutions supranationales pour les mêmes années ont été de 10,7 %, 10,9 % et 11,5 %[4], on constate que la part des autres emprunteurs est marginale.

Cependant, cette situation pourrait évoluer dans les années à venir puisque le marché donne des signes encourageants pour les pays d'Amérique latine et d'Europe de l'Est. En revanche, on doit souligner la part très modeste des entités asiatiques (Japon exclu) malgré les succès de leurs économies.

---

4.   Environ la moitié de ces émissions ont été effectuées pour le compte d'institutions supranationales européennes.

Tableau 12.5

Marché des euro-obligations : emprunteurs par nationalité
(en pourcentage)

	États-Unis	Japon	Royaume-Uni	Allemagne	France	Canada	Institutions internationales	Autres
1982	26,2	4,2	2,2	2,9	14,3	13,4	12,3	24,5
1983	13,2	9,6	3,4	4,8	11,5	7,8	19,9	29,8
1984	26,9	11,2	5,1	2,1	8,2	5,4	9,7	31,4
1985	27,4	10,2	10,3	2,0	7,9	5,3	8,9	28,0
1986	19,9	12,3	10,1	5,3	6,7	7,8	7,1	30,8
1987	14,1	23,3	6,9	5,9	5,0	4,2	10,4	30,2
1988	8,5	20,9	12,8	5,6	7,8	5,1	8,8	30,5
1989	6,9	36,7	10,2	4,1	5,0	4,3	7,6	25,2
1990	9,3	22,1	9,7	3,0	8,1	2,3	10,7	34,8

Source : Banque d'Angleterre.

12.4.2 Catégories d'emprunteurs

Les marchés obligataires internationaux ont été accessibles à une grande variété d'emprunteurs que l'on peut cataloguer en quatre catégories :

- les organismes supranationaux ;
- les États, agences gouvernementales et services publics ;
- les grandes entreprises ;
- les banques.

a)   Les organismes supranationaux

Les marchés obligataires internationaux sont des marchés naturels de financement pour les organismes supranationaux qui ont été des emprunteurs persistants depuis l'émergence de différents segments de marché. Deux organismes y ont d'ailleurs joué un rôle important : la Banque mondiale et la Banque européenne d'investissement. La qualité de ces emprunteurs et leur degré élevé de sophistication leur ont permis, en plusieurs occasions, d'expérimenter avec succès de nouveaux instruments ou d'ouvrir de nouveaux marchés. Ainsi, à titre d'exemple, la Banque mondiale a été le premier emprunteur sur beaucoup de nouveaux segments du marché et la Banque européenne d'investissement a contribué de façon significative à la percée de l'écu. En plus de ces deux entités, les institutions de la Communauté européenne et les autres banques de développement sont des signatures connues du marché et appréciées des investisseurs.

b)   Les États, les agences gouvernementales
et les services publics

Tous les emprunteurs appartenant à la classe du risque souverain ne sont pas relégués au marché des eurocrédits. En effet, plusieurs États des pays industrialisés ont depuis longtemps été fort actifs sur le marché obligataire international. Les gouvernements de Suède, du Danemark, d'Italie ou de Belgique sont parmi les noms les mieux connus du marché. Rentrent également dans cette catégorie des gouvernements provinciaux comme la Province de Québec ou la Province du Manitoba dont la qualité de la signature a permis de développer le marché de l'eurodollar canadien ou celui de l'écu en dehors de l'Europe.

Ces marchés desservent également les agences gouvernementales ou les entreprises publiques qui abordent le marché avec la garantie irrévocable des différents gouvernements (l'Électricité de France, le Crédit national, Hydro-Québec, The New South Wales Treasury Corporation en sont quelques exemples).

L'ensemble de ces entités représente environ le tiers des émissions, année après année.

c)   Les grandes entreprises

La plus importante part du marché obligataire international est réservée aux grandes entreprises, principalement à celles ayant une vocation internationale. La diversité des types d'obligations internationales disponibles et la capacité d'innovation de ces marchés offrent aux trésoriers des réponses à leurs préférences patrimoniales et des avantages aussi bien en termes de coût et que de diversification des sources de financement.

Par ailleurs, la publicité entourant les opérations de financement est un facteur non négligeable pour les entreprises ayant des objectifs commerciaux à l'échelle internationale.

En 1990, 1991 et 1992, les pourcentages des nouvelles obligations internationales destinées aux entreprises étaient respectivement de 34,1 %, 39,7 % et 32,1 %.

d)   Les banques

Les banques constituent la quatrième catégorie d'emprunteurs sur les marchés obligataires internationaux. Elles ont été présentées dès l'origine, mais le volume de leurs emprunts a considérablement augmenté après 1982.

Plusieurs facteurs expliquent cette présence bancaire.

- Ce marché représente tout d'abord une source de fonds importante qui complète ou remplace les apports traditionnels du marché interbancaire.

- Les notes à taux variables ont constitué un instrument bien adapté au secteur bancaire dans la mesure où bon nombre de leurs actifs engendrent des revenus à taux variables. Il y avait là une source de fonds basée sur un taux à court terme, sans qu'il y ait à se soucier du risque de liquidité toujours présent sur le marché interbancaire[5].

Tableau 12.6 Émissions d'obligations internationales par catégorie d'émetteur			
	1990	**1991**	**1992**
Gouvernements	24,5	42,7	63,6
Entreprises publiques	41,7	48,7	54,5
Banques	55,8	52,0	67,0
Entreprises privées	78,5	118,2	107,3
Organisations internationales	29,4	36,0	41,3
Total	**229,9**	**297,6**	**333,7**
Source: Banque d'Angleterre.			

- Pour beaucoup de banques non domiciliées aux États-Unis, le marché a constitué une source de fonds importante en dollars.

- Ce marché a permis aux banques d'augmenter leur capital en émettant des titres à durée indéterminée ou des obligations convertibles. Elles ont dû aussi se tourner vers ce marché pour respecter les exigences du ratio Cooke[6].

12.5 Les investisseurs

Le marché obligataire international permet aux agents ayant des besoins de financement de trouver les fonds qu'ils recherchent. Il permet aussi aux agents à surplus de placer leur épargne. L'attention des observateurs est généralement asymétrique: concentrée en grande partie sur les emprunteurs plutôt que sur les investisseurs. Cette asymétrie dans l'attention est le reflet de l'asymétrie dans l'information.

On verra tout d'abord qui sont les investisseurs avant de présenter les critères qu'ils retiennent pour la sélection des titres.

12.5.1 Qui sont les détenteurs de titres?

L'identité des détenteurs de titres constitue la face cachée des marchés obligataires internationaux et ce, d'autant plus que les titres sont émis au porteur et qu'ils sont exempts de retenue à la source sur les intérêts payés[7].

---

5. Le développement du marché des swaps de taux a atténué les avantages des notes à taux variables, puisqu'à partir d'émissions classiques, elles purent après swaps simuler des émissions à taux flottants.

6. Cf. chapitre 8.

7. Pour lever un peu le voile sur cette question, on est obligé de faire référence à quelques études partielles menées sur le sujet. Sur la base d'entrevues et de commentaires circulant dans le marché, *The Banker*, en septembre 1977, et *Orion Royal Bank*, en 1984, fournissaient quelques points de repère.

On distingue deux groupes principaux d'investisseurs sur le marché obligataire international: les particuliers et les institutions. Au tout début du marché euro-obligataire, les particuliers étaient majoritaires, mais au fil des ans leur influence a eu tendance à s'estomper au profit des investisseurs institutionnels.

a)   Les particuliers

Les investisseurs individuels sont des particuliers qui désirent diversifier leurs actifs et leurs revenus sur une base patrimoniale et géographique.

- Les intervenants sur le marché estiment qu'environ 30 % des euro-obligations sont détenues par des particuliers. Un portefeuille typique serait de l'ordre de 150 000 à 300 000 dollars.

- La majeure partie de ces portefeuilles est gérée par des maisons de courtage, des banques et des institutions spécialisées, situées dans les places financières favorables d'un point de vue réglementaire ou fiscal.

- Les investisseurs individuels sur les euromarchés sont autant intéressés par l'anonymat et l'évasion fiscale que par le rendement proprement dit. La gestion de leur portefeuille est assez passive et ils n'utilisent le marché secondaire que de façon très occasionnelle.

- L'origine géographique de ces particuliers est fort diverse; ils viennent aussi bien des pays occidentaux, d'Asie que d'Amérique latine. Il est difficile de les retracer dans la mesure où plusieurs abordent le marché par le biais d'intermédiaires localisés dans des pays ou centres financiers assurant le secret des transactions.

- Certains vivent dans des pays politiquement ou économiquement instables, d'où leur désir de garder leurs actifs à l'étranger. Une demande non négligeable émane de pays où le marché des capitaux n'est pas suffisamment développé et offre peu d'opportunités d'investissement.

- Un nombre non négligeable de particuliers ont une carrière internationale et sont amenés souvent à se déplacer de pays en pays; le marché euro-obligataire leur fournit un véhicule idéal pour placer leur épargne.

b)   Les investisseurs institutionnels

- Les *compagnies d'assurance*, les *fonds de pension* et *les fonds d'investissement* sont des participants majeurs de ce marché. Leur gestion est plus dynamique et sophistiquée que celle des particuliers. Un changement de leurs anticipations entraîne des ajustements à la composition de leur portefeuille. Ils sont attirés par le marché obligataire parce qu'il génère des cash-flows faciles à prévoir pour faire face à des engagements futurs.

- Pour les *trésoriers de firmes multinationales*, le marché obligataire permet de placer temporairement des surplus de fonds. En particulier dans une période d'expansion, avant des acquisitions ou des investissements directs à l'étranger, les firmes peuvent trouver des occasions de placement dans les devises dans lesquelles se feront leurs investissements futurs. La liquidité des titres détenus est un critère majeur pour cette catégorie d'investisseurs.

- Les *banques et institutions financières* sont des détentrices importantes de titres obligataires internationaux. Elles peuvent tout d'abord les acquérir pour les mêmes raisons que les autres firmes à vocation internationale et pour employer leurs surplus de fonds. Mais d'autres facteurs expliquent cette détention de titres: suite à la crise de l'endettement, certaines banques ont amélioré la qualité moyenne de leur actif en détenant des titres sur le marché obligataire; d'autres banques sont actives sur la marché secondaire soit comme *market-maker*[8] soit en réalisant des arbitrages. Enfin, certaines banques détiennent leurs obligations suite à leur incapacité à placer des titres qui leur avaient été alloués lors d'une émission.

- Les *agences gouvernementales et les organismes internationaux* participent aussi au marché obligataire international en tant qu'investisseurs. Leurs stratégies d'investissement sont généralement guidées par la prudence. Ils cherchent à réaliser l'appariement des échéances et des devises en sélectionnant les titres d'emprunteurs de qualité.

12.5.2 Les critères de sélections des titres

Plusieurs facteurs sont pris en compte pour les investisseurs lorsqu'il s'agit de sélectionner des titres rentrant dans la composition de leur portefeuille.

a)   La monnaie de soutien de l'émission

Même si la majorité des titres en circulation sur le marché sont en dollars, le volume absolu et relatif des titres libellés en d'autres monnaies augmente continuellement. Le problème du choix des devises à l'intérieur d'un portefeuille devient crucial dans le contexte des taux de change flottants. Parallèlement, les fluctuations de taux d'intérêt ont accru le climat général de volatilité. Il s'ensuivit que pour les gestionnaires de portefeuille, les résultats d'une année à l'autre ont grandement été affectés par le choix de la monnaie dans laquelle étaient libellés leurs actifs financiers.

---

8.   Voir ci-après.

Tableau 12.7				
Rendement moyen de portefeuilles d'obligation				
(en pourcentage)				
		En dollars US		En monnaie locale	
		1978-1984	1985-1990	1978-1984	1985-1990
Dollar US	Gouvernement	7,3	12,5	7,3	12,5
	Yankee Bond	8,7	12,4	8,7	12,4
	Euro	9,4	10,8	9,4	10,8
Dollar canadien	Gouvernement	6,1	13,5	8,9	11,2
	Euro	7,4	12,3	10,3	10,1
Deutsche mark	Gouvernement	0,9	19,1	7,0	5,1
	Euro	1,1	19,1	7,1	5,1
Franc suisse	Gouvernement	0,0	15,4	3,7	2,4
	Euro	0,5	16,5	4,2	3,4
Florin	Gouvernement	2,3	19,1	8,9	5,1
	Étanger	3,0	20,1	9,8	6,0
	Euro	3,0	19,8	9,8	5,8
Franc français	Gouvernement	0,5	23,2	11,3	10,5
	Euro	1,6	22,0	12,5	9,5
Livre sterling	Gouvernement	4,5	20,3	12,2	10,1
	Euro	4,0	19,8	11,6	9,7
Yen	Gouvernement	7,1	17,6	7,8	4,9
	Samuraï	6,4	18,2	7,2	5,5
	Euro	6,2	17,8	6,9	5,1
Source: B.R.I.				

b)   L'échéance des titres

Les investisseurs peuvent avoir des préférences très différentes quant à l'échéance des titres qu'ils détiennent. Cela peut dépendre de leur horizon de placement et de leurs anticipations sur la conjoncture et, en particulier, sur l'évolution des taux d'intérêt.

Les titres peuvent ainsi être acquis en vue d'une utilisation précise à une date future prédéterminée, pour se prémunir contre des besoins inattendus, ou pour gérer sur le long terme des fonds dont il faut assurer le rendement et la pérennité.

Compte tenu des alternatives offertes par le marché secondaire, les investisseurs exercent certaines pressions sur les échéances proposées par les émetteurs. Les périodes d'incertitude sur les taux d'intérêt ont toujours été accompagnées du raccourcissement des échéances moyennes des titres obligataires internationaux.

c)   Le type de revenu

Le revenu escompté par l'investisseur a deux composantes: le coupon d'intérêt et le gain de capital potentiel. Le choix pour certains titres plutôt que d'autres peut être guidé par les différences de traitement fiscal qui existent entre plusieurs pays.

Comme on a eu l'occasion de le mentionner, certains instruments ont été offerts sur le marché pour répondre à des besoins spécifiques des investisseurs dans ce domaine.

d)   La qualité de crédit de l'émetteur

Même si l'accès au marché international est limité aux meilleures signatures, tous les émetteurs ne sont pas perçus comme appartenant à la même classe de risque. Ceci se reflète bien sûr dans la détermination des termes et conditions prévalant au moment de l'émission. Ainsi, en fonction de leur attitude face au risque et de leurs objectifs de rendement, les investisseurs vont rechercher ou écarter a priori certains titres. Pour de nombreux émetteurs la possibilité d'obtenir la garantie irrévocable de leurs gouvernements améliore sensiblement le placement des titres auprès des investisseurs.

e)   La taille de l'émission et sa liquidité

La liquidité des obligations internationales est un autre critère retenu par les investisseurs, surtout s'ils font une gestion dynamique de leur portefeuille. Certains segments du marché sont plus liquides que d'autres, mais en règle générale la liquidité augmente avec la taille de l'émission et la réputation de l'émetteur.

C'est durant les premiers mois d'existence d'une obligation qu'elle est la plus liquide; en effet, le volume des transactions sur le marché secondaire tend à décroître, au fur et à mesure que l'on s'approche de l'échéance.

f)   La diversification

Dans la sélection de leurs titres, les investisseurs vont également tenir compte de leur volonté de diversification. Un équilibre sera cherché entre les titres à taux fixes et les titres à taux variables, entre les titres à moyen terme et ceux à long terme. De la même façon, les investisseurs rechercheront une combinaison optimale de monnaies et de type de risque encouru, en fonction de leurs objectifs propres.

12.6   Les intermédiaires sur les marchés obligataires internationaux

La lutte entre les maisons de courtage, les banques d'affaires et les banques commerciales pour l'obtention des positions de chef de file et de co-chef de file pour les émissions internationales est très vive et elle s'est sensiblement accentuée avec la croissance phénoménale du marché et l'arrivée de nouveaux concurrents au cours des années 1980.

Pris globalement, le marché donne l'impression d'être assez fragmenté. Année après année, on compte environ une centaine de

Tableau 12.8

Les 20 *bookrunners* les plus importants en 1992

		(%)
1	Deutsche Bank	7,8
2	Nomura Securities	7,1
3	CSFB/Crédit suisse	5,9
4	Goldman Sachs	5,1
5	J.P. Morgan	4,6
6	Merrill Lynch Capital Markets	4,4
7	Banque Paribas	4,4
8	Union Bank of Switzerland	4,0
9	Daiwa Securities	3,6
10	Yamaichi Securities	3,0
11	Nikko Securities	2,8
12	Industrial Bank of Japan	2,5
13	Lehman Brothers	2,5
14	Salomon Brothers	2,4
15	Dresdner Bank	2,3
16	Morgan Stanley	2,2
17	Crédit commercial de France	2,1
18	Swiss Bank Corp.	2,0
19	SG Warburg Securities	2,0
20	Citicorp Group	1,6

Tableau 12.9

Marché euro-obligataire:
Répartition des chefs de file par nationalité
(en pourcentage)

	États-Unis	Japon	Europe continentale	Grande-Bretagne
1982	28,6	5,5	51,3	8,1
1983	16,6	6,3	59,1	9,4
1984	34,4	8,9	40,4	9,3
1985	33,6	12,2	39,5	10,0
1986	27,2	24,3	37,5	7,5
1987	18,1	36,9	33,6	9,8
1988	19,6	44,8	25,8	6,6
1989	19,7	44,8	25,8	6,6
1990	18,8	29,1	40,8	8,1

Source: Banque d'Angleterre.

banques qui assurent les positions de chefs de file ou de co-chefs de file[9]; elles sont originaires d'une vingtaine de pays. Le nombre de maisons assurant la fonction de prise ferme (*underwritters*) oscille entre 350 et 400. Mais cette impression d'atomicité doit être fortement nuancée.

---

9.   À titre indicatif, il y en avait 101 en 1989 et 98 en 1990.

- Tout d'abord, il faut constater que la taille des différents joueurs et leurs parts de marché respectives sont très disparates.
- De plus, certaines maisons exercent un leadership évident sur le marché. Au début des années 1990, on évoquait même le *big seven*, pour parler des institutions dominantes. On incluait, sous ce vocable, les maisons suivantes: le Crédit Suisse First Boston, la Deutsche Bank, Morgan Stanley, J.P. Morgan, Nomura, Paribas et l'Union de Banques Suisses (UBS)[10].
- Par ailleurs, si l'on regarde de près certains segments du marché, on constate qu'il y a des situations fortement oligo-

Tableau 12.10

Ratios de concentration des chefs de file sur les principaux marchés euro-obligataires et sur le marché étranger en francs suisses

		1990	1991	1992
Dollar	RC2	23,5 %	22,5 %	19,0 %
	RC4	37,3 %	37,2 %	35,8 %
	RC6	49,0 %	49,7 %	48,9 %
Deutsche mark	RC2	49,6 %	49,3 %	54,1 %
	RC4	64,4 %	66,2 %	70,5 %
	RC6	77,4 %	77,3 %	80,5 %
Yen	RC2	38,8 %	56,5 %	47,4 %
	RC4	58,0 %	83,9 %	75,3 %
	RC6	70,7 %	94,8 %	91,2 %
Livre sterling	RC2	35,7 %	38,2 %	32,3 %
	RC4	57,6 %	59,3 %	61,5 %
	RC6	69,8 %	77,7 %	75,7 %
Franc français	RC2	60,1 %	56,8 %	47,8 %
	RC4	86,4 %	86,2 %	81,0 %
	RC6	n.d.	95,9 %	96,8 %
Écu	RC2	37,4 %	49,5 %	n.d.
	RC4	56,2 %	64,9 %	n.d.
	RC6	69,0 %	72,4 %	n.d.
Dollar canadien	RC2	29,9 %	25,5 %	26,2 %
	RC4	51,6 %	47,4 %	47,2 %
	RC6	67,1 %	62,2 %	60,6 %
Franc suisse	RC2	45,5 %	39,1 %	46,0 %
	RC4	67,6 %	62,0 %	73,6 %
	RC6	73,9 %	68,5 %	79,8 %

Source : D'après des chiffres du Crédit Suisse First Boston.

---

10. Ces sept maisons, en tout cas, étaient celles qui contrôlaient le comité des pratiques de marché de l'Association professionnelle des intermédiaires sur le marché primaire (*International Primary Markets Association*).

polistiques (entre autres pour la livre sterling, le franc suisse, l'écu et le dollar canadien), des situations de firme dominante (surtout pour le deutsche mark et, à un titre moindre, pour les émissions en euro-yen). Le marché le plus concurrentiel est aussi le marché le plus vaste, soit le marché de l'eurodollar. Sur ce marché, il est rare qu'une banque obtienne une part de marché de plus de 10 %. Le tableau 12.10 donne les valeurs des ratios de concentration des deux, quatre et six premières institutions (RC2, RC4 et RC6). Les valeurs très élevées de ces coefficients sur certains segments illustrent bien la concentration relative de la fonction de chef de file ou, plus précisément, ces chiffres mettent en évidence que certaines maisons se spécialisent sur les émissions libellées en certaines devises plutôt que dans d'autres[11].

En fait, ce n'est pas seulement le nombre de joueurs et leur taille respective qui expliquent la concurrence effective entre les intermédiaires. Il faut aussi s'intéresser aux comportements et, à cet égard, le marché se rapproche bien des modèles de concurrence oligopolistique, avec ses périodes d'antagonisme et de parallélisme conscient. Si l'on suit de près l'évolution du marché, on s'aperçoit qu'il passe par des phases de concurrence intense suivies d'accalmies, qui se terminent par une nouvelle ronde de concurrence. Les phases de concurrence affectent la rentabilité, ce qui pousse certains acteurs à réduire leur activité et restaure une certaine discipline dans la syndication et le placement.

Un tel cycle a été décrit entre 1989 et 1993. La réduction indirecte des commissions avec le mode de placement traditionnel avait eu pour conséquence que plus personne ne faisait d'argent sur le marché primaire des euro-obligations; ceci a conduit les chefs de file à s'entendre pour imposer la technique du *fixed price re-offering* que, dans un premier temps, seules les maisons les plus importantes ont été capables de faire fonctionner. Il s'ensuit une période de deux ans au cours de laquelle la discipline dans les syndicats de placement a rétabli la rentabilité, avant que, au début de 1992, on entre à nouveau dans une période de contestation des parts de marché.

12.7   Le marché secondaire des obligations internationales[12]

Parallèlement à la croissance des nouvelles émissions d'obligation, un marché secondaire actif s'est mis en place assurant une

---

11.   On reviendra sur cet aspect au chapitre suivant.

12.   Pour une présentation très détaillée du fonctionnement du marché secondaire, on consultera DE LA BRUSLERIE, H., *Gestion obligataire internationale*, Tome 1: *Marchés et actifs financiers*, Economica, 1990.

liquidité sans cesse accrue des titres émis. Ce marché est essentiellement un marché de gré à gré qui fonctionne de façon efficace grâce
à la présence de deux centrales de compensation Euroclear et Cedel.

12.7.1 Un marché de gré à gré

Même si la plupart des émissions d'obligations internationales donnent lieu à une inscription en bourse, la quasi-totalité des
transactions sur le marché secondaire se fait par le biais de transactions de gré à gré. En pratique, les négociations et les transactions se
font par téléphone entre les différents intervenants du marché.

Il y a deux types principaux d'intermédiaires sur le marché:
les teneurs de marché (*market-makers*) et les *dealers*.

Les teneurs de marché sont des intermédiaires qui, *en tout
temps, sont présents des deux côtés du marché pour un certain nombre* de
titres. Un gestionnaire de portefeuille, en s'adressant à un *market-
maker*, est certain de vendre ou d'acheter des euro-obligations. Par
opposition, les *dealers* sont des intervenants sur le marché secondaire qui ne s'engagent pas à être continuellement présents des
deux côtés du marché. La fonction de *market-maker* est une fonction
extrêmement visible et donc fort prestigieuse: elle nécessite néanmoins beaucoup d'expertise et une bonne assise financière.

Les réseaux de communication Reuter, Telerate et Bloomberg
permettent à tout intervenant potentiel de suivre continuellement
l'évolution des prix, partout dans le monde. Les intermédiaires, en
effet, achètent des pages électroniques des principaux systèmes et y
cotent en permanence des prix d'achat et de vente. Les prix cependant ne sont qu'indicatifs. Les intervenants sur le marché secondaire ont aujourd'hui à leur disposition des équipements et des
logiciels qui leur permettent de composer leur propre page électronique de données pour comparer les prix affichés par plusieurs
market-markers.

La transaction proprement dite (et donc la détermination du
prix) se fait par téléphone. Jusqu'en 1988, toute transaction était
confirmée par télex. Depuis cette date, un nouveau système a été
mis en place grâce auquel la confirmation est directement envoyée
à l'une des centrales de compensation qui peut réconcilier les ordres
des deux parties et effectuer le paiement et la livraison le cas
échéant. Comme sur le marché nord-américain, les transactions se
font avec règlement différé de sept jours.

12.7.2 Les centrales de compensation

Deux centrales de compensation assurent la circulation des
titres et les paiements: Euroclear et Cedel. Fondée en 1968 par
Morgan Guaranty Trust, Euroclear compte 120 actionnaires, principalement des banques et des courtiers internationaux. Elle opère
depuis Bruxelles à l'intérieur de la succursale de Morgan Guaranty

Tableau 12.11

Volume de transactions sur le marché secondaire des euro-obligations (Cedel et Euroclear)
(en milliards de dollars)

	1988	1989	1990	1991	1992
Obligations en dollars	1 497	1 590	1 635	2 009	2 516
— *obligations classiques*	810	914	886	1 105	1 479
— *obligations convertibles*	67	54	44	46	56
— *obligations à taux variables*	303	355	401	487	566
Autres[1]	303	355	401	487	566
Obligations en d'autres devises	2 343	2 501	3 500	5 478	10 412
— *obligations classiques*	936	819	1 124	1 910	9 195
— *obligations convertibles*	56	57	56	51	70
— *obligations à taux variables*	224	228	277	222	265
Autres[1]	1 127	1 398	2 042	3 295	882
Total	**3 840**	**4 091**	**5 135**	**7 487**	**12 928**

1. Incluant les notes à court et moyen termes.

Source: *Payment Systems in the Group of Ten Countries*, Banque des règlements internationaux, 1993.

Trust. Depuis 1987, Euroclear est devenue une société coopérative de droit belge. Cedel (Centrale de livraison de valeurs mobilières) fut créée en 1970 à Luxembourg. C'est une société de droit luxembourgeois qui fonctionne essentiellement comme une coopérative, elle appartient en fait à 109 actionnaires dont aucun ne peut détenir plus de 5 % du capital.

Les fonctions de ces deux centrales sont fort semblables. Les opérateurs anglo-saxons manifestent une préférence pour Euroclear, ceux d'Europe continentale sont plus portés à utiliser Cedel.

Malgré une vive concurrence entre ces deux centrales de compensation, il y eut de nombreux efforts de rapprochement. En particulier, depuis 1972 un accord entre les deux centrales permet la livraison des titres et des échanges de paiement entre les institutions.

Sur une base régulière, on évoque aussi la possibilité de fusionner ces deux centrales de compensation.

RÉFÉRENCES BIBLIOGRAPHIQUES

Livres :

- BENZIE, R., *The Development of the International Bond Market*, BIS Economic Paper n° 32, janvier 1992.
- COURTADON, C. L., *The Competitive Structure of the Eurobond Underwriting Industry*, Salomon Brothers, Center for the Study of Financial Institutions, 1985.
- CROSSAN, R. et JOHNSON, M., *The Guide to International Capital Market 1991*, Euromoney Publications, 1992.
- DE LA BRUSLERIE, H., *Gestion obligataire internationale* (Tomes 1 et 2), Economica, 1990.
- DOSOO, G., *The Eurobond Market*, Woodhead-Faulkner, 1992.
- GALLANT, P., *The Eurobond Market*, Woodhead-Faulkner, 1988.

Articles :

- BRADY, S., «Eurobond Markets get Trigger-Happy», *Euromoney*, mars 1992.
- BRADY, S., «Meltdown», *Euromoney*, juillet 1992.
- B.R.I., «Payments of Interest and Principal in the International Bond Markets 1986-1995 in International Banking and Finance Development», mai 1990.
- CARTER, G., «What Became of the Ecu Market?», *Corporate Finance*, mai 1993.
- «Convertible Bond Survives all Wind», *Corporate Finance*, février 1988.
- DUFLOUX, C. et KARLIN, M., «Le marché euro-obligataire», *La Revue Banque*, avril 1992.
- *Euromoney*, «The 360 Billion Questions», septembre 1991.
- «International Capital Markets, Developments and Prospects», IMF, *Occasional Paper*, mai 1991.
- LEROUX, F., «Pause ou mutation profonde sur les marchés internationaux des capitaux», *Le Banquier*, septembre-octobre 1988.
- «Who Invests in Eurobonds», *The Banker*, septembre 1977.

Chapitre 13
Spécificités des principaux marchés obligataires internationaux

Au chapitre 11, on a présenté les principaux instruments et procédures d'émission sur les marchés obligataires, en prenant comme référence le marché euro-obligataire en dollars; au chapitre 12, on s'est intéressé aux investisseurs, émetteurs et intermédiaires. Dans ce chapitre, on présentera les principaux marchés selon la monnaie servant de support à l'émission[1].

---

1. Le marché étant en perpétuelle évolution, le survol qui est proposé ici reflète la situation prévalant au milieu de l'année 1993. Pour suivre l'évolution de la réglementation (ou de la déréglementation), on peut consulter les articles récapitulatifs sur ces changements dans la publication de l'OCDE, *Tendances des marchés des capitaux*. D'autre part, plusieurs banques internationales disposent de brochure de présentation des principaux segments sur lesquels elles sont actives.

13.1 Spécificités et réglementations

Les émissions internationales sont faites en un nombre limité de devises et certains marchés sont théoriquement ouverts, mais en pratique ne sont pas utilisés ou ne sont ouverts que de façon intermittente.

Le développement des différents segments du marché est influencé par des considérations réglementaires et fiscales.

Les autorités réglementaires exercent leur influence en déterminant le cadre général de l'activité financière et en choisissant de restreindre ou non la liberté d'action des emprunteurs, des intermédiaires et des investisseurs qui dépendent de leur juridiction.

Sur les marchés obligataires internationaux, la réglementation peut viser à:
- contrôler ou non les entrées et sorties de fonds en devises;
- encourager les intermédiaires nationaux et favoriser l'acquisition d'expertise locale;
- ordonner les émissions pour éviter qu'alternent des périodes de suractivité et des périodes creuses;
- organiser une préférence pour les emprunteurs locaux sur le marché en devise locale;
- favoriser les emprunts d'État ou ceux des agences gouvernementales ayant la garantie de l'État;
- choisir un environnement de transparence et de divulgation d'information par les emprunteurs, ou au contraire, permettre que s'établisse un environnement très discret sur toutes les activités internationales;
- déterminer la nature et le degré du pouvoir d'investigation et de sanctions des autorités de surveillance;
- encourager ou non la détention d'actifs libellés en devises étrangères par les particuliers et les investisseurs institutionnels nationaux.

Les choix qui sont faits dans ce domaine sont influencés par cinq facteurs:
- la préférence idéologique des gouvernements entre le dirigisme et le libéralisme;
- l'attitude générale des autorités vis-à-vis de l'activité financière internationale;

- la situation économique du pays et du degré de dépendance des flux de capitaux internationaux;
- les pressions exercées par la concurrence internationale et le jeu des effets d'imitation;
- l'existence ou non d'une place financière d'importance sur le territoire national et l'efficacité du *lobbying* qui en émane.

L'ensemble de ces facteurs expliquent que tous les segments de l'euromarché ne se sont pas ouverts simultanément (tableau 13.2) et que les marchés gardent leurs spécificités.

Tableau 13.1 Émissions d'euro-obligations et obligations étrangères (en milliards de dollars)			
	1990	**1991**	**1992**
Émissions internationales par monnaie de support			
Dollar US	70,0	76,9	103,2
Deutsche mark	18,3	19,9	33,8
Yen	22,8	35,7	33,7
Franc français	9,4	17,0	24,3
Livre sterling	20,9	25,7	23,3
Écu	17,9	31,6	21,3
Dollar canadien	6,4	22,5	15,6
Lire	5,4	8,7	7,7
Florin	0,8	2,9	6,6
Dollar australien	5,2	4,4	4,9
Couronne suédoise	0,3	1,3	0,9
Couronne danoise	0,2	0,3	0,4
Mark finlandais	1,2	0,8	0,1
Dollar néo-zélandais	0,5	0,3	0,1
Autres monnaies	0,8	0,5	0,2
Total	**180,1**	**248,5**	**76,1**
Émissions étrangères par marché			
États-Unis	9,9	12,9	23,2
Suisse	23,2	20,2	18,1
Japon	7,9	5,2	7,4
Luxembourg	4,4	5,6	5,5
Espagne	1,7	2,6	1,6
Portugal	0,3	0,7	0,3
Pays-Bas	0,6	0,2	0,2
Royaume-Uni	0,3	0,1	—
Divers	1,5	1,6	1,3
Total	**49,8**	**49,1**	**57,6**
Source: OCDE.			

13.2 Le marché en dollars

Même si, au cours des années 1980, la part des financements effectués en dollars a diminué, la devise américaine reste toujours la

Tableau 13.2
Date d'ouverture des principaux marchés euro-obligataires

1963	Dollar
1963	Unité de compte européenne (UCE)
1965	Deutsche mark
1965	Florin
1967	Franc français
1972	Dollar australien
1972	Livre sterling
1974	Dollar canadien
1975	D.T.S.
1975	Dollar néo-zélandais
1977	Yen
1978	Dinar koweitien
1981	Écu

Source : Dosoo, G., *The Eurobond Market.*

première monnaie de soutien pour les émissions d'obligations au plan international. Les emprunteurs peuvent envisager d'émettre sur deux segments en dollars : le marché à New York (le *Yankee Bond Market*) et le marché euro.

13.2.1 Obligations étrangères en dollars (*Yankee Bond Market*)

L'effacement relatif du marché londonien dans l'entre-deux-guerres n'est pas étranger à l'émergence de New York sur le marché international des capitaux. Cependant, ce rôle a été affecté par le tarissement des flux internationaux de capitaux et par la législation américaine visant à limiter l'accès du marché aux emprunteurs étrangers. On a eu l'occasion de rappeler que ces contrôles sont à l'origine du développement du marché des eurodollars[2] dont le succès n'a pas éliminé le rôle international joué par New York, qui a su prendre des mesures pour rester compétitif.

Les emprunteurs étrangers sur le marché new yorkais sont soumis aux mêmes contraintes que les emprunteurs américains et, en particulier, ils doivent se plier aux exigences de la Securities and Exchange Commission (SEC) ; seuls quelques emprunteurs suprana-tionaux peuvent échapper à cette réglementation. Il est nécessaire, par exemple, d'obtenir une inscription au New York Stock Exchange. D'autre part, le prospectus d'émission doit fournir des renseignements très nombreux sur l'émetteur, ce que peuvent souhaiter éviter certains emprunteurs potentiels. De plus, et surtout, toute firme voulant émettre à New York doit obtenir une cote de l'une des grandes agences de notation (Fitch Investor Service, Moody's ou Standard and Poor's). Cette exigence du *rating*, inexistante en Europe, peut aussi repousser certains candidats. Toutes ces procédures

---

2. Cf. chapitre 4.

sont à la fois longues et coûteuses, surtout pour l'emprunteur qui aborde le marché pour la première fois. Pour les émetteurs habituels, la règle 415, dite du *Shelf Registration* (préenregistrement), permet à l'émetteur de déposer à l'avance toute la documentation d'une émission et de la mettre en instance, ce qui réduit les délais lors de l'émission. Ainsi, on peut tirer profit de «fenêtres» favorables sur le marché, en quelques heures. La SEC exige que les états financiers soient préparés conformément aux normes américaines et que soit conduit un audit indépendant. Ceci paraît contraignant mais, d'un autre côté, en se pliant aux exigences du *Yankee Bond Market*, une firme établit de façon claire son crédit: en particulier, si la notation n'est pas nécessaire sur l'euromarché, le placement des titres est largement facilité si la cote obtenue à New York est satisfaisante[3].

En ce qui concerne le placement des titres, la tradition new yorkaise veut que, durant la période de placement, tous les membres du syndicat se soumettent à une obligation contractuelle, leur interdisant de placer des titres au-dessous du prix d'émission.

En règle générale, les échéances sont beaucoup plus longues sur le marché new yorkais que sur l'euromarché, alors que la taille des émissions est comparable. Il est même possible de trouver preneurs pour des émissions à 30 ans ou 40 ans, échéances inconnues sur le marché européen.

Par ailleurs, les commissions de placement sont beaucoup plus faibles que sur l'euromarché, ceci reflète le rôle majeur joué par les investisseurs institutionnels sur le marché américain. Le marché secondaire, quant à lui, est très actif, offrant aux investisseurs une excellente liquidité.

		Tableau 13.3	
	La cotation des titres par les principales agences de *rating*		
Standard and Poor's	**Moody's**	**Signification**	
AAA	Aaa	Excellente qualité : risque minimum	
AA	Aa	Très bonne qualité : faible risque	
A	A	Bonne qualité : caractéristique favorable	
BBB	Baa	Qualité assez bonne	
BB	Ba	Qualité moyenne	
B	B	Faible qualité	
CCC	Caa	Vulnérable	
CC	Ca	Spéculatif	
C	C		
—	D	En défaut	

---

3.   Depuis 1990, la règle 144A permet à certains titres d'être vendus sans enregistrement, mais ils ne peuvent être cédés qu'à des acheteurs institutionnels (*Qualified Institutional Buyers*).

13.2.2 Euro-obligations en dollars[4]

Premier de tous les marchés euro-obligataires, le marché en dollars a servi et sert encore de référence. Les modes d'émission, la documentation, la distribution des titres, la rémunération des intermédiaires constituent tout autant de standard. Dès son ouverture, ce marché a été caractérisé par son absence de réglementation. Les emprunteurs ne sont soumis à aucune restriction venant des autorités américaines; les titres au porteur ne sont pas enregistrés auprès de la SEC. L'accès est cependant limité dans les faits, car les investisseurs sont sélectifs et les titres doivent bénéficier d'une bonne qualité pour être acceptables.

Le marché en eurodollars est le marché le plus vaste, il n'est pas surprenant que ce soit celui sur lequel la concentration des parts de marché pour la position de chef de file soit la moins élevée.

Le marché secondaire des titres en dollars est le plus développé de tous les marchés, c'est celui où les intervenants sont les plus actifs. La liquidité est dans l'ensemble assez bonne, mais très variable d'une émission à l'autre.

13.3   Le marché en francs suisses

Le marché des *émissions publiques* en francs suisses est un marché de financement international majeur, sans commune mesure avec la taille de l'économie suisse. C'est un marché ouvert en permanence depuis 1963. Année après année, le marché en francs suisses représente de 40 % à 50 % de toutes les émissions sur *marché étranger*. Cependant, sa part relative des financements internationaux a décru continuellement à cause de l'énorme succès des euromarchés.

Si le marché en francs suisses a pu très rapidement se développer, c'est qu'il y a en Suisse une épargne abondante d'origine nationale ou étrangère. La stabilité politique du pays, le respect du secret bancaire et une longue expérience en matière de gestion de portefeuilles ont, depuis longtemps, attiré vers Zurich et Genève des capitaux étrangers. L'appréciation continuelle du franc suisse a pendant des décennies compensé pour des taux d'intérêt nominaux parmi les plus bas au monde.

Les émissions publiques pour le compte d'entités étrangères font concurrence aux titres émis par les autorités suisses et les entreprises locales. Ceci explique, en partie, la volonté des autorités de tutelle de surveiller de très près les activités sur le marché étranger. La Banque centrale (Banque nationale de Suisse) entend moduler ou limiter les émissions et s'oppose farouchement au

---

4.   Les principales caractéristiques de ce marché ont été présentées dans les deux chapitres précédents.

PETROLEOS MEXICANOS
(A decentralised Public Agency of the United Mexican States)

6% Guaranteed Bonds 1993-1998
of SFr. 150,000,000

unconditionally and irrevocably guaranteed by

Pemex-Exploración y Producción
Pemex-Refinación
Pemex-Gas y Petroquímica Básica
and
Pemex-Petroquímica

Credit Suisse	**Union Bank of Switzerland**	**Swiss Bank Corporation**
Banque Paribas (Suisse) SA		Lehman Brothers Bank (Switzerland) S.A.
Swiss Volksbank	Deutsche Bank (Suisse) S.A.	Groupement des Banquiers Privés Genevois
Banca del Gottardo	Banco Exterior (Suiza) SA	DG Bank (Schweiz) AG
Merrill Lynch Capital Markets AG	Bank Julius Baer &Co. Ltd.	Bank Sarasin & Cie
Banque Bruxelles Lambert (Suisse) S.A.	Clariden Bank	Coutts & Co AG—Member of the National Westminster Bank Group
Lloyds Bank Plc		Yamaichi Bank (Switzerland)

CREDIT SUISSE
CS

développement d'un marché en francs suisses en dehors des frontières nationales. Il s'ensuit qu'il n'y a pas d'émission en eurofrancs suisses.

La réglementation a souvent changé en fonction du bon vouloir de la Banque Nationale de Suisse. Elle a, par exemple, imposé des restrictions de volume (aussi bien sur le marché primaire que secondaire) de juillet 1972 à février 1974, puis de mars 1978 à janvier 1979. Pendant longtemps, les obligations et les notes émises en Suisse étaient soumises à toute une série de contraintes: les obligations ne pouvaient avoir une maturité de moins de 8 ans (la norme étant de l'ordre de 12 à 15 ans); les notes ne pouvaient être émises pour moins de 18 mois; les obligations ne pouvaient être rachetées par anticipation avant le cinquième anniversaire de l'émission; les coupures devaient être supérieures à 50 000 FS; etc.

Face à la poussée de la concurrence internationale, la Suisse a dû, petit à petit, lever certaines de ces restrictions. Depuis 1986, une série de mesures ont rapproché les pratiques suisses de celles rencontrées sur les places financières plus innovatrices.

C'est ainsi que l'on a abandonné le principe des trois grands syndicats bancaires; cependant, dans les faits, les trois géants de l'industrie bancaire helvétique (l'Union de Banque Suisse, la Société de Banque Suisse et le Crédit Suisse) continuent à être des partenaires incontournables pour la très grande majorité des nouvelles émissions.

Une particularité du marché suisse, dont doit tenir compte l'émetteur, c'est l'existence d'un droit de timbre (fédéral et cantonal) qui doit être acquitté lors de toute nouvelle émission[5]. De la même façon, une taxe est levée sur les transactions du marché secondaire qui est certainement l'un des moins animés au monde.

Traditionnellement, les *placements privés* ont toujours représenté une façon privilégiée d'aborder, pour la première fois, le marché suisse. Même si, au cours des dernières années, l'importance relative de ce segment a eu tendance à diminuer, il reste une source de fonds non négligeable. Les taux pratiqués lors de placements privés excèdent d'environ $1/2$% ceux qui ont cours lors d'émissions publiques; cependant, les commissions supportées par l'émetteur étant plus faibles, une très grande variété d'emprunteurs font régulièrement appel à ce marché. Les placements privés étant de taille inférieure aux placements publics, ils attirent les entreprises de taille moyenne et de bonne qualité.

13.4 Le marché en deutsche mark

Les obligations en deutsche mark venaient en troisième position, après celles en dollars et celles en yen, dans le classement des nouvelles émissions en 1992.

---

5. Certains organismes supranationaux sont exemptés de ce droit de timbre.

Les titres en deutsche mark ont toujours présenté un intérêt pour les investisseurs internationaux, grâce à la puissance économique de l'Allemagne, à la politique anti-inflationniste bien établie de la Bundesbank et à la stabilité du deutsche mark qui est considéré par beaucoup comme l'ancre du Système monétaire européen. La réunification de l'Allemagne et ses répercussions sur les besoins d'emprunt du gouvernement fédéral ont amené un changement dans la perception des marchés vis-à-vis du deutsche mark. En effet, à partir de 1989, les taux d'intérêt nominaux ont augmenté rapidement et ont dépassé ceux appliqués au dollar américain; ainsi les marchés ont dû s'habituer à considérer les obligations allemandes comme des obligations à coupon élevé, statut très nouveau pour ces titres.

Historiquement, le marché des placements publics en deutsche mark s'est développé en deux compartiments : le marché étranger et le marché euro. La réalité du début des années 1990 tend à mettre en évidence que la quasi-totalité des fonds levés en deutsche mark le sont maintenant par le biais de l'euromarché (depuis Luxembourg ou Londres). Ceci s'explique par la suppression, à partir de 1986, de toute une série de restrictions qu'avait imposées la Bundesbank pour les euro-émissions.

Le marché en deutsche mark a beaucoup bénéficié, à la fin des années 1980, du succès du contrat à terme sur obligation en deutsche mark (*Bund*) au LIFFE de Londres et de l'ouverture d'un marché à terme à Francfort (*Deutsche Terminborse*)[6].

Du fait de la déréglementation, il n'y a plus de restrictions sur la composition des syndicats d'émissions. Cependant dans les faits, les banques allemandes ont gardé un rôle majoritaire, en partie à cause du pouvoir de placement que leur assurent leurs réseaux, mais aussi à cause de leur statut de banque universelle. La Deutsche Bank a toujours exercé une position dominante sur ce marché. Au début des années 1990, sa part de marché, en tant que chef de file des nouvelles émissions, se maintenait entre 35 % et 40 %.

Signalons enfin que le marché secondaire qui, pendant longtemps, était parmi les moins actifs s'est beaucoup animé avec la multiplication des émissions, la volatilité des taux d'intérêt et l'implication de plus en plus marquée des investisseurs institutionnels.

Les emprunteurs internationaux peuvent aussi avoir recours à des *placements privés* en deutsche mark. Ce segment du marché étranger a maintenu ses positions au cours des dernières années, malgré le succès des euromarchés. Les montants placés sont de plus petite taille et les emprunteurs trouvent ce segment relativement cher, car les taux d'intérêt exigés sont plus élevés que sur le marché euro et les frais supportés plus importants.

---

6.   Cf. chapitre 16.

13.5 Le marché en yen

C'est avec réticence et beaucoup de précautions que les auto-rités japonaises ont levé une partie des restrictions qui limitaient le développement d'un marché international des capitaux en yen. Longtemps on a voulu garder la spécificité du marché obligataire domestique qui, malgré sa complexité, avait particulièrement bien servi le développement de l'économie japonaise.

L'accord yen/dollar de 1984, – par lequel le Japon libéralisait son marché financier, internationalisait le yen et autorisait la parti-cipation étrangère sur le marché domestique en échange d'un enga-gement des États-Unis de réduire son déficit budgétaire — a marqué le début officiel de la déréglementation des marchés des titres et du principe de la séparation des banques, des maisons de courtage et des fiducies.

Le marché en yen s'est d'abord ouvert en trois comparti-ments: les émissions publiques étrangères (le *Samuraï Market*), les euro-obligations et les placements privés auxquels potentiellement on peut ajouter le *Shogun Bonds Market*.

La première émission sur le marché *Samuraï* a été effectuée en 1970 pour le compte de la Banque asiatique de développement. À la suite du premier choc pétrolier, le marché fut pratiquement fermé et il ne reprit de la vigueur qu'en 1977. Il est scrupuleusement surveillé par le ministère des Finances qui peut imposer une file d'attente si les émissions sont trop nombreuses.

La plupart des émissions étrangères sont inscrites à la bourse de Tokyo. Les titres sont en général au porteur, avec une échéance de 5 à 15 ans. Les intérêts sont payés semestriellement. La taille des émissions varie de 20 à 100 milliards de yen. Les émetteurs, dans un premier temps, ont surtout été des organismes internationaux, dont le Japon est membre, ou avec lesquels il entretient des relations étroites. Mais petit à petit, le marché s'est ouvert aux emprunteurs de qualité.

Ce n'est que tardivement que s'est ouvert le marché de l'*euro-yen* (la première émission date de 1977) et son développement a été relativement lent. Ceci s'explique en bonne partie par toute une série de restrictions qui avaient été mises en place par le ministère des Finances. Au cours des années 1980, et surtout après 1985, le marché va vraiment prendre de l'ampleur; plusieurs facteurs ont milité en faveur de son développement.

- Après 1985, le dollar américain se mit à perdre beaucoup de sa valeur et le yen devint une monnaie refuge[7];
- l'épargne japonaise était à la recherche de titres de qualité sans avoir à supporter de risque de change;

---

7. Cf. chapitre 6.

- les autorités japonaises acceptèrent, petit à petit, de lever certaines de leurs restrictions ;
- les grandes maisons de courtage nippones se lancèrent dans l'activité internationale et partirent à la conquête des marchés.

Tous ces éléments ont poussé le yen en deuxième position sur la liste des monnaies utilisées sur l'euromarché.

Même si la majorité des émissions sont de type classique, ce marché a connu, à différentes périodes, un engouement pour des titres plus exotiques (coupon-zéro, double devise et surtout obligations convertibles ou warrantées). Cet attrait pour ces catégories de titres s'explique par la nécessité d'offrir aux investisseurs une compensation pour des taux d'intérêt nominaux qui sont toujours parmi les plus bas.

La majeure partie des titres émis se retrouvent dans des portefeuilles japonais, cependant les investisseurs nippons doivent respecter le délai de 50 jours imposé par le ministère des Finances. Ils exigent en général une cote de AA pour les émetteurs étrangers. Ils acceptent cependant des titres ayant une cote plus faible s'ils sont émis par des entités nationales.

Pour les émissions en euro-yen, les maisons de courtage et banques japonaises s'accaparent les plus grandes parts du marché des chefs de file. Seules les maisons américaines au début des années 1990 (Goldman Sachs et J.P. Morgan) arrivent à jouer un rôle significatif sur ce segment encore très concentré.

Le marché secondaire de l'euro-yen est parmi les moins liquides. Ceci s'explique tout autant par la relative stabilité des prix que par la préférence des investisseurs nippons pour la détention des titres jusqu'à l'échéance.

Les emprunteurs étrangers peuvent aussi arranger des *placements privés* depuis 1972. Les banques étrangères ont trouvé là un moyen de réduire nettement leur coût de financement. Ces émissions sont souvent taillées sur mesure selon la demande de quelques investisseurs. L'approbation tacite du ministère des Finances doit être obtenue. Sur le marché secondaire, la liquidité est presque inexistante.

Le marché des *Shogun Bonds* est un marché d'obligations en devises étrangères émises au Japon. Le marché a été ouvert en 1985 par une émission de la Banque mondiale. On a longtemps cru que ce marché pourrait concurrencer certains marchés euro, mais il n'en fut rien et le marché Shogun est resté très étroit.

13.6 Le marché en livres sterling

La fin des années 1980 et le début des années 1990 ont été témoins de la résurgence de la livre sterling comme monnaie de soutien de tout premier plan pour les nouvelles émissions obligataires internationales. C'est ainsi qu'en 1991, la livre sterling se retrouvait en quatrième place, derrière le dollar, le yen et l'écu, mais, pour la première fois, devant le franc suisse, comme monnaie de dénomination des nouvelles émissions. Cette performance spectaculaire constitue un changement majeur par rapport à la situation enregistrée au cours des années 1970 et le début des années 1980. Beaucoup de facteurs pourtant militaient en faveur de la monnaie anglaise. Londres avait été, en effet, l'un des centres privilégiés de financement international au XIXe siècle et durant l'entre-deux-guerres. L'existence d'un marché domestique de titres d'État (les *gilts*) très étendu et bénéficiant d'une bonne liquidité procure des points de repère commodes pour l'évaluation des taux d'intérêt. De plus, l'expertise de la City, la qualité des communications et un environnement juridique bien adapté ont conduit à l'implantation première de l'euromarché sur les bords de la Tamise.

Mais tous ces éléments favorables ne pouvaient cacher les très grandes difficultés de l'économie britannique et de la livre sterling tout au long des années 1950, 1960 et 1970. Les poussées récurrentes d'inflation et des dévaluations successives de la livre sterling eurent pour conséquence d'éloigner les investisseurs internationaux. Une longue période de contrôle des changes et une fiscalité pénalisante compliquaient, par ailleurs, le placement des titres libellés en livres sterling.

Il faudra de nombreuses années après le changement d'orientation de la politique économique anglaise au début des années 1980, pour que le sentiment des investisseurs à l'égard de la livre change. Même si des signes encourageants pouvaient être décelés dès 1985, ce n'est qu'une fois que la livre aura fait son entrée dans le système monétaire européen, à la fin de la même décennie, que la demande pour les titres libellés en sterling resurgira.

Il est bon de noter que les emprunteurs peuvent, a priori, transiger à Londres sur le marché étranger (le *bull dog market*) ou en Europe (principalement depuis Paris ou Francfort) sur le marché de l'eurosterling. On a pu constater, au cours des années, un certain mouvement de balancier entre ces deux marchés; le volume sur le segment euro a tendance à se contracter durant les périodes plus difficiles pour le sterling et à connaître une croissance plus rapide durant les périodes favorables.

La déréglementation qui a touché assez rapidement tous les marchés anglais a abouti à la disparition de beaucoup de restrictions qui existaient quant aux procédures d'émission et à la distribution des titres. Aujourd'hui, le segment en livres sterling est très proche, dans son fonctionnement, du segment en dollars. La Banque d'Angleterre exerce toujours une certaine surveillance et s'attend à être informée de toute émission. Elle vise essentiellement à éviter les désordres temporaires en jouant un rôle de conciliation entre les émetteurs. Ses pouvoirs, en théorie assez étendus, sont en fait très rarement utilisés en pratique.

Du fait de la profondeur du marché des *gilts*, beaucoup d'émissions nouvelles voient leurs prix exprimés en points de base au-dessus des taux pratiqués sur le marché secondaire de ces titres gouvernementaux; les intermédiaires ont, par ailleurs, vu leur travail facilité par le développement de marché où se négocient des contrats à terme sur *gilts* et par la vigueur du marché des swaps. Les émetteurs et les investisseurs ont ainsi eu à leur disposition des instruments leur permettant de gérer leur position et de réduire les risques associés à la volatilité des titres exprimés en sterling.

La concurrence entre chefs de file est forte sur le marché en eurosterling. Au début des années 1990, trois maisons se faisaient la lutte pour la part de marché la plus importante: S.G. Warburg, Credit Suisse First Boston et Barclays. Par ailleurs, Baring Brothers, Goldman Sachs, Union de Banque Suisse, J.P. Morgan sont parmi les noms les plus souvent associés aux émissions en livres sterling.

13.7 Le marché en francs français

Avec l'équivalent de 24,3 milliards de dollars de nouvelles émissions, le franc français s'est hissé, en 1992, au quatrième rang des monnaies de support des émissions euro-obligataires. Il s'agit là d'une poussée impressionnante.

En effet, même si la première émission en eurofrancs remonte à 1967, ce segment du marché international a longtemps été handicapé par un niveau d'inflation plus élevé en France que chez plusieurs de ses partenaires européens, par une longue période de contrôle des changes, par des dévaluations répétées au sein du SME et par des restrictions imposées par les autorités de tutelle.

Cependant, les choses ont beaucoup changé au milieu des années 1980. La transformation en profondeur du système financier français, la réduction très sensible du taux d'inflation et le maintien d'une parité stable avec le deutsche mark au sein du SME ont procuré une crédibilité nouvelle au franc français aux yeux des investisseurs internationaux.

Par ailleurs, deux autres facteurs ont aidé ce marché: suite à la réunification allemande, les taux d'intérêt réels allemands se sont maintenus à un niveau très élevé et les autorités françaises ont dû emboîter le pas; les titres en eurofrancs devenaient, par le fait même, fort attrayants pour les investisseurs. À cet élément conjoncturel, il faut ajouter un autre élément de nature structurelle: l'ouverture du MATIF et le succès immédiat de ses contrats sur taux d'intérêt a facilité la gestion active des positions en francs français.

Les émissions en eurofrancs ont longtemps été étroitement surveillées par le Trésor qui approuvaient les montants et les termes proposés et régularisait leur débit. Ceci se traduisait par des files

New Issue • July 29, 1992

All these Bonds have been sold. This announcement appears as a matter of record only.

European Investment Bank

FRF 2,000,000,000
8⅞% Bonds due 1997

Issue Price of the Bonds: 99.59%

Crédit Commercial de France

Caisse des dépôts et consignations • Paribas Capital Markets Group

Crédit Lyonnais • S.G. Warburg France S.A.

Société Générale • Swiss Bank Corporation

J.P. Morgan & Cie S.A.

Banca Euromobiliare • Banco Bilbao-Vizcaya S.A.

Bank Austria Z-Länderbank Bank Austria AG • Banque Bruxelles Lambert S.A.

Banque Indosuez • BNP Capital Markets Limited

Crédit Agricole • Credit Suisse First Boston France

Deutsche Bank France S.N.C. • Generale Bank

Morgan Stanley International • Nomura France

d'attente, principalement pour les nouveaux émetteurs. Le Trésor s'efforçait aussi d'alterner les emprunteurs publics et les emprunteurs privés.

Aujourd'hui, son rôle a été sensiblement atténué. L'activité de surveillance passe par le biais du Comité de l'eurofranc, présidé par le Trésor et composé de la plupart des banques françaises actives sur le marché, qui s'assure qu'il fonctionne de manière ordonnée. Sa mission est de diffuser l'information, de discuter des conditions du marché et, plus généralement, de suivre son évolution.

Sauf pour les placements privés, la réglementation est devenue peu contraignante; cependant, l'inscription sur le marché officiel français de toute émission euro est obligatoire, quelle que soit l'échéance ou la taille. Ceci nécessite donc le respect de conditions imposées par la COB (Commission des opérations de bourse) et la SICOVAM (Société de compensation des valeurs mobilières):

- L'émetteur doit soumettre un prospectus établi dans une des langues officielles de la Communauté européenne.
- Pour les titres négociables donnant droit de souscription, les obligations remboursables en actions et les obligations convertibles des compagnies françaises inscrites en France, le prospectus doit être approuvé par la COB avant le lancement.
- Les émissions en eurofrancs doivent être souscrites par des non-résidents sur le marché primaire. Toutefois les transactions sur le marché secondaire ne sont soumises à aucune restriction.
- L'emprunteur doit, en outre, publier régulièrement les informations relatives à sa situation financière pendant toute la durée de l'emprunt.

Il n'y a plus de restriction pour la filiale française d'une banque étrangère à diriger une émission en eurofrancs, à la condition que:

- la réciprocité pour la filiale d'une banque française à l'étranger soit acquise;
- la filiale de la banque étrangère en France soit en règle vis-à-vis des exigences financières relatives à une institution de crédit et qu'elle soit sous le contrôle de la Commission bancaire.

Même si cela n'est plus obligatoire, dans les faits, les chefs de file des émissions en eurofrancs sont majoritairement des banques françaises. Entre 1989 et 1992, le classement des cinq banques ayant assuré cette position n'a pas changé et l'on retrouve dans l'ordre: le Crédit Commercial de France, le Crédit Lyonnais, la Société Générale, la Banque Nationale de Paris et Paribas.

Le marché secondaire, surtout actif à Paris, jouit d'une bonne liquidité principalement parce que quatre banques assurent la fonction de mainteneur de marché: le Crédit Commercial de France, la Banque Nationale de Paris, la Société Générale et le Crédit Lyonnais.

La déréglementation des marchés en France, l'attrait de taux d'intérêt élevés et un marché de contrat à terme sur taux d'intérêt très actif expliquent le succès des émissions en francs. Par ailleurs, le développement du marché des SICAV (fonds mutuels) a entraîné une forte demande pour le papier libellé en francs français.

13.8 Le marché en écus

C'est peu de temps après sa création que l'écu est devenu une monnaie de soutien pour des émissions obligataires internationales. En effet, les premières obligations en écus firent leur apparition en avril 1981 lors d'une émission faite pour le compte de la Société financière pour les télécommunications. À vrai dire, il faut rappeler que le marché s'était déjà habitué aux monnaies composites européennes puisque plusieurs émetteurs avaient approché le marché, dès 1963, avec des émissions libellées en Unité de compte européenne.

Dans un premier temps, deux caractéristiques étaient communes aux émissions en écus: seules les entités multinationales ou les agences gouvernementales bénéficiant de la garantie de leur gouvernement approchaient le marché et, par ailleurs, une proportion importante de toute émission était placée auprès des particuliers, ce qui expliquait que les dénominations des obligations étaient souvent de 1 000 écus.

Au fur et à mesure que le marché s'est développé, de nouvelles entités ont été intéressées par ce segment; en particulier de grandes compagnies ont réussi des placements. Cependant, le marché est resté fort sélectif et seules les entreprises ayant l'équivalent de la cote AA peuvent espérer y placer du papier. Du côté des investisseurs, on a constaté également un grand changement avec l'intérêt massif des investisseurs institutionnels, principalement après que la définition de l'écu ait été modifiée en 1989 et avec l'introduction de contrats à terme en écus au LIFFE de Londres et au MATIF de Paris.

Les émissions en écus ne sont soumises à aucune réglementation ou restriction. Les émetteurs et leurs chefs de file doivent néanmoins prévoir une documentation plus volumineuse que pour une émission en deutsche mark par exemple, car doivent être réglés des problèmes particuliers, comme la monnaie de paiements des intérêts et du principal, ou être prévues des clauses spécifiques en cas de disparition temporaire ou définitive de l'écu. Cependant ce handicap n'est plus de nos jours très important, car ces clauses additionnelles ont été standardisées au fil des émissions. Plus sérieuse a été, pendant longtemps, l'absence de *benchmarks* servant de référence pour les nouvelles émissions. Mais là aussi, un certain consensus a été atteint au fur et à mesure que certaines émissions gouvernementales de très grande taille ont été placées et après que l'on ait constaté qu'elles avaient une bonne liquidité sur le marché secondaire. On trouvera au tableau 13.4, une liste de *benchmarks* publiée par la banque Paribas au début des années 1990.

Pour les investisseurs et les arbitragistes, le marché en écus a suscité un intérêt nouveau à la fin des années 1980, car les titres en écus portaient des taux d'intérêt nominaux élevés tout en offrant, a priori, peu de risque de change. De ce fait, ils représentaient une alternative intéressante au deutsche mark. Cette impression fut renforcée par le fait qu'entre 1987 et le milieu de l'année 1992, il n'y eut pas de réajustement important à l'intérieur du SME et que, pouvait-on penser, on s'acheminait vers la reconnaissance de l'écu comme monnaie unique en Europe. On sait que cette période de stabilité s'est terminée à l'automne 1992 et au printemps 1993 par de grandes perturbations sur les marchés des changes en Europe[8]. Ceci engendra un tassement assez sensible sur le marché en écus.

Les banques du Bénélux, et en particulier la Krediet Bank, ont joué un rôle majeur pour le développement du marché en écus, mais au milieu des années 1980, le leadership est passé aux banques françaises.

Au début des années 1990, la banque Paribas occupait régulièrement la première place en ce qui a trait aux parts de marché pour les émissions en écus. Cependant, reflétant bien la nature internationale de cette unité monétaire, les grandes banques suisses, la Deutsche Bank, Morgan Stanley, Goldman Sachs et J.P. Morgan

Tableau 13.4				
***Benchmarks* en écus**				
Maturité	**Montant**	**Émetteur**	**Coupon**	**Date d'échéance**
3 mois	1 000 m	Italie	FRN	Octobre 2005
5 ans	500 m	Espagne	10,75 %	Mai 1995
	1 250 m	Belgique	9,125 %	Mars 1996
	1 877 m	France (OAT)	8,5 %	Mai 1997
7 ans	1 125 m	BEI	10,0 %	Février 1997
	1 000 m	Italie	10,375 %	Juillet 1997
	2 708 m	France (OAT)	9,5 %	Avril 2000
10 ans	1 000 m	Italie	10,75 %	Avril 2000
	1 150 m	BEI	10,0 %	Janvier 2001
	1 500 m	France (OAT)	10,0 %	Février 2001
	2 500 m	Royaume-Uni	10,0 %	Février 2001
	2 500 m	Italie	9,25 %	Mars 2001

---

8.   Cf. chapitres 2 et 6.

étaient aussi très présentes, de même que les deux grandes maisons de courtage japonaises Nomura et Nikko.

13.9   Le marché en dollars canadiens

Au début des années 1990, le dollar canadien était l'une des monnaies les plus utilisées sur le marché euro-obligataire. Au cours de l'année 1991, 22,5 milliards de dollars avaient été levés à l'aide d'émissions libellées dans cette devise, ce qui en faisait le quatrième segment en importance sur le marché. Plusieurs facteurs peuvent être avancés pour expliquer cette performance:

- les entreprises canadiennes, les gouvernements provinciaux et leurs agences ont une longue tradition d'emprunt à l'étranger. La possibilité que leur offre l'euromarché d'emprunter sans risque de change est très attirante;

- les emprunteurs non canadiens ont trouvé dans ce marché beaucoup plus de profondeur que celle à laquelle ils s'attendaient;

- les investisseurs internationaux désireux de placer dans la «zone dollar» trouvent des signatures de qualité auxquelles ils sont habitués;

- les taux d'intérêt sur les titres en dollars canadiens sont plus élevés que ceux en dollars américains, même lorsque le taux d'inflation est comparable entre les deux pays;

- à la fin des années 1980, des taux d'intérêt nominaux (et réels) sur les obligations en dollars canadiens ont été particulièrement élevés; elles présentaient donc un attrait pour les investisseurs manifestant une préférence pour ce genre de coupons;

- l'efficacité du marché des swaps dollar américain – dollar canadien (chapitre 17) a donné un nouvel essor aux émissions en «eurocan».

Le mode de fonctionnement du marché et le processus d'émissions sont directement calqués sur ceux du marché en dollars US. Ce marché dépend grandement du sentiment des opérateurs à l'égard de l'évolution relative du dollar canadien par rapport à la devise américaine. Les émissions, faites habituellement depuis Londres, ne requièrent pas l'autorisation de la Banque du Canada. Il n'y a pas d'obligation à ce que le chef de file soit une banque ou une maison de courtage canadienne, même s'il en est souvent ainsi. Les inscriptions sont prises à la Bourse de Londres ou à celle de Luxembourg. Les paiements se font en dollars canadiens, avec livraison en Europe. En 1975, le gouvernement canadien supprimait la retenue à la source sur les intérêts payés aux investisseurs étrangers, ce qui a contribué à l'expansion du marché.

These Securities having been sold, this announcement appears as a matter of record only.

New Issue   April 1991

Canadian $3,990,000,000
(aggregate principal amount at maturity for all series)

Zero Coupon Canadian Dollar Bonds
With Serial Maturities From April 11, 1992 to April 11, 2031

Irrevocably and unconditionally guaranteed by

Province of Ontario
(Canada)

Merrill Lynch & Co.	Nomura International	ScotiaMcLeod Inc.
Nesbitt Thomson Deacon Inc.		RBC Dominion Securities Inc.

Burns Fry Limited	Deutsche Bank Capital Markets Limited
Goldman Sachs International Limited	IBJ International Limited
Morgan Stanley International	Salomon Brothers International Limited
UBS Phillips & Drew Securities Limited	Wood Gundy Inc.

La compétition entre institutions financières pour l'obtention du rôle de chef de file lors des émissions sur ce marché est assez prononcée. Sont très actives les grandes maisons de courtage canadiennes (filiales des banques) Wood Gundy, Scotia McLeod et RBC Dominion, les grandes banques d'affaires new yorkaises (Merrill Lynch et Goldman Sachs) ainsi que les banques européennes (entre autres la banque Paribas, la Deutsche Bank et les trois grandes banques suisses).

13.10 Le marché en dollars australiens

On peut, de prime abord, trouver beaucoup de similitudes entre le marché en eurodollars australiens et celui en eurodollars canadiens. Pendant longtemps l'un et l'autre ont attiré les investisseurs internationaux par des coupons élevés. Cependant, la volatilité du dollar australien sur les marchés des changes est plus élevée que celle du dollar canadien. Ceci explique vraisemblablement pourquoi la prime de risque est plus élevée sur les émissions en dollars australiens. Ici aussi, la profondeur du marché des swaps en dollars australiens a certainement aidé au succès de obligations libellées dans cette devise.

Il est remarquable que les émetteurs sur ce marché viennent d'horizon très divers. Aussi, seulement 30 % des émissions, faites en 1990, l'étaient pour le compte de signatures australiennes contre 43 % pour des entités européennes et 17 % pour des émetteurs nord-américains.

Beaucoup d'émissions en dollars australiens sont de taille relativement petite (de 50 à 60 millions de dollars australiens) et une partie importante des titres est placée auprès de particuliers attirés par le haut coupon. Ceci se reflète dans la structure des commissions à payer lors des émissions où l'on constate que la commission de placement reste relativement élevée (environ 1,25 % pour des obligations de 5 ou 7 ans).

Les banques dirigeant les émissions sur ce marché sont très souvent des banques étrangères. En particulier, Hambros, Deutsche Bank et Merrill Lynch sont très actives. Cette particularité s'explique, en bonne partie, par la concurrence très vive à laquelle se sont livrées les banques internationales pour s'implanter (avec plus ou moins de succès) en Australie.

Le marché a connu trois années exceptionnelles: 1987, 1988 et 1989. Le record de nouvelles émissions a été atteint en 1987 avec près de 12 milliards de dollars australiens. Au début des années 1990, ce marché donnait l'impression de chercher son second souffle.

New Issue   May 5, 1957

McDonald's Corporation
Oak Brook, Illinois, U.S.A.

A$ 75,000,000
14 ⅝% Bearer Bonds of 1987/1991

Issue Price
101¼%

Bayerische Vereinsbank
Aktiengesellschaft

Bankers Trust International
Limited

Citicorp Investment Bank
Limited

Deutsche Bank Capital Markets
Limited

Dresdner Bank
Aktiengesellschaft

Westpac Banking Corporation

Arab Banking Corporation – Daus & Co. GmbH

ANZ Merchant Bank
Limited

Banca del Gottardo

Bayerische Hypotheken- und Wechsel-Bank
Aktiengesellschaft

BankAmerica Capital Markets Group

Crédit Lyonnais

Daiwa Europe
Limited

DKB International
Limited

EBC Amro Bank
Limited

Fay, Richwhite (U.K.)
Limited

Kleinwort Benson
Limited

Merck, Finck & Co.

Merrill Lynch Capital Markets

Nippon Kangyo Kakumaru (Europe)
Limited

PaineWebber International

Sanwa International
Limited

Vereins- und Westbank
Aktiengesellschaft

13.11 Les autres monnaies

Des obligations peuvent être émises, pour des volumes limités, en quelques autres monnaies[9]. Les marchés ouverts, de façon intermittente, le sont souvent pour des raisons conjoncturelles ou pour tirer avantage de particularités de ces marchés. De plus, on ne peut nier un élément moutonnier des investisseurs ou des intermédiaires pour expliquer les engouements passagés pour certaines monnaies.

13.11.1 Le marché en florins

Bien avant la création du Système monétaire européen, le florin a été reconnu par les investisseurs comme l'une des monnaies fortes de l'Europe. Les fluctuations de la monnaie hollandaise ont largement suivi celles du deutsche mark et, à certains égards, elle est considérée comme une alternative à la monnaie allemande.

L'économie hollandaise étant traditionnellement une économie très ouverte, la présence de grandes entreprises multinationales, la réputation de quelques grandes banques à Amsterdam, un cadre juridique favorable et un traité fort pratique pour éviter la double taxation sont autant d'éléments qui expliquent la place du florin dans le concert des monnaies internationales.

Les emprunteurs peuvent émettre des obligations étrangères à Amsterdam et réussir quelques placements privés, mais la devise hollandaise joue surtout un rôle par le biais du marché euro où sont émises des notes à moyen terme de 5 à 7 ans (*Euro-guilder notes*).

Les intérêts payés sont exempts de la retenue à la source.

Pendant longtemps, la Banque centrale a contrôlé le volume des *euro-émissions* et a limité l'accès aux meilleures signatures. Elle collaborait étroitement avec les grandes banques hollandaises pour ordonnancer le marché. Le chef de file était toujours une banque hollandaise, avec autant de co-leaders étrangers que voulu, mais le nombre de banques hollandaises devait être plus élevé que le nombre de banques étrangères. Par ailleurs, l'inscription était interdite. Les commissions sont de l'ordre de 1,5 %.

Malgré l'absence d'inscription, le marché secondaire est actif par le biais des banques aussi bien hollandaises qu'internationales.

Les emprunteurs étrangers peuvent, de plus, faire appel au *marché public* hollandais. Les émissions, avec des échéances de 10 à 12 ans, donnent lieu à la mise en place de syndicats de garantie et les titres sont cotés à la bourse d'Amsterdam. L'ensemble des commissions à supporter est alors plus élevé. Les organisations supra-

---

9.   La publication *The Orion Royal Guide to International Capital Markets* relevait, en 1984, des titres en circulation libellés en 23 monnaies sur le marché euro-obligataire et en 8 monnaies sur les marchés étrangers.

nationales et les agences gouvernementales ont eu recours à ce type d'emprunt. Le marché secondaire est actif.

Les meilleures signatures peuvent effectuer des *placements privés* en Hollande, généralement pour des périodes plus longues. Ici encore, il est nécessaire d'obtenir l'autorisation de la Banque centrale lorsque le placement est fait auprès d'investisseurs institutionnels. Les frais et commissions sont plus faibles que pour des placements publics (environ $3/4$ %); en revanche la liquidité est faible. Bien que les échéances puissent atteindre 25 ans, le gouvernement hollandais les limite pour les compagnies privées à 10 ans. Ces placements ne sont inscrits à aucune bourse. Quoique limité, le marché secondaire se fait par le biais des banques.

13.11.2 Le marché en lires italiennes

Même si la lire fait partie du Système monétaire européen au même titre que le florin, elle inspire une impression diamétralement opposée aux investisseurs internationaux. En effet, le taux d'inflation très élevé en Italie, jumelé à l'instabilité politique et à un niveau d'endettement préoccupant, ont eu pour effet que la lire est généralement perçue comme une monnaie faible, susceptible d'être dévaluée sur une base récurrente.

Or, malgré ces caractéristiques peu favorables, la lire italienne est devenue, à la fin des années 1980 et au début des années 1990, une monnaie de soutien pour de nombreuses émissions internationales, avec un sommet de 8,7 milliards de nouvelles émissions en eurolires en 1991. C'est qu'en fait plusieurs facteurs spécifiques à l'économie italienne et aux emprunts en lires italiennes sont venus contrebalancer les a priori négatifs.

- Les entreprises, agences gouvernementales et entreprises publiques sont, depuis les débuts de l'euromarché, des emprunteurs fréquents et, du fait même, reconnus sur les marchés internationaux.

- On souligne souvent que si l'Italie est un des pays les plus endettés d'Europe, c'est aussi celui où la propension marginale à épargner est la plus élevée.

- Les marchés domestiques de titres d'État sont fort développés et ils offrent une bonne liquidité. Ainsi, les points de repère pour la détermination des prix lors des émissions ne manquent pas.

- Les taux d'intérêt nominaux élevés présentent un intérêt pour les investisseurs internationaux dans la mesure où ils ont la possibilité de se protéger contre le risque de change.

- Durant la période de relative stabilité du Système monétaire européen (1987-1992), des investisseurs ont fait le pari que la lire maintiendrait sa parité; dès lors, les rendements sur la devise italienne devenaient particulièrement intéressants.

À tous ces éléments, il faut ajouter que quelques particularités du régime fiscal italien à l'égard des titres émis à l'étranger ont certainement joué un rôle non négligeable. En effet, s'il existe a priori une retenue à la source de 30 % sur les revenus d'intérêt pour des titres émis à l'étranger et détenus par des investisseurs italiens, il existe toute une série d'émetteurs qui sont exemptés de cette contrainte. Ainsi les euro-obligations de l'État, des agences gouvernementales, de certaines agences européennes (Euratom ou Banque européenne d'investissement), des institutions supranationales (telle la Banque mondiale) et de CREDIOP (une institution spécialisée dans le crédit à moyen terme) n'entraînent pas de retenue à la source.

Comme une part importante des titres en eurolires se retrouve dans des portefeuilles italiens, il s'ensuit que le marché de l'eurolire donne souvent l'impression d'être composé de deux segments juxtaposés : celui des titres exemptés et celui des titres soumis à la retenue à la source. De ce fait, les emprunts exemptés représentent environ 65 % de toutes les émissions en eurolires (dont 40 % pour les institutions supranationales). Au niveau du rendement, ceci se traduit par un écart qui peut atteindre 120 à 140 points de base en faveur des titres exemptés pour une émission de cinq ans.

Contrairement à la situation rencontrée sur la plupart des autres segments de l'euromarché, la Banque d'Italie gardait, au début des années 1990, un rôle majeur pour l'ordonnancement des nouvelles émissions, ce qui se traduisait par l'existence de files d'attente et par une certaine priorité accordée aux émissions du gouvernement et de ses agences.

Les banques italiennes (Instituto Bancario San Paulo di Torino, Banca Commerciale Italiana et Banca di Roma) occupent la majorité des positions de chef de file pour les émissions en eurolires. Cependant, la Deutsche Bank est aussi très présente sur le marché.

13.11.3 Le marché en pesetas

L'entrée de l'Espagne dans la Communauté européenne a été très favorable à l'économie espagnole qui a connu l'un des meilleurs taux de croissance en Europe à la fin de la décennie 1980. Les autorités espagnoles ont, par ailleurs, modernisé leurs marchés financiers et c'est dans ce contexte que la peseta est elle aussi devenue une monnaie de soutien à des émissions internationales.

On pourrait être tenté de faire un rapprochement entre le marché en lires et le marché en pesetas puisque, dans les deux cas, on a affaire à des titres ayant des coupons élevés et une monnaie de soutien susceptible d'être dévaluée, mais appartenant au Système monétaire européen. Cependant, ces deux marchés sont très sensiblement différents : en effet, les titres internationaux en lires relèvent de l'euromarché, alors que les titres internationaux en pesetas sont des obligations étrangères.

Ce marché (connu sous le nom de marché Matador) a été ouvert en 1990. Il fonctionne avec beaucoup de restrictions et sous le contrôle du Trésor. Sont éligibles, sur ce marché, les émetteurs supranationaux, les entités de la Communauté européenne et les États étrangers. La Banque européenne d'investissement et la Banque mondiale ont été les principaux utilisateurs de ce nouveau segment des marchés internationaux.

13.11.4 Le marché en francs luxembourgeois

En 1992, les nouvelles émissions d'obligations internationales en francs luxembourgeois ont atteint un volume de 5,5 milliards de dollars. Cette devise est ainsi devenue l'une des plus importantes sur le marché, puisque ce volume de nouvelles émissions dépasse celui enregistré pour les titres en dollars australiens sur la même période. Or, assez curieusement, on a l'impression que les marchés n'ont guère souligné ce phénomène. Ceci tient sans doute au fait que le franc luxembourgeois étant fermement ancré au sein du Système monétaire européen, il ne présente pas un pouvoir de diversification de portefeuille aussi important que le dollar canadien ou le dollar australien. Mais cela tient surtout à ce que les titres en francs luxembourgeois sont en très grande majorité absorbés par les investisseurs belges[10]. Ceci s'explique par des raisons structurelles et pour des spécificités de la taxation. La Belgique a depuis de nombreuses années de sérieux problèmes de déficit, alors que le Luxembourg a accumulé des surplus. Du fait de la parité du franc belge et du franc luxembourgeois, il était normal que les entités belges émettent au Luxembourg. D'autre part, les émissions en Belgique s'accompagnent d'une retenue à la source[11] ce qui n'est pas le cas pour les émissions au Luxembourg. Par ailleurs, les investisseurs belges ont toujours été très sensibles à l'anonymat qui accompagne les émissions internationales.

La déréglementation générale des marchés au Luxembourg survenue le 1er juillet 1990, qui a supprimé le système de file d'attente, les restrictions sur la taille des émissions et sur la longueur de la période de souscription, s'est traduite immédiatement par un accroissement du volume des nouvelles émissions.

L'alignement de la politique monétaire en Belgique et au Luxembourg sur celle de la BundesBank a comme conséquence que les taux d'intérêt sur les titres en francs luxembourgeois reflètent fidèlement l'évolution de ceux sur les titres en deutsche mark.

---

10. Certaines estimations situent à 85 % la part des titres en francs luxembourgeois retenus par les investisseurs belges.

11. Pendant longtemps, ce taux était de 25 %, il fut ramené à 10 % en mars 1990.

Les banques luxembourgeoises jouent habituellement le rôle de chef de file; les plus souvent utilisées par les émetteurs sont la Banque générale du Luxembourg, la Kredietbank et la Banque internationale à Luxembourg.

13.11.5 Quelques autres marchés

Ainsi que le montre le tableau 13.1 au début de ce chapitre, les autres monnaies que celles qui ont été présentées jusqu'ici, n'ont été utilisées que pour moins de 1 % de toutes les nouvelles émissions, en 1992. Leur rôle est donc assez marginal. Ces micromarchés sont essentiellement ceux des titres libellés dans les autres monnaies de la Communauté européenne (Couronne danoise et Escudo), ceux libellés dans les monnaies scandinaves et le marché en dollars néo-zélandais[12] (qui a connu brièvement un certain succès, à la fin des années 1980, dans la foulée des émissions en dollars australiens).

De ce panorama général, il se dégage une constatation assez surprenante: à l'exception du yen[13], il n'y a pas d'émissions obligataires en monnaies asiatiques et ceci malgré le succès considérable des «nouvelles économies» de cette région du monde et l'intérêt soutenu manifesté par les investisseurs internationaux à leur égard.

---

12. L'eurokiwi.

13. Quelques rares émissions ont été effectuées en dollars de Hong Kong au cours des années 1980.

RÉFÉRENCES BIBLIOGRAPHIQUES

Livres:

- BOWE, M., *Eurobonds*, Dow Jones Irwin, 1988.
- CROSSAN, R. et JOHNSON, M., *The Guide to International Capital Markets 1991*, Euromoney Publications, 1991.
- DOSOO, G., *The Eurobond Market*, Woodhead-Faulkner, 1992.
- TALVAS, G., «On the International Use of Currencies: The Case of the Deutsche Mark», *Essays in International Finance*, Princeton, 1991.

Articles:

- BRADY, S., «Deutsche Makes its Mark», *Euromoney*, juin 1992.
- CHESLER-MARSH, C., «The Lure of the Yankee Dollar», *Euromoney*, janvier 1991.
- DUFLOUX, C. et KAVLIN, M., «Les instruments de la politique de la liquidité bancaire et des taux d'intérêt en Allemagne», *Banque*, janvier 1991.
- *Euromoney*, «European Domestic Bond Markets 1991», Suppl., juillet 1991.
- *Euromoney*, «Markets 93: a supplement of Euromoney», mars 1993.
- HAGGER, E., «The Irresistible Rise of the Canadian Dollar», *Euromoney*, novembre 1991.
- HAGGER, E., «The Rise of the Canadian Dollar», *Euromoney*, novembre 1991.
- HUMPHREYS, G., «Complacent Bankers Shrug off Issue Slowdown», *Euromoney*, juin 1993.
- KING, P., «The Eurofranc Bourses Back», *Euromoney*, novembre 1992.
- LAWENSTEIN, J., «Aussi-Dollar Comes Ashore», *Euromoney*, avirl 1992.

Chapitre 14
Le marché de l'europapier commercial et des euronotes à moyen terme

L'émission d'effets à court terme est une technique de financement connue et utilisée depuis très longtemps sur les marchés nord-américains. En fait, le marché du papier commercial existe depuis le XIXe siècle aux États-Unis, mais son accès, pendant longtemps, fut réservé aux seules entités américaines et canadiennes. Au milieu des années 1970, ce marché s'est ouvert pour les meilleures signatures européennes et asiatiques, mais il restait essentiellement un marché américain centré à New York.

Au milieu des années 1980, un marché international d'effets à court terme vit le jour, connu sous le nom de marché de l'europapier commercial. Le succès de ce nouveau compartiment allait permettre, quelques années plus tard, l'apparition des euronotes à moyen terme (ENMT)[1], nouvelle copie d'un segment du marché domestique américain : le marché des *medium term notes (MTN)*.

On présentera dans ce chapitre les caractéristiques de ces deux marchés.

---

1. La terminologie française pour cet instrument évolue constamment: on parle d'euronotes à moyen terme, d'euro-effets à moyen terme et d'eurobons à moyen terme pour parler de l'instrument connu en anglais sous le nom d'*euro medium term notes*.

14.1 L'europapier commercial

14.1.1 Émergence du marché

Comme la mise en place des NIF et des RUF[2] n'avait que rarement entraîné l'utilisation effective de la facilité de soutien, il était naturel que les intermédiaires sur l'euromarché s'efforcent de placer des titres, à court terme, ressemblant aux euronotes, mais sans que les arrangeurs ou un syndicat de preneurs fermes n'assurent la garantie du placement du papier ni son refinancement à l'échéance. En fait, il s'agissait de transposer au marché euro la pratique du papier commercial américain. Les émetteurs potentiels pouvaient espérer en cas de succès avoir un instrument additionnel à leur disposition dont le principal avantage réside dans la très grande souplesse d'utilisation.

C'est à la fin de l'année 1984, que fut mis en place le premier programme d'europapier commercial. Assez rapidement cette initiative allait se révéler un succès. Et même si la taille du marché euro reste relativement modeste quand on la compare à celle du marché américain, il y a là un instrument de plus à la disposition des emprunteurs internationaux.

Quand on parle d'europapier commercial, on parle de billets à ordre, généralement non garantis, à terme fixe, délivrés sous forme de titres au porteur et émis sur les marchés d'eurodevises. Pour des fins de classification, on a tendance à fixer à 365 jours l'échéance maximale pour l'europapier commercial.

14.1.2 Le marché du papier commercial aux États-Unis

a) Origine

Le développement de ce type de financement aux États-Unis est directement lié à la décentralisation de l'activité bancaire et aux restrictions sur la pratique bancaire interétatique. Des emprunteurs ne pouvant satisfaire leurs besoins de financements à court terme auprès de banques locales, placèrent dès le XIXe siècle du papier à court terme auprès d'investisseurs sur les grandes places financières et plus particulièrement à New York.

---

2. Cf. chapitre 10.

Dans les années 1920, avant le Glass-Steagall Act, on comptait déjà plus de 40 institutions s'occupant de placer du papier commercial pour le compte d'un millier d'emprunteurs de qualité assez disparate. Le marché n'était soumis à aucune réglementation. La crise de 1929 et la grande dépression devaient profondément changer le marché qui ne fut plus accessible qu'aux meilleures signatures. Le marché a gardé cette exigence de qualité. Ceci explique la pratique généralisée de la notation des émissions.

b)   Placement

Sur le marché américain, il y a deux façons de placer les effets à court terme: certains émetteurs placent directement leur papier, d'autres au contraire ont recours à des «dealers» auprès d'institutions financières.

- Jusqu'au début des années 1970, la majeure partie du papier commercial était placée directement par l'émetteur; aujourd'hui cette technique de placement n'est utilisée que dans environ 35 % des cas. On retrouve parmi ces émetteurs les noms les plus prestigieux et surtout les plus connus sur le marché des titres à court terme: ces compagnies ont une longue présence sur ce segment, ont un passé sans accrocs en matière de crédit et sont reconnues pour leur professionnalisme et leur compétence; leur présence fait partie du paysage financier américain. Parmi les plus grands émetteurs on retrouve des filiales financières de grands groupes industriels ou de compagnies de distribution telles que General Motors Acceptance Corporation, Ford Motor Credit Corporation, Sears Roebuck Acceptance Corporation ou General Electric Credit Corporation.

  Les frais associés à l'émission directe des titres sont inférieurs à ceux engendrés par l'utilisation de *dealers*; en particulier on peut se passer des services d'un agent payeur dont la rémunération peut être estimée à cinq points de base. Cependant, il est nécessaire d'émettre annuellement un volume important de papier pour justifier la mise en place d'une équipe-maison et bénéficier d'économies d'échelle.

- La seconde méthode de placement est de recourir à des intermédiaires. Typiquement, un emprunteur ayant annoncé un programme de papier commercial, va approcher des banques et des courtiers en spécifiant les volumes et les échéances pour lesquels il voudrait financer du papier. Banques et courtiers vont alors essentiellement jouer un rôle d'intermédiaires en recherchant des investisseurs susceptibles d'être intéressés par ces titres. Rien ne les empêche également de prendre en charge ces titres, en fonction de la situation de leurs liquidités, de leur capacité à les placer plus tard ou de leurs anticipations sur l'évolution des taux d'intérêt.

- Sur le marché américain, on distingue aussi les programmes publics d'émission des placements privés. Dans ce dernier cas, la clientèle à laquelle s'adresse les programmes est beaucoup plus étroite : seuls peuvent acheter du papier les investisseurs accrédités et l'on ne peut pratiquer la sollicitation générale. En conséquence, le papier placé de façon privée n'est que très rarement l'objet de transactions sur le marché secondaire.

c)   Réglementation et surveillance

Le marché est surveillé par plusieurs organismes dont la Securities and Exchange Commission et la Federal Reserve. Cependant, la réglementation est assez souple. Ainsi, le papier commercial de moins de 270 jours n'a pas à être enregistré à la SEC. De la même façon, le papier commercial garanti par une lettre de crédit bancaire n'a pas à être enregistré. Le recours à la lettre de crédit pour garantir un programme d'émission permet aussi à l'émetteur d'améliorer la notation de son papier et de contourner certaines restrictions sur l'utilisation des fonds.

d)   La notation

Les principales agences de notation pour ce marché sont Standard and Poor's Corporation and Moody's Investor Services, Inc. Leurs systèmes de cotations sont résumés dans le tableau 14.1.

On fait, sur le marché américain, une distinction entre le papier de première catégorie (*tier 1*) et le papier de deuxième catégorie (*tier 2*). Rentre dans la première catégorie le papier qui a obtenu la meilleure notation de deux agences ; en terme pratique, le papier ayant obtenu une notation de A1 par Standard and Poor's et P1 de Moody's fera partie de la première catégorie. Rentre dans la deuxième catégorie le papier ayant obtenu une cote inférieure ou n'ayant une cote supérieure qu'auprès d'une seule institution. Cette distinction est importante dans la mesure où, depuis avril 1991, les fonds mutuels de marché monétaire américain ne peuvent détenir

Tableau 14.1 Notation du papier commercial aux États-Unis		
	Standard and Poor's	**Moody's**
Meilleure qualité	A1+	—
	A1	P1
Bonne qualité	A2	P2
Qualité satisfaisante mais plus vulnérable aux changements conjoncturels	A3	P3

plus de 5 % de leurs avoirs en papier commercial appartenant à la seconde catégorie.

On estime qu'il y a environ 1 750 émetteurs réguliers, dont un dixième représente plus de 70 % de toutes les émissions. Quelques maisons new yorkaises ont une présence dominante sur le marché en qualité de dealers.

14.1.3 Spécificité du marché euro

Le marché ayant été initié au plan international par les maisons américaines, il n'est pas surprenant que la technique de placement et la documentation soient fort comparables avec ce qu'on observe sur le marché new yorkais. On pourrait être tenté de dire que le marché de l'europapier commercial est un marché d'effets à court terme, essentiellement en dollars, arrangés majoritairement par des maisons d'origine américaine depuis Londres, Hong Kong ou Singapour.

L'europapier commercial se présente donc sous forme de titres sans garantie, émis à court terme, avec une échéance fixe ; il est vendu à escompte et placé depuis un pays autre que celui de la devise dans lequel il est émis.

Comme son homologue américain, le marché de l'europapier commercial est un marché de gros puisque habituellement la valeur faciale des titres est supérieure à 500 000 dollars ce qui limite l'accès au marché aussi bien des émetteurs que des investisseurs potentiels. Les titres au porteur sont matérialisés sous forme de titres définitifs ou sous forme de titre global[3] détenu par l'une ou l'autre des chambres de compensation des euromarchés : Euroclear ou Cedel.

Cependant, l'europapier commercial diffère du papier commercial américain à plusieurs titres.

- Tout d'abord, les deux marchés diffèrent par la *maturité moyenne*. Aux États-Unis, elle est d'environ 30 jours, alors qu'elle est presque du double sur le marché euro.

- Aux États-Unis, une fraction importante du papier commercial est placée directement par l'émetteur, alors que sur l'euromarché, le recours à un dealer est systématique.

- Aux États-Unis, la quasi-totalité des programmes de papier commercial s'accompagne d'une ligne de crédit servant de filet de sécurité (*back-up lines*) ; cette pratique n'est pas aussi répandue en Europe et en tout cas, elle n'est pas systématique.

---

3.   Voir J. MÉNARD, «Regards sur le marché de l'eurocommercial papier», *La Revue Banque*, avril 1989.

Mitsubishi Corporation Finance PLC

US$700,000,000
Euro-Commercial Paper Programme

Dealers

Citicorp Investment Bank Limited	County NatWest Limited
The Industrial Bank of Japan, Limited	Merrill Lynch International & Co.
The Mitsubishi Bank, Ltd	Mitsubishi Trust International Limited
SBCI Swiss Bank Corporation Investment banking	Shearson Lehman Hutton International, Inc.
Union Bank of Switzerland (Securities) Limited	S. G. Warburg Securities

Arranged by

SBCI Swiss Bank Corporation Investment banking

Issue and Paying Agent

Citibank, N.A., London Branch

- Comme on l'a dit, le papier commercial circulant aux États-Unis fait l'objet d'une notation, ce qui n'est pas le cas sur le marché euro. Pour certains observateurs, c'est d'ailleurs cette exigence de la notation qui a poussé la plupart des émetteurs sur le marché US à mettre en place une *back-up line*.

- Dans la majorité des cas, le papier commercial américain n'est pas matérialisé (*issued in book-entry form*), alors qu'en Europe l'émission des titres au porteur est très fréquente.

- Traditionnellement, le marché du papier commercial américain a toujours offert les meilleurs taux aux emprunteurs locaux. Même s'il s'est ouvert dès 1974 aux emprunteurs étrangers (l'Électricité de France a été la première à exploiter les possibilités de ce mode de financement), les investisseurs aux États-Unis ont maintenu leur préférence pour les signatures locales. Une telle distinction ne s'est pas maintenue sur le marché international.

- Notons aussi que le papier commercial aux États-Unis est l'objet de retenues à la source pour les détenteurs étrangers, ce qui, bien sûr, n'est pas le cas sur le marché euro.

- Enfin la gamme des émetteurs est très différente. Le marché américain est dominé par les compagnies de financement de grandes sociétés industrielles alors que les utilisateurs les plus importants du marché euro sont les emprunteurs souverains.

14.2 Les euronotes à moyen terme

L'introduction de l'europapier commercial a permis aux meilleures signatures d'ajouter un élément supplémentaire à la gamme des possibilités de financement sur les marchés internationaux.

Cependant les échéances moyennes de ces titres étant très courtes, il existait manifestement un vide pour les échéances de douze à trente-six mois. Certes, le raccourcissement très sensible des échéances sur le marché euro-obligataire[4] avait eu comme effet qu'à partir de 1985, il n'était pas rare de voir circuler des obligations de cinq ans et moins.

Cependant, les obligations de courte durée ne répondent que très imparfaitement aux besoins des trésoriers des grandes entreprises ou aux emprunteurs de risque souverain qui, dans la recherche d'instruments émis pour d'aussi brèves périodes, ont des préoccupations tout autant de trésorerie à moyen terme que des préoccupations de financement. Par ailleurs, la levée de fonds par le

---

4.   Cf. chapitres 12 et 13.

biais d'une émission de type traditionnel présente l'inconvénient majeur d'un manque de souplesse et d'un coût d'émission élevé puisque les commissions et dépenses générales associées à une émission ne peuvent être réparties que sur un nombre limité d'années. Enfin et surtout, en émettant pour une période de cinq ans, par exemple, on se trouve immédiatement après l'émission avec des liquidités sans doute adaptées aux besoins sur la période, mais dépassant les besoins effectifs à très court terme.

Devant le succès que connaissait le marché de l'europapier commercial et des marchés d'effets à court terme qui s'ouvraient un peu partout dans le monde, l'idée vint à certains financiers d'essayer d'utiliser des techniques assez semblables, pour du papier ayant des échéances plus longues. Sur le marché international, ce papier reçut le nom d'euronotes à moyen terme.

Comme pour l'europapier commercial, il s'agit d'une extension au marché international d'une technique utilisée avec succès aux États-Unis depuis 1978.

Les euronotes à moyen terme peuvent donc être considérées comme de l'europapier commercial dont l'échéance serait plus longue[5].

L'émetteur choisit des intermédiaires avec lesquels il met en place un programme d'émission des titres. Les intermédiaires reçoivent, au moment de la mise en place, une commission fixe qui dépend de l'échéance recherchée; elle est typiquement de 5 à 8 points de base pour des ENMT d'un an et peuvent aller jusqu'à 25 points de base pour des échéances de trois ans.

La nature même de l'instrument explique que la qualité des émetteurs est au moins aussi grande que celle rencontrée sur le marché de l'europapier commercial.

14.3 Avantages de ces instruments à court et moyen termes

Les émetteurs ont trouvé principalement deux avantages majeurs à ces instruments: la flexibilité et le coût. Les échéances relativement courtes permettent de moduler la mobilisation des fonds en fonction des besoins effectifs de financement, sans pour autant se commettre pour des périodes plus longues pour lesquelles l'évaluation des besoins potentiels est plus imprécise.

Le recours à ces titres est, par ailleurs, particulièrement intéressant lorsque la pente de la courbe de rendement (*yield curve*) est très accentuée, puisque l'on bénéficie alors de l'avantage de taux

---

5.   D'abord limitées à trois ans, les échéances des ENMT ont eu tendance assez rapidement à s'allonger. En 1993, on estimait que près de 25 % des nouveaux programmes d'émission prévoyaient des échéances de plus de cinq ans.

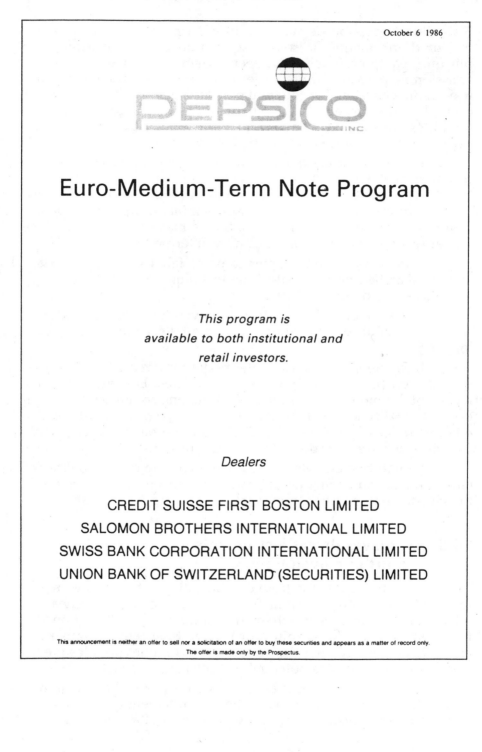

October 6 1986

Euro-Medium-Term Note Program

*This program is
available to both institutional and
retail investors.*

Dealers

CREDIT SUISSE FIRST BOSTON LIMITED
SALOMON BROTHERS INTERNATIONAL LIMITED
SWISS BANK CORPORATION INTERNATIONAL LIMITED
UNION BANK OF SWITZERLAND (SECURITIES) LIMITED

d'intérêt nettement plus avantageux que ceux en vigueur pour le moyen et le long terme. Par ailleurs, comme l'accès au marché est réservé aux meilleures signatures, il est possible de réaliser des financements inférieurs au taux LIBID. Mallard[6] relevait, par exemple, que les emprunteurs souverains les mieux cotés ont été capables de se financer jusqu'à 20-25 points de base en dessous du taux LIBID.

De plus, ces instruments ont l'avantage de fournir aux émetteurs une complémentarité par rapport aux autres instruments à leur disposition et ceci d'autant plus que les investisseurs intéressés par ces instruments diffèrent de ceux du marché obligataire international. En mettant ainsi en place des programmes d'émissions d'effets à court terme, les emprunteurs diversifient leurs sources de fonds.

Il faut également ajouter deux autres avantages: la rapidité et la discrétion. Comme les conditions d'émission sont prénégociées avec les banques et les courtiers, il est possible de profiter avec célérité de la présence de «fenêtres» sur le marché et de tirer profit de situations passagères. Une émission de 100 millions de dollars peut être placée en quelques heures. Par ailleurs, comme l'émission du papier ne s'accompagne pas de publicité, les émetteurs retrouvent dans ces instruments quelques-uns des avantages des placements privés, sur certains segments du marché obligataire.

C'est aussi la flexibilité qui attire les investisseurs vers ces titres à court terme. Ils peuvent placer ainsi des surplus temporaires ou des disponibilités importantes en attendant des conditions d'investissement plus favorables.

La contrepartie de ces avantages réside pour les émetteurs dans le risque de l'assèchement du marché des effets à court terme, au moment du renouvellement des titres arrivant à échéance; c'est là que la complémentarité avec les autres instruments de financement prend toute son importance; l'articulation entre le recours à ces instruments à court terme et la capacité de mobiliser des fonds à l'aide de lignes de crédit prénégociées, fait donc partie de la stratégie de financement des emprunteurs qui abordent ces marchés.

Du point de vue des investisseurs, la profondeur effective du marché secondaire et la qualité de son fonctionnement en période de crise constituent des préoccupations majeures. L'expérience accumulée au début des années 1990 montrait que, contrairement à ce que craignaient certains commentateurs au moment de l'ouverture du marché de l'europapier commercial, la liquidité est devenue très satisfaisante. Il n'est pas rare, en effet, que sur le marché secondaire le *spread* soit remarquablement étroit (cinq à sept points entre le cours demandé et le cours offert) et souvent plus étroit que celui

---

6. *Op. cit.*, p. 384.

associé aux transactions sur les euro-obligations émises par un même emprunteur.

Même si de gros progrès ont été enregistrés au cours des années 1992 et 1993, la liquidité effective sur le marché secondaire des ENMT laisse encore à désirer. Ceci se reflète sur les taux pratiqués, car les investisseurs exigent une prime pour compenser la liquidité moindre des titres. Par ailleurs, certains observateurs font remarquer que ce marché s'est développé dans un contexte de taux d'intérêt continuellement à la baisse: par conséquent, il est difficile d'évaluer la performance de ce marché secondaire tant et aussi longtemps que l'on ne sait pas comment les opérateurs réagiront après une période de retournement de tendance sur les taux.

14.4   Quelques caractéristiques des marchés

a)   La taille des marchés

Comme le montre le tableau 14.2, tout au cours de la deuxième partie des années 1980, la croissance du marché de l'europapier commercial a été très soutenue; cependant au début des années 1990, le marché donnait l'impression de plafonner aux alentours de 80 milliards de dollars. Ceci s'explique entre autres, par la remarquable croissance des programmes d'euronotes à moyen terme qui sont passés de 21 milliards de dollars en 1990 à 61 milliards en 1992.

			Tableau 14.2				
		Évolution du marché de l'europapier commercial et des euronotes à moyen terme (en milliards de dollars)					
	1986	**1987**	**1988**	**1989**	**1990**	**1991**	**1992**
Europapier commercial	13,9	33,3	53,2	58,5	70,3	79,6	78,7
Euronotes à moyen terme	0,4	2,6	5,6	9,.6	21,9	38,5	61,1
Source: Banque des règlements internationaux.							

Même si ces chiffres en eux-mêmes sont impressionnants, ils ne doivent pas faire oublier que ce marché international est encore de taille modeste si on le compare à sa contrepartie américaine. On s'en rendra compte en constatant que le marché du papier commercial aux États-Unis était de 545 milliards de dollars en 1992 et que celui des notes à moyen terme était de 175,7 milliards de dollars à la même époque.

b)   Les devises sur les marchés internationaux

Ces deux nouveaux compartiments du marché international des capitaux sont dominés par les titres libellés en dollars. À elle seule, cette devise représentait près de 80 % des encours à la fin de

1992 pour l'europapier commercial. Le dollar australien venait en deuxième position avec 5 % du marché, suivi de l'écu (4 %), de la livre sterling (3 %) et du deutsche mark (3 %).

À la même époque, on estimait que 51 % des euronotes à moyen terme étaient en dollars, 10 % en yen, 8 % en écus, 8 % en sterling et 8 % en lires. Le franc français et le deutsche mark accaparaient moins de 2 % chacun de ce marché, alors que le dollar australien était utilisé dans 4 % des programmes en cours.

c) L'origine géographique des émetteurs

Au tableau 14.3, on a réparti les émetteurs sur le marché de l'europapier commercial (à la fin de 1992) et sur le marché des ENMT (à la fin de 1993) en fonction de leur origine géographique. Même si ces données ne sont pas tout à fait comparables, on note néanmoins une différence essentielle quant à la participation des emprunteurs japonais, relativement absents sur le marché de l'europapier commercial et accaparant 37 % des émissions sur le marché des euronotes à moyen terme.

Tableau 14.3
Origine géographique des émetteurs
(en pourcentage)

Europapier commercial		Euronotes à moyen terme	
Pays	Pourcentage	Pays	Pourcentage
Australie	19 %	Japon	37,4 %
États-Unis	11 %	Amérique du Nord	14,2 %
Royaume-Uni	11 %	Royaume-Uni	7,1 %
France	11 %	Scandinavie	6,1 %
Suède	10 %	Australie	5,0 %
Pays-Bas	7 %	Autres pays européens	18,1 %
Allemagne	5 %	Marchés émergents	12,1 %
Autres pays Europe	15 %		
États-Unis (offshore)	3 %		
Extrême orient	3 %		
Autres	3 %		

Source : Banque des règlements Internationaux.   Source :   Corporate Finance.

d) La compétition des marchés nationaux

Dans le cadre général de la déréglementation, qui secoua les marchés à partir de 1983-1984, plusieurs marchés domestiques d'effets à court terme virent le jour. Tour à tour, l'Espagne (1982), la Suède (1983), la France (1985) et le Royaume-Uni (1986) mirent en place de tels marchés. Ces pays furent imités par le Japon et l'Allemagne en 1987 et 1991 respectivement. Le succès de beaucoup de ces marchés domestiques a peut-être freiné l'élan du marché de l'europapier commercial, dans la mesure où les emprunteurs de nombreux pays industrialisés ont pu trouver des instruments ayant les mêmes caractéristiques et présentant les mêmes avantages que les produits internationaux, sans avoir à tenir compte du risque de change. Le tableau 14.4, tiré du rapport annuel de 1993 de la Banque des règlements internationaux, met en évidence la croissance qu'ont connue ces différents marchés domestiques parallèlement au développement des marchés internationaux.

Tableau 14.4
Marchés nationaux des effets à court terme
(papier commercial)

Pays	Ouverture du marché	1986	1987	1988	1989	1990	1991	1992
États-Unis	avant 1960	321,6	373,6	451,8	521,9	557,8	528,1	545,1
Japon	1987	—	13,8	73,8	91,1	117,3	99,0	98,1
France	1985	3,7	7,6	10,4	22,3	31,0	30,8	31,6
Espagne	1982	6,3	4,3	6,3	8,3	26,1	28,4	29,3
Canada	avant 1960	11,9	14,9	21,0	25,0	26,6	27,4	24,5
Suède	1983	3,7	7,8	9,5	15,9	23,1	24,0	16,6
Australie	1975	4,1	7,5	7,9	11,1	10,9	12,3	13,8
Allemagne	1991	—	-	—	-	—	5,4	10,2
Finlande	1986	0,8	3,8	5,7	5,7	7,4	6,9	5,8
Pays-Bas	1986	0,4	2,5	4,9	6,9	8,3	5,9	3,8
Norvège	1986	0,1	0,9	1,0	0,8	2,0	2,6	2,6
Belgique	1984	1,0	3,1	2,7	2,7	3,5	3,5	2,2

Source: Banque des règlements internationaux.

14.5   Évolution et intégration des marchés

L'évolution des marchés internationaux donne un peu l'image de vagues successives. Le succès temporaire des facilités renouvelables à prise ferme et des facilités à options de tirage multiples a été enregistré, en partie, au détriment des eurocrédits[7]; puis l'europapier commercial a pris la place de ces instruments hybrides. De la même façon, les premiers chiffres de la décennie 1990 laissent entrevoir un tassement dans le recours à l'europapier commercial, tassement qui s'accompagne d'une croissance remarquable de l'utilisation des notes à moyen terme.

Par ailleurs, les tendances récentes du marché des ENMT, et surtout le rallongement continuel des échéances, ont comme conséquence que la cloison est de plus en plus ténue entre le marché des effets et celui des obligations traditionnelles.

Dans le même esprit, le chevauchement de certains segments du marché international du papier commercial et des marchés domestiques d'effets à court terme, rend les classifications de plus en plus périlleuses.

---

7.   Cf. chapitre 10.

Si l'on ajoute à cela que certains produits dérivés (que l'on présentera dans la prochaine partie), et en particulier les swaps, permettent de transformer créances et engagements et de passer avec beaucoup de facilité d'une monnaie à une autre, on constate que les tendances actuelles sur le marché des effets à court et moyen termes illustrent bien le courant de globalisation qui affecte l'ensemble des marchés de capitaux.

RÉFÉRENCES BIBLIOGRAPHIQUES

Livres:

- ALWORTH, J. S. et BORIO, C. E., *Commercial Paper Markets: A Survey*, BIS Economic Papers n° 37, avril 1993.
- MELNIK, A. et PLANT, S., *The Short-Term Eurocredit Market*, New York University, Salomon Center, 1991.
- *Recent Innovations in International Banking*, BIS, avril 1986.

Articles:

- *Bank of England Quarterly Bulletin*, «International Financial Developments», 1988.
- BORDENAVE, P., DESPONTS, J. et KONCZATY, M., «Le marché du commercial paper aux États-Unis», *Banque*, mars 1986.
- BRI, «Domestic and International Commercial Paper Markets», août 1991.
- CARTER, J., «Global MTNs», *Corporate Finance*, septembre 1992.
- «Guide to International Corporate Paper», *Corporate Finance*, janvier 1993.
- «A Guide to International MTNs», *Corporate Finance*, septembre 1993.
- HALLARD, J., «L'eurocommercial paper», *La Revue Banque*, avril 1989.
- JOHNSON, M., «Corporate Names Boost Euro MTNs», *Corporate Finance*, octobre 1992.
- LEAF, C., «The Euro MTN markets», *Corporate Finance*, 1992.
- LEE, P., «Financial Engineers, Fine-Tune EMTN», *Euromoney*, janvier 1991.
- MALLAR, J., «Regards sur le marché de l'euro-commercial paper», *La Revue Banque*, avril 1989.
- ROBINSON, D., «MTNs develop a secondary market», *Euromoney*, décembre 1992.

Quatrième partie
Les produits dérivés

Parallèlement au marché des prêts bancaires internationaux et au marché des obligations internationales se sont développés de nouveaux instruments dont la disponibilité a changé les paramètres de la prise de décision en matière de financement international et en matière de gestion des investissements et de gestion des emprunts.

Ces nouveaux marchés ont pris aujourd'hui une place considérable et sont devenus partie intégrante de la panoplie des instruments à la disposition des emprunteurs, des investisseurs, des intermédiaires et des spéculateurs. Ces produits sont connus sous le nom de **produits dérivés**.

On peut définir un produit dérivé comme un contrat dont la valeur dépend de l'évolution de la valeur d'un ou plusieurs actifs sous-jacents. Il pourrait sembler, de prime abord, que cette définition générique est très vaste. En fait, le terme s'applique à des familles d'instruments dont le rôle principal est de segmenter et de transférer une partie des risques associés à des actifs financiers ou à des opérations d'investissement ou de financement.

Les produits dérivés tombent dans l'une ou l'autre des quatre catégories suivantes de contrats :
* contrats liés aux fluctuations du prix de marchandises ;
* contrats liés aux fluctuations de valeurs mobilières ;
* contrats liés aux fluctuations des taux d'intérêt ;
* contrats liés aux fluctuations des taux de change.

Les produits dérivés, ainsi définis, existent depuis très longtemps sur les marchés des matières premières et des denrées. En revanche, leur introduction sur les marchés des produits financiers est beaucoup plus récente. Les premiers contrats à terme de taux ou de devises datent du milieu des années 1970 ; presque simultanément apparurent les premiers marchés d'options, puis, au milieu des années 1980, seront signés les premiers contrats de swap de devises et de taux. Ces innovations majeures ont donné à leur tour naissance à toute une série d'autres produits dérivés, taillés sur mesure et négociés de gré à gré (les *forward rate agreements (FRA), les caps, les floors, les collars,* etc.). Ces différents instruments seront présentés dans les quatre chapitres suivants.

Chapitre 15

Les contrats à terme
et les options sur produits financiers

Les contrats à terme et les options sur produits financiers constituent indéniablement des
innovations financières remarquables dont l'influence a été considérable au cours des 20 dernières années.

Les contrats à terme et les options sur produits financiers portent essentiellement sur des
titres boursiers, des indices boursiers, des titres à
revenu fixe ou des devises. Ces deux dernières
catégories servent particulièrement à la gestion
du risque de taux d'intérêt et du risque de change.
C'est donc exclusivement à ces deux catégories
que nous nous intéresserons dans ce chapitre et le
suivant.

Ce quinzième chapitre est divisé en deux
parties. La première est consacrée aux contrats à
terme et la seconde aux options.

15.1 Les contrats à terme d'instruments financiers

Un contrat à terme d'instruments financiers est un engagement à acheter ou à vendre un volume donné de valeurs mobilières, de titres financiers ou de devises à une date fixée d'avance (appelée date de livraison) et à un prix déterminé.

Un tel contrat peut être acheté ou vendu sur une bourse organisée ou négocié de gré à gré entre une banque et son client[1].

15.1.1 Les origines des marchés de contrats à terme (les *futures*)

Les marchés à terme sont apparus aux États-Unis vers le milieu du XIXe siècle pour permettre aux producteurs de produits agricoles de se protéger contre les fluctuations de prix. Les premiers marchés ont porté sur les denrées agricoles (maïs, blé, soja) et sur les ressources naturelles (cuivre, plomb, zinc). Au cours des années 1960, de nouveaux contrats ont été introduits à Chicago (bois contreplaqué, jus d'orange concentré, carcasses de porc), ce qui, par le fait même, élargissait le champ d'application des techniques du marché à terme.

Constatant que les transformations du système monétaire international se traduisaient par une forte volatilité des taux de change et des taux d'intérêt, les spécialistes des marchés à terme eurent l'intuition, au milieu des années 1970, que de nouvelles possibilités de protection contre ces fluctuations s'offraient en se basant sur les techniques parfaitement rodées des marchés à terme de marchandise.

En 1972, le Chicago Mercantile Exchange créa l'International Monetary Market (IMM). C'est là que furent négociés les premiers contrats à terme sur devises. En 1975, toujours à Chicago, est lancé le premier contrat à terme sur des titres à revenu fixe (il s'agissait en fait de créances hypothécaires: les GNMA). Depuis lors, de nombreux contrats ont été introduits, avec des fortunes diverses, sur plusieurs marchés à travers le monde et l'utilisateur potentiel dispose aujourd'hui d'une gamme fort étendue de contrats à terme

---

1. En français le terme contrat à terme est utilisé aussi bien pour les contrats négociés par l'intermédiaire d'une bourse que pour un contrat de gré à gré. En anglais, on fait la différence en parlant de *futures* dans le premier cas et de *forwards* dans le second.

portant sur des devises ou sur des titres à revenu fixe, exprimés en plusieurs devises.

15.1.2 Les caractéristiques générales des contrats à terme

Une distinction importante doit être faite entre les contrats à terme négociés sur des marchés organisés et des contrats à terme négociés de gré à gré *(over the counter)*. Même s'il s'agit d'un produit dont la nature est semblable, le mode de négociation tend à délimiter deux segments conjoints et inter-reliés d'un même marché.

Les contrats négociés sur des bourses ont des caractéristiques homogènes et standard, ce qui, en règle générale, leur assurent une bonne liquidité. La pérennité d'un marché donné dépendra d'ailleurs essentiellement de cette caractéristique. Au contraire, les contrats de gré à gré peuvent être taillés sur mesure pour répondre aux besoins spécifiques, à un moment donné, de l'utilisateur final. Par le fait même, ils perdent en liquidité.

Chaque contrat à terme est défini par l'actif sous-jacent, la taille, l'échéance, les modes de règlement et de débouclement.

a)   L'instrument sous-jacent

Il y a plusieurs catégories d'instruments sous-jacents. Ce peut être tout d'abord un montant prédéterminé de devises ou un montant prédéterminé de titres financiers pour lesquels il y a une bonne liquidité sur un ou plusieurs marchés; le plus souvent ces titres financiers sont des bons du Trésor, des obligations gouvernementales ou des titres assimilés ayant une garantie gouvernementale. Il peut s'agir également d'un montant notionnel de dépôts sur le marché interbancaire local ou international ou d'un montant notionnel de titres à revenu fixe. Par ailleurs, toute une série de contrats portent sur des indices boursiers universellement reconnus (Standard & Poor's, Nikkei, Financial Times Index, etc.) ou des indices boursiers génériques dont les fluctuations sont fortement corrélées avec celles d'indices plus connus (par exemple, le Major Market Index qui évolue parallèlement au Dow Jones).

b)   La taille du contrat

Le montant sur lequel porte le contrat varie d'une place financière à l'autre et dépend de la monnaie de dénomination, mais généralement l'ordre de grandeur est le million de dollars.

c)   L'échéance

L'échéance est spécifique à chaque contrat, mais elle dépasse rarement 24 mois. En règle générale, pour un produit déterminé il y a un contrat qui arrive à expiration tous les trois mois.

d)   Le mode de cotation, de règlement et de débouclement

Même si chaque marché a développé ses habitudes et ses pratiques, celles-ci ont tendance à se standardiser à travers le monde. Par exemple, dans le cas des contrats à terme de taux d'intérêt, le prix est calculé comme étant la différence entre 100 et le taux d'intérêt annuel de l'instrument sous-jacent.

Pour beaucoup de contrats, les fluctuations journalières sont encadrées; en particulier, on impose un montant minimum de variation de prix (ou *tick*). Dans certains cas, on fixe aussi le montant maximal de cette variation ainsi que la position maximale qui peut être détenue.

À l'échéance, le mode de livraison varie lui aussi. Pour certains contrats, il y a effectivement livraison des titres de l'actif sous-jacent (titres, obligations gouvernementales ou montant de devise); sur d'autres, cette possibilité n'existe pas[2], et les positions sont soldées au comptant (*cash settlement*).

15.1.3 La chambre de compensation et les marges

Un point commun à tout marché de contrats à terme boursier (*futures*) est la présence d'une chambre de compensation qui contrôle les opérations et surtout assure aux intervenants l'existence d'une contrepartie.

À chaque initiation de contrat, le courtier transigeant sur le marché dépose un certain montant de garantie ou marge initiale. Le courtier, à son tour, exige le même montant de son client. Après une journée d'échanges, la valeur du contrat a fluctué et certains détenteurs ont vu la valeur de leurs contrats augmenter ou diminuer. La chambre de compensation crédite et débite chaque compte des gains et pertes (opération qui est répercutée par le courtier auprès de son client). Les opérateurs se doivent de maintenir la valeur de leur marge initiale; il y aura donc appel de marge en cas de pertes accumulées. Si le détenteur du contrat ne peut ou ne veut répondre à l'appel de marge, sa position est liquidée à la séance suivante. Par cette procédure, on assure une plus grande sécurité aux transactions, en interdisant aux perdants de détenir des positions qui ne pourraient être respectées à l'échéance.

Le montant des marges initiales et le seuil d'intervention du mécanisme d'appel de marge varient d'un type de contrat à l'autre.

15.1.4 Quelques exemples de contrats à terme

Au début des années 1990, une centaine de contrats à terme sur produits financiers (taux et devises) étaient transigés dans le

---

2.   Comme sur les marchés à terme de marchandises, le nombre de contrat donnant effectivement lieu à une livraison représente une proportion très faible des contrats ayant été en circulation durant la période d'existence d'un contrat spécifique.

monde. À titre indicatif, on présentera ci-après les caractéristiques de quelques contrats parmi les plus connus ou les plus transigés. Les deux premiers sont des contrats de taux (l'un à court terme, l'autre à long terme); les deux suivants sont des contrats sur devises.

a)   Contrat à terme sur eurodollars à trois mois

C'est le 9 décembre 1981 que le Chicago Mercantile Exchange (International Monetary Market Division) a coté pour la première fois ce contrat à terme sur eurodollar à trois mois. Il s'agit, en fait, du contrat à terme sur instrument financier le plus négocié dans le monde. Mais ce succès n'est pas vraiment surprenant; comme beaucoup de prêts sont effectués sur la base du LIBOR, la demande pour un tel contrat est potentiellement considérable dans une optique de protection ou de spéculation. Le succès de ce contrat à Chicago a conduit d'autres bourses à offrir des contrats semblables pour desservir des clientèles locales ou pour tirer avantage du décalage horaire entre leur place financière et Chicago.

Principales caractéristiques

Produit sous-jacent:	dépôt à terme à 3 mois de 1 000 000 dollars
Dates de livraison:	mars, juin, septembre et décembre
Cotation:	100 – taux d'intérêt annuel en pourcentage
Variation minimale du prix *(tick)*:	0,01 point (ou 25 $)
Limite de variation quotidienne:	aucune
Dernier jour de transaction:	deux jours ouvrables avant la date de livraison
Règlement final:	comptant
Marge initiale:	1 000 $ (0,4 % ou 40 *ticks*)

b)   Contrat à terme sur les obligations gouvernementales allemandes *(Bund Futures Contract)*

Ce contrat a été introduit sur le London International Financial Futures Exchange, le 29 septembre 1988. Le produit sous-jacent est un montant notionnel d'obligations allemandes, portant un intérêt de 6 %; ses principales caractéristiques sont les suivantes:

Principales caractéristiques

Montant:	250 000 DM
Dates de livraison:	le 10 des mois de mars, juin, septembre et décembre
Cotation:	valeur nominale de 100 DM
Variation minimale du prix *(tick)*:	0,01 DM, représentant une valeur de 25 DM

Dernier jour de transaction:	trois jours ouvrables à Francfort avant la date de livraison à 11 heures du matin, heure de Francfort
Règlement final:	livraison des titres
Commissions:	négociables
Marge initiale:	1 500 DM

Ce contrat constitue l'un des beaux succès du LIFFE. Ce marché londonien a su présenter un contrat bien adapté aux nombreux intervenants intéressés aux taux d'intérêt allemands (qui connurent une volatilité nouvelle à partir de 1988), alors que les autorités allemandes avaient démontré très peu d'enthousiasme pour les produits dérivés. L'une des particularités de ce contrat réside dans le fait que le produit sous-jacent est un montant notionnel et que le débouclement à l'échéance ne se fait pas au comptant mais par livraison de titres. Il s'agit en fait d'obligations gouvernementales *(Bunds)* ayant une maturité résiduelle de 8 ½ à 10 ans. Le LIFFE publie, 15 jours avant la date d'expiration du contrat, la liste des obligations admissibles à la livraison. Notons au passage que le marché est à Londres et que la livraison se fait à Francfort par le biais du système de compensation allemand *(Frankfurt Kassenverein)*.

c)   Contrat à terme en yen japonais

Le rôle croissant joué par le yen tout au cours des années 1980 en faisait un candidat tout indiqué pour des contrats à terme et ce d'autant plus que la parité entre la monnaie japonaise et les autres monnaies a été particulièrement instable. Cependant, ce n'est pas à Tokyo que sont apparus ces contrats du fait de la réticence manifestée par le ministère des Finances à l'égard de cet instrument et du fait du retard pris par les bourses japonaises en ce domaine. À la fin de 1989, des contrats à terme sur le yen étaient négociés à Singapour, Philadelphie, Chicago et Londres. Ce sont les caractéristiques du contrat de Singapour que l'on trouvera ci-après.

Principales caractéristiques

Montant:	12 500 000 yen
Cotation:	dollar US par yen
Variation minimale *(tick)*:	0,000 001 $ (valeur 12,50 $)
Dates de livraison:	mars, juin, septembre et décembre
Date limite de négociation:	deux jours ouvrables avant le troisième mercredi de chaque mois de livraison
Livraison:	physique le 3e mercredi de chacun des mois de livraison
Commissions:	négociables

d)   Contrat à terme sur la livre sterling

En 1989, des contrats à terme sur la livre sterling étaient négociés sur cinq bourses, dont trois aux États-Unis. Le contrat dont on trouvera ci-après les caractéristiques a été introduit le 16 mai 1982 à l'International Monetary Market, du Chicago Mercantile Exchange. Ce contrat présente la particularité d'avoir huit mois d'échéance au lieu des quatre mois standard.

Principales caractéristiques

Montant:	62 500 livres sterling
Cotation:	dollar US par livre
Variation minimale (tick):	0,0002 $ (2 points; valeur 12,50 $)
Dates de livraison:	janvier, mars, avril, juin, juillet, septembre, octobre et décembre
Date limite de négociation:	deux jours ouvrables avant le 3e mercredi de chaque mois de livraison
Livraison:	physique
Limite de positions:	5 000 contrats pour l'ensemble des mois de livraison
Commissions:	négociables

15.1.5 Les utilisations des contrats à terme sur produits financiers

Les utilisateurs de contrats à terme sur produits financiers obéissent à plusieurs motivations en achetant et en vendant ces produits; ces motivations dépendent de leurs fonctions, de leurs objectifs, des conditions de l'environnement économique et de leurs anticipations. Cependant les opérations qu'ils effectuent suivent la même logique que celle qui préside à celles portant sur des contrats à terme de marchandise.

Les opérations sur contrats à terme peuvent toujours être ramenées à l'une des *trois catégories* suivantes: il y a des opérations de couverture (*hedging*), de spéculation et d'arbitrage.

- Pour réaliser une opération de *couverture*, on prend sur le marché à terme une position inverse à celle prise sur le marché physique. De cette façon seulement, les pertes sur un des marchés seront compensées par des gains sur l'autre.

- Les contrats à terme peuvent également servir d'instrument de *spéculation*. Sur la base d'anticipations quant à la direction des marchés, un intervenant pourra prendre des positions à l'aide de contrats à terme dans le seul but de tirer avantage des fluctuations de prix de cet instrument. Le spéculateur n'est pas contraint d'attendre la fin du contrat pour bénéficier d'un profit, il pourra dénouer sa position en inversant l'opération initiale à n'importe quel moment entre la date d'achat du contrat de vente et l'échéance de ce dernier.

- L'activité du spéculateur est donc d'acheter et de vendre des contrats dans l'espoir de bénéficier des changements de prix à venir. En général, il ne détient aucune position sur le marché au comptant. La spéculation, contrairement à l'opération de couverture, comporte des risques. Mais la présence des spéculateurs contribue à la liquidité et à la continuité des marchés des *futures* et elle facilite, pour les autres utilisateurs, l'entrée et la sortie du marché.

• Enfin les *futures* peuvent être utilisés pour effectuer des *arbitrages* entre différents titres financiers sur le marché à terme. Pour fin d'arbitrage, un agent procédera à un achat et une vente simultanés de contrats différents mais liés entre eux par certaines caractéristiques comme l'instrument sous-jacent, l'échéance, la localisation du marché. On retrouve, à ce titre, toute une série d'opérations mixtes: opérations mixtes intermois, intermarchés ou interproduits. Des trois catégories d'opération, l'arbitrage est de loin la plus sûre puisqu'il s'agit d'une transaction où les prix des deux véhicules transigés sont connus.

15.1.6 Les contrats à terme négociés de gré à gré

Les banques offrent à leurs clients des contrats à terme (de taux et de devises) qui sont adaptés à leurs besoins spécifiques. Ces contrats sont de nature proche de ceux qui sont négociés sur les marchés boursiers, mais les caractéristiques en sont différentes. Les éléments de comparaison entre ces différents contrats sont résumés au tableau 15.1.

15.2 Les options sur taux et les options sur devises

Parallèlement aux contrats à terme de produits financiers sont apparues à la fin des années 1970 des options sur ces mêmes produits. Elles sont l'objet de transactions de gré à gré ou sont négociées sur des marchés organisés.

Après avoir présenté les principales caractéristiques d'une option, on s'attardera aux options de taux d'intérêt et de devises.

15.2.1 Principes généraux

Une option est un droit (et non une obligation) d'acheter ou de vendre une marchandise ou un titre à un prix fixé d'avance (appelé prix d'exercice), pendant une période donnée ou à une date prédéterminée. Une option offre donc à son détenteur, le droit de participer à l'évolution du marché pour une certaine période de temps. Pour se prévaloir de ce droit, l'acheteur d'une option paie une prime.

Il existe deux grandes catégories d'options: les options d'achat ou *call* et les options de vente ou *put*. Un *call* est un droit d'acheter un certain actif (financier ou non); un *put* est un droit de vendre ce même actif.

Acheteurs et vendeurs d'options n'ont pas le même contrôle sur la durée de vie du droit qui est transigé. En effet, c'est l'acheteur qui détient le droit d'exercice. Le vendeur quant à lui est à la merci

Tableau 15.1

**Comparaisons entre les contrats à terme de gré à gré
et les contrats boursiers**

Caractéristiques	Contrats à terme de gré à gré (*forwards*)	Contrats à terme boursiers (*futures*)
Marché	de gré à gré	bourses organisées
Contrat	sur mesure : les termes du contrat sont adaptés à chaque situation	standardisation des quantités, échéances, dates et lieux de livraison ainsi que des caractéristiques du produit sous-jacent.
Transaction	personnelle	impersonnelle
Marges initiales	aucune (mais nécessité d'une ligne de crédit)	obligatoires, réglementées par chambre de compensation
Liquidité	très faible à cause du caractère personnel de la transaction	très élevée
Livraison (exécution du contrat)	• presque toujours • modalités réglées entre les parties contractantes	rare (1 % à 3 % des contrats), gérée par la chambre de compensation
Utilisateurs	généralement des entreprises surtout de grande taille	institutions financières, entreprises (toute taille), investisseurs, spéculateurs particuliers
Avantages	possibilité de couverture parfaite (pas de contraintes d'échéance ou de montant)	• liquidité garantie • possibilité de modifier la position à terme en fonction de l'évolution des prix ou des anticipations • accessibilité
Désavantages	• exécution obligatoire quelle que soit l'évolution des prix • nécessité d'une ligne de crédit avec la banque	• incertitude sur les déboursés à cause des possibilités d'appels sur marge • difficulté de réaliser une couverture parfaite

de la décision de l'acheteur. Le vendeur d'un *call* est soumis à une obligation conditionnelle de vente ; le vendeur d'un *put* est soumis à une obligation conditionnelle d'achat.

15.2.2 Les caractéristiques d'une option

Une option se caractérise principalement par l'actif sous-jacent, le prix d'exercice, l'échéance et la période d'exercice.

a)   L'actif sous-jacent

Il existe aujourd'hui toute une panoplie d'options transigées sur les marchés. L'actif sous-jacent peut être des actions cotées en bourse, des matières premières, des instruments financiers, des indices boursiers ou des contrats à terme

b)   Le prix d'exercice

Le prix d'exercice est le prix auquel le détenteur pourra exercer son droit d'achat ou de vente.

En régle générale, pour les options traitées sur les marchés organisés, il existe plusieurs prix d'exercice possibles. Le nombre de prix envisagés dépend de l'offre et de la demande de l'option consi-dérée, de la liquidité à la fois de l'option et de l'actif sous-jacent; il dépend surtout de sa volatilité.

c)   Les échéances

Elles varient d'un marché à l'autre. En général, sur les mar-chés organisés, pour une même option il y a une date d'exercice tous les trimestres.

d)   La période d'exercice

Sur les marchés on rencontre deux grands types d'options: les options américaines et les options européennes. Avec les premiè-res, le détenteur peut exercer son droit en tout temps durant toute la période de validité de l'option; avec les secondes, il ne peut l'exer-cer qu'à la date d'expiration.

15.2.3 Le prix d'une option

- Une option est dite *at the money* (à parité) si le prix de levée de l'option est le même que le prix au comptant du titre ou du contrat de base.

- Une option est dite *in the money* (dans l'argent) lorsque le prix d'exercice d'une option d'achat est plus faible que le prix au comptant; dans le cas d'une option de vente, cette dernière sera dite *in-the-money* lorsque le prix d'exercice est plus élevé que le prix au comptant. Le détenteur d'une op-tion *in-the-money* exerce son droit, il réalise un gain sur la transaction.

- L'opposé de la situation *in-the-money* est appelé *out-of-the-money* ou hors de l'argent. Dans ce cas, le prix d'exercice de l'option d'achat (de vente) sera plus élevé (faible) que le prix au comptant de l'actif sous-jacent. L'exercice d'une option *out-of-the-money* résulte en une perte pour son détenteur.

15.2.4 Les déterminants de la prime d'une option

La prime d'une option dépend de plusieurs facteurs. On en retient habituellement cinq:
- le prix d'exercice de l'option;
- le cours au comptant de l'actif sous-jacent;
- la durée de vie de l'option;
- le coût de portage de l'actif sous-jacent;
- la volatilité de l'actif sous-jacent.

De toutes ces composantes, c'est la volatilité qui a le rôle primordial.

La volatilité d'une option est caractérisée à l'aide d'un certain nombre d'indicateurs devenus standard:
- le delta est un indicateur de la sensibilité de la prime par rapport à une variation du prix de l'actif sous-jacent;
- le gamma est un indicateur de la sensibilité de l'indicateur delta par rapport à une variation de prix de l'actif sous-jacent;
- le véga est un indicateur de la sensibilité de la prime par rapport à une variation de la volatilité de l'actif sous-jacent;
- le thêta qui est un indicateur de la sensibilité de la prime à un changement dans la durée de vie de l'option.

15.2.5 Les options sur instruments financiers

Les premières options négociées aux États-Unis ont porté sur des actions cotées en bourse. Mais rapidement et parallèlement au développement des contrats à terme sur produits financiers, on a vite compris que la souplesse de la technique des options pouvait s'adapter à certains titres à revenu fixe et aux devises, puisqu'il s'agit d'actifs homogènes, jouissant d'une bonne liquidité et caractérisés par une forte volatilité. Comme il existait une forte demande pour se protéger contre les risques de taux, le potentiel de marché était là, aussi bien pour des transactions de gré à gré que pour des transactions sur des marchés institutionnalisés.

L'actif sous-jacent dans le cas des options sur titres financiers peut être un montant de titres à revenu fixe, un montant de dépôts, un montant notionnel d'obligations ou un montant de devises; mais cela peut aussi être un contrat à terme.

S'il s'agit d'un titre physique, il donne lieu à livraison en cas d'exercice de l'option. S'il s'agit d'un contrat à terme, l'exercice de l'option entraîne le paiement de la différence (*cash settlement*) ou la mise en position sur le marché à terme.

Il peut sembler curieux que l'on ait ainsi imaginé des options sur contrat à terme. En fait, cette structure présente plusieurs avantages.

- Comme le contrat à terme est un engagement ferme, alors que l'option n'est qu'un droit (mais non une obligation), on redonne un caractère optionnel au contrat à terme par le biais de l'option.
- Le détenteur d'une telle option n'est pas tenu d'inverser sa position, s'il ne veut pas prendre livraison du sous-jacent.
- Un détenteur d'un contrat à terme peut tirer avantage de changement de prix, en vendant des options sans avoir pour autant à vendre son contrat.
- Enfin, les possibilités nombreuses offertes par les stratégies d'options peuvent être un incitatif important pour soutenir le volume de transactions sur le contrat à terme.

C'est à cause de ces avantages que beaucoup de marchés organisés ont introduit simultanément des contrats à terme et des options sur ces mêmes contrats; de cette façon, on stimulait l'offre et la demande et donc la liquidité générale des contrats à terme.

15.2.6 Quelques exemples d'options sur produits financiers

Au début des années 1990 on comptait environ 70 options sur taux ou sur devises transigées sur les bourses. À titre d'exemple, on trouvera ci-après les caractéristiques de quelques options sur produits financiers, les deux premières sont des options de taux, les deux suivantes sont des options sur devises. Pour chacune de ces deux catégories, une des illustrations portera sur des options sur contrat à terme.

a)   Options sur obligations canadiennes

C'est dès 1982 que ces options ont été transigées pour la première fois à la Bourse de Montréal.

Principales caractéristiques

Produit sous-jacent:	obligations gouvernementales du Canada
Taille:	25 000 dollars canadiens
Cotation:	rendement exprimé en pourcentage
Variation minimale (tick):	0,01 % (ou 2,50 $ CAN)
Type:	américain
Expiration:	mars, juin, septembre et décembre
Dernier jour de négociation:	le 3e vendredi du mois d'expiration
Livraison:	physique
Commissions:	négociables

b)   Options sur le notionnel du MATIF

Ces options, contrôlées par la Chambre de compensation du Marché à terme international de France, ont été transigées pour la première fois le 14 janvier 1988.

Principales caractéristiques

Produit sous-jacent:	le contrat à terme sur le notionnel des obligations françaises à long terme
Taille de l'option:	un contrat à terme
Cotation:	en pourcentage
Variation minimale:	0,01 % ou 50 francs français
Type:	américain
Date d'expiration:	dernier jour de mars, juin, septembre et décembre
Négociation:	le dernier vendredi avant le mois de livraison du notionnel
Commissions:	négociables

Le notionnel du Matif de Paris est une obligation «fictive» qui a les caractéristiques suivantes:

- son taux d'intérêt est de 10 %;
- sa durée de vie est de 7 à 10 ans;
- les coupures sont de 500 000 francs français;
- elle est remboursée *in fine*.

Si à la fin de la période, le détenteur d'un contrat décide de prendre livraison physique, il reçoit un certain nombre de titres qui appartiennent tous à un éventail prédéterminé d'obligations gouvernementales de 7 à 10 ans (le «gisement») de telle sorte que soit reconstitué un portefeuille aussi proche que possible du notionnel.

L'option sur le notionnel est donc, en fait, une option qui porte sur un contrat à terme d'un montant notionnel d'obligations de 7 à 10 ans.

c)   Options sur écu

Quelques années après sa création, l'écu était toujours considéré par beaucoup d'opérateurs américains plutôt comme une curiosité à l'avenir incertain que comme une monnaie importante. Pourtant dès 1986, et donc bien avant que l'écu ne fasse une percée décisive sur le marché euro-obligataire, des options en écus étaient transigées à Philadelphie. Elles furent introduites sur le Philadelphia Stock Exchange le 12 février 1986. Leurs principales caractéristiques sont les suivantes:

Principales caractéristiques

Produit sous-jacent:	European Currency Unit
Taille du contrat:	62 500 écus
Cotation:	US dollar/écu
Variation minimale *(tick)*:	0,0001 $ soit une valeur de 6,25 $
Type:	américain
Livraison:	physique
Commissions:	négociables
Nombre de transactions (en milliers):	3,1 en 1989

c)   Options sur contrat à terme en yen

Des options sur contrat à terme en yen ont été transigées au Chicago Mercantile Exchange pour la première fois le 5 mars 1986. Leurs principales caractéristiques sont les suivantes:

Principales caractéristiques

Produit sous-jacent:	le contrat à terme du CME sur yen japonais
Taille du contrat:	un contrat à terme
Cotation:	en dollar US par yen
Variation minimale *(tick)*:	0,000001 $ (valeur 12,50 $)
Type:	américain
Dernier jour de transaction:	deuxième vendredi avant l'expiration du contrat à terme
Commissions:	négociables

15.2.7 Utilisation des options

Tout comme les contrats à terme, les options peuvent être utilisées pour des fins de couverture, d'arbitrage ou de spéculation.

En matière de *couverture*, il s'agit d'acheter ou de signer (vendre) des options d'achat ou de vente afin de protéger contre des fluctuations de prix une position longue ou courte (à découvert) dans les titres sous-jacents.

En matière d'*arbitrage* et de *spéculation*, il existe toute une série de stratégies d'utilisation qui reposent soit sur des opérations mixtes ou d'écart (les *spreads*) soit sur des combinaisons symétriques ou asymétriques d'options différentes[3].

Les opérations mixtes sont des opérations de vente et d'achat simultanées d'options d'achat et d'options de vente portant sur le même produit sous-jacent, mais avec des prix d'exercice et/ou des échéances différentes. Le but d'une telle opération mixte est de profiter de l'écart entre les primes reçues à la signature et celles payées à l'achat d'options, d'où le nom de *spread*. Lorsque les options d'achat et de vente diffèrent par le prix d'exercice, on parle de *price spread*; lorsqu'elles diffèrent par la date d'échéance, on parle de *time spread*; et enfin lorsque à la fois les prix d'exercice et les échéances sont différents, l'opération est qualifiée de *diagonal spread*[4].

D'autres stratégies d'utilisation sont possibles en combinant des options d'achat et de vente ayant les mêmes caractéristiques (sous-jacent, prix d'exercice et échéance), si l'on anticipe de fortes

---

3.   Sur ces différentes stratégies, on pourra consulter, entres autres, MARTEAU, D., *Le guide ESKA des marchés des capitaux*, Éditions ESKA, 1989 et KHOURY, N., P. LAROCHE, É. BRYS et M. CROUSKY, *Options et contrats à terme*, Nathan, 1990.

4.   On parle de *bull spread* et de *bear spread*. Il s'agit de combinaisons différentes de *spread* de prix, de temps ou diagonal, suivant que les anticipations de prix sont à la hausse ou à la baisse.

fluctuations de prix. On trouve dans cette catégorie les *straddles* et les *strangles* où l'on combine une option d'achat et une option de vente, les *strips* (où l'on combine deux options de vente pour toute option d'achat) et les *straps* (où l'on combine deux options d'achat pour toute option de vente). En fait, la puissance de calcul des instruments à la disposition des opérateurs sur le marché a conduit à un foisonnement de stratégies que leurs initiateurs présentent sous des noms exotiques (*condors, butterflies, etc.*).

15.2.8 Avantages et inconvénients des options

Les avantages et inconvénients d'un instrument financier sont relatifs et doivent être appréciés par rapport aux possibilités alternatives offertes par d'autres instruments. On peut néanmoins avancer les éléments suivants.

a)   Les avantages des options

On associe habituellement trois types d'avantages à l'utilisation des options.

- Les options offrent plus de flexibilité dans la gestion de risque que ce qu'offrent les marchés au comptant et celui des contrats à terme.
- Elles permettent d'effectuer des opérations de couverture plus efficientes en ce qui a trait aux activités contingentes qui surgissent dans le cours normal des opérations de l'entreprise.
- Enfin, la couverture par option permet de limiter le risque de perte (au montant de la prime) tout en conservant le potentiel de profit.

b)   Les inconvénients des options

Mais le recours aux options ne présente pas que des avantages. On peut regrouper les inconvénients associés aux options autour de quatre grandes catégories.

- Elles ne permettent pas une couverture parfaite.
- Les contrats d'options varient selon les bourses. Un investisseur voulant effectuer une opération de couverture sur un portefeuille multidevises devra recourir à des transactions sur plusieurs bourses dont les caractéristiques et liquidité varient.
- Les produits dérivés tels les caps, collars, floors et swaps[5] offrent plus de flexibilité.
- Les opérateurs trouvent souvent que l'utilisation des options est plus coûteuse que celle des contrats à terme.

---

5.   Cf. chapitres 17 et 18.

15.3   La croissance du marché des contrats à terme et des options sur produits financiers

L'introduction des contrats à terme et des options sur produits dérivés a été un tel succès que sur plusieurs places financières, ces instruments ont complètement révolutionné les bourses de commerce ou de valeur existante. Pourtant tous les contrats n'ont pas connu les mêmes fortunes et plusieurs tentatives ont été infructueuses.

Afin de mettre en évidence l'impact de ces instruments, on a reproduit au tableau 15.2 la ventilation proposée par la Banque d'Angleterre des différents contrats négociés à Chicago, New York et Londres. On constate qu'à Chicago et à Londres, au début des années 1990, les contrats à terme et options de taux représentent plus de 50 % de toutes les transactions. À Chicago, les produits dérivés sur produits financiers comptent pour 88 % de tout le volume transigé.

Si l'on prend l'ensemble des marchés organisés dans le monde, le volume des transactions sur contrats à terme et options de taux et de devises s'élevait à 453,9 millions de contrats en 1992, soit trois fois plus qu'en 1986. Les contrats à terme sur taux d'intérêt représentent à eux seuls 74 % de toutes les transactions.

En ce qui concerne les encours, le chiffres sont aussi très impressionnants (tableau 15.4). Les positions en fin d'année sur les contrats à terme de taux d'intérêt ont été multipliées par huit en six ans pour atteindre 3 048 milliards de dollars en 1992.

La croissance sur les contrats à terme a été moins spectaculaire, mais les encours en fin d'année ont néanmoins été multipliés par 2,5 sur la même période, pour atteindre 25 milliards de dollars en 1992.

Tableau 15.2

Volume de contrats à terme et d'options, par catégorie, sur trois places financières, en 1992
(en pourcentage)

	Chicago	New York	Londres
Produits agricoles	12 %	17 %	3 %
Métaux de base		2 %	22 %
Métaux précieux		15 %	
Produits énergétiques		63 %	10 %
Taux d'intérêt	53 %		57 %
Devises	10 %		
Actions	25 %	2 %	8 %
Autres		11 %	
	100 %	100 %	100 %

Source: *Bank of England Quarterly Bulletin*, février 1993.

Tableau 15.3

Contrats à terme et options sur les marchés organisés

Instrument	Volume annuel de contrats en millions						
	1986	1987	1988	1989	1990	1991	1992
Contrats à terme de taux d'intérêt	91,0	145,7	153,3	201,0	219,0	234,7	335,4
• sur instrument à court terme	16,4	29,4	33,7	70,2	75,8	84,8	130,8
• sur instrument à long terme	74,6	116,3	122,6	130,8	143,3	149,9	204,6
Contrats à terme en devises	19,7	20,8	22,1	27,5	29,1	29,2	30,7
Options de taux d'intérêt et options de contrats à terme de taux d'intérêt	22,2	29,3	30,5	39,5	52,0	50,8	64,8
Options de change et options sur contrats à terme en devises	13,0	18,2	18,2	20,7	18,8	21,5	23,0
Total	145,9	214,0	227,1	288,6	319,1	336,2	453,9

Sources: Banque des règlements internationaux : 63e Rapport annuel, 1993
Banque des règlements internationaux : 60e Rapport annuel, 1990.

Tableau 15.4

Contrats à terme et options sur les marchés organisés
Positions en fin d'années
(en milliards de dollars)

	1986	1987	1988	1989	1990	1991	1992
Contrats à terme sur intérêts	370	488	895	1 201	1 454	2 159	3 048
Contrats à terme sur devises	10	14	12	16	16	18	25
Options sur taux	146	122	279	387	600	1 072	1 385
Options sur devises	39	60	48	50	56	59	80

Sources: FMI et BRI.

Les positions de fin d'année, pour les options, ont connu des croissances parallèles à celles des contrats à terme. En six ans, celles associées aux options de taux ont été multipliées par 9,5 pour atteindre 1 385 milliards de dollars. Les positions associées aux options de devises étaient de 80 milliards en 1992.

Annexe 15.A

Comment lire les cotations des contrats à terme et des options

Les journaux financiers publient tous les jours des cotations des principaux contrats à terme et des principales options sur produits financiers. À titre indicatif, on trouvera ci-après deux exemples de cotations de contrats à terme et deux exemples de cotations d'options.

Les cotations que l'on présente ici sont tirées du *Wall Street Journal* et du *Financial Times* de Londres. *Pour éviter toute confusion, dans cette annexe, à titre exceptionnel, nous utiliserons le point décimal.*

15.A.1 Cotation du contrat à terme eurodollar à Chicago

Le 25 mai 1993, le *Wall Street Journal* publiait un tableau donnant les cotations et quelques statistiques pour le contrat à terme eurodollar négocié au Chicago Mercantile Exchange. Nous avons reproduit ce tableau en 15.A.1.

Tableau 15.A.1

EURODOLLAR (CME) — $1 million; pts of 100%

	Open	High	Low	Settle	Chg	Yield Settle	Chg	Open Interest
June	96.69	96.69	96.63	96.65	− .04	3.35	+ .04	239,062
Sept	96.50	96.50	96.43	96.45	− .07	3.55	+ .07	268,906
Dec	95.97	95.98	95.89	95.91	− .09	4.09	+ .09	299,641
Mr94	95.75	95.82	95.74	95.77	− .10	4.23	+ .10	198,666
June	95.50	95.50	95.39	95.42	− .11	4.58	+ .11	148,539
Sept	95.17	95.17	95.06	95.11	− .10	4.89	+ .10	127,949
Dec	94.63	94.73	94.63	94.69	− .09	5.31	+ .09	99,582
Mr95	94.59	94.68	94.59	94.64	− .08	5.36	+ .08	88,812
June	94.46	94.50	94.43	94.45	− .07	5.55	+ .07	63,897
Sept	94.28	94.32	94.25	94.28	− .06	5.72	+ .06	48,881
Dec	93.90	94.00	93.90	93.97	− .04	6.03	+ .04	48,863
Mr96	93.92	93.99	93.89	93.95	− .03	6.05	+ .03	43,680
June	93.72	93.80	93.71	93.78	− .01	6.22	+ .01	29,109
Sept	93.58	93.66	93.56	93.65	+ .01	6.35	− .01	26,015
Dec	93.33	93.41	93.31	93.40	+ .01	6.60	− .01	22,142
Mr97	93.33	93.41	93.30	93.39	+ .01	6.59	− .01	18,420
June	93.20	93.24	93.17	93.24	+ .02	6.76	− .02	13,826
Sept	93.09	93.13	93.06	93.13	+ .02	6.87	− .02	12,442
Dec	92.87	92.91	92.84	92.91	+ .02	7.09	− .02	10,541
Mr98	92.87	92.91	92.86	92.91	+ .02	7.09	− .02	5,462

Est vol 324,782; vol Fri 374,361; open int 1,815,124, −31,302.

Dans la première colonne sont donnés les mois d'échéance pour le contrat. On remarque qu'il y a une échéance tous les 3 mois. Les quatre colonnes suivantes sont des prix. On trouve tour à tour le prix d'ouverture (*Open*) le prix le plus haut (*High*) le prix le plus bas (*Low*) et le prix de règlement (*Settle*); ce prix est celui qui est utilisé pour ajuster les positions des opérateurs en fin de journée. Le prix est déterminé à la fermeture par le Comité de règlement (*Settlement Committee*). La variation de ce prix de règlement d'une séance à l'autre est indiquée dans la colonne suivante (*Change*).

Sur la base du prix de règlement, on présente ensuite le taux d'intérêt implicite (*Yield Settle*) par rapport à la veille (*Change*). Enfin, la dernière colonne indique le nombre de positions ouvertes (courtes ou longues) à la fermeture.

On remarque tout en bas du tableau une dernière ligne; elle fournit quelques indications sur la taille du marché des *futures* d'eurodollars. On y retrouve ainsi le volume de transactions totales du jour (*Est vol*) et celui de la journée précédente, le nombre total des positions restant ouvertes (toutes échéances confondues) et la variation de ce montant par rapport au jour précédent.

Ainsi, le 24 mai 1993, le prix coté du *future* Sep.94 était de 95.11, enregistrant une baisse de 0.10 par rapport au prix précédent (95.21). Le taux d'intérêt implicite relatif à ce contrat s'élevait à 4.89 % (soit 100 – 95.11) en hausse de 0.10 % par rapport à la veille. Les positions ouvertes sur le contrat Sep.94 à la fermeture s'élevaient à 127 949 contrats, soit un montant de 127 949 millions de dollars.

15.A.2 Cotation d'un contrat à terme sur devises

Le tableau 15.A.2, tiré du *Wall Street Journal*, nous donne les cotations des principaux contrats sur devises transigés à Chicago.

On retrouve, comme précédemment, quatre prix pour chaque contrat: le prix d'ouverture (*Open*), le prix le plus haut (*High*), le plus bas (*Low*) et celui de règlement (*Settle*), auquel s'ajoute sa variation.

Les deux colonnes suivantes donnent les prix le plus haut et le plus bas enregistrés depuis le lancement du contrat sur la bourse (*Lifetime High – Low*). La dernière colonne du tableau (*Open interest*) indique le nombre de positions restant ouvertes à la fermeture.

La ligne du bas donne pour chaque contrat le volume total des transactions et le nombre des positions ouvertes ainsi que leur variation par rapport à la journée précédente.

Ainsi pour le contrat à terme sur le yen, on peut lire au tableau 15.A.2 que le contrat Dec.93 cotait, le 24 mai 1993, 0.9052. Cette cotation représente un taux de change à terme de $US 0.9052 par 100 yen. Autrement dit, la valeur d'un contrat à cette date était de $113,150.00 (soit 12,500,000 × 0.9052/100). Ce taux est en baisse

Tableau 15.A.2

CURRENCY

	Open	High	Low	Settle	Change	Lifetime High	Low	Open Interest
JAPAN YEN (CME) — 12.5 million yen; $ per yen (.00)								
June	.9046	.9070	.9020	.9045	− .0019	.9155	.7745	76,649
Sept	.9044	.9070	.9030	.9046	− .0019	.9160	.7945	6,028
Dec	.9065	.9068	.9065	.9052	− .0019	.9150	.7970	767
Est vol 14,734; vol Fri 21,476; open int 83,458, +1,290.								
DEUTSCHEMARK (CME) — 125,000 marks; $ per mark								
June	.6123	.6131	.6068	.6099	− .0038	.6920	.5883	125,249
Sept	.6028	.6046	.6015	.6039	− .0037	.6720	.5860	10,685
Dec	.5985	.5995	.5980	.5994	− .0036	.6650	.5830	495
Est vol 43,545; vol Fri 39,804; open int 136,447, +1,174.								
CANADIAN DOLLAR (CME) — 100,000 dlrs.; $ per Can $								
June	.7900	.7935	.7895	.7927	+ .0032	.8360	.7532	21,370
Sept	.7867	.7893	.7867	.7889	+ .0033	.8335	.7515	1,923
Dec	.7825	.7850	.7825	.7844	+ .0034	.8310	.7470	995
Mr94	.7771	.7790	.7771	.7796	+ .0035	.7860	.7550	801
June	.7740	.7750	.7740	.7748	+ .0036	.7805	.7515	203
Est vol 4,873; vol Fri 2,052; open int 25,345, −463.								
BRITISH POUND (CME) — 62,500 pds.; $ per pound								
June	1.5380	1.5412	1.5272	1.5344	− .0078	1.9100	1.4020	33,014
Sept	1.5180	1.5260	1.5170	1.5244	− .0074	1.5800	1.3980	4,528
Dec	1.5130	1.5160	1.5090	1.5158	− .0066	1.5670	1.3930	122
Est vol 9,662; vol Fri 14,267; open int 37,684, +682.								
SWISS FRANC (CME) — 125,000 francs; $ per franc								
June	.6787	.6823	.6757	.6810	+ .0001	.8070	.6405	41,173
Sept	.6730	.6790	.6730	.6781	+ .0002	.7100	.6380	4,553
Dec	.6750	.6770	.6715	.6762	+ .0002	.7050	.6400	264
Est vol 3,280; vol Fri 16,762; open int 46,044, −433.								
AUSTRALIAN DOLLAR (CME) — 100,000 dlrs.; $ per A.$								
June	.6922	.6948	.6870	.6935	− .0005	.7242	.6590	4,426
Est vol 5; vol Fri 301; open int 4,478, −100.								

de 0.0019 par rapport à la dernière cotation ce qui reflète une baisse de la valeur du yen sur le marché à terme.

Le total des positions ouvertes sur le yen Dec.93 s'élevait à 767 contrats, soit une valeur totale de 9 587.50 millions de yen.

Le nombre total de contrats transigés sur le yen le 24 mai 1993 était de 14 734 contre 21 476 transactions en date du vendredi 21/05/93. Enfin, le total des positions ouvertes sur tous les *futures* sur yen était de 83 458 contrats soit une hausse de 1 290 contrats par rapport à la journée précédente.

15.A.3 Cotation d'une option sur taux d'intérêt

Le tableau 15.A.3 donne les cotations des options sur euro-dollars 3 mois et T. Bills négociées le 24 mai 1993 à Chicago ainsi que celles des options sur eurodollars transigées sur le LIFFE de Londres. Il s'agit donc de cotation d'options sur contrat à terme.

Dans la première colonne sont indiqués les différents prix d'exercice (*strike price*), exprimés dans la même unité que le contrat *future* sous-jacent. Les colonnes qui suivent donnent les primes ou prix de règlement (*settle*) des différents *calls* et *puts*, cotés selon le prix d'exercice et l'échéance.

Pour chaque option, on retrouve sur la dernière ligne quelques indications sur la taille du marché de l'option considérée.

Tableau 15.A.3

EURODOLLAR (CME)
$ million; pts. of 100%

Strike	Calls—Settle			Puts—Settle		
Price	Jun	Sep	Dec	Jun	Sep	Dec
9625	0.40	0.29	0.13	.0004	0.09	0.47
9650	0.17	0.14	0.06	0.02	0.19	0.65
9675	0.01	0.04	0.02	0.11	0.34	0.85
9700	.0004	0.01	0.01	0.35	0.56	1.09
9725	.0004	.0004	.0004	0.60	0.80	1.34
9750	.0004	.0004	....	....	....	....

Est. vol. 142,552;
Fri vol. 36,450 calls; 67,476 puts
Op. Int. Fri 631,428 calls; 745,649 puts

TREASURY BILLS (CME)
$1 million; pts. of 100%

Strike	Calls—Settle			Puts—Settle		
Price	Sep	Dec	Mar	Sep	Dec	Mar
9625	0.50	0.25	....	0.03	0.17	....
9650	0.29	0.13	....	0.07	0.30	....
9675	0.10	0.06	....	0.13	0.47	....
9700	0.02	....	....	0.30	....	....
9725	0.01	....	....	0.54	....	....
9750	....	....	....	....	....	....

Est vol 19   Fri 5 calls 104 puts
Op Int Fri   141 calls 1,158 puts

EURODOLLAR (LIFFE)
$1 million; pts. of 100%

Strike	Calls—Settle			Puts—Settle		
Price	Jun	Sep	Dec	Jun	Sep	Dec
9625	0.40	0.28	0.13	....	0.08	0.45
9650	0.17	0.13	0.07	0.02	0.18	0.64
9675	0.01	0.05	0.03	0.11	0.35	0.85
9700	0.01	0.02	0.01	0.36	0.57	1.08
9725	....	....	....	0.60	0.80	1.32
9750	....	....	....	0.85	1.05	1.57

Est vol Mon   0 calls 25 puts
Op Int Fri   2,410 calls 3,510 puts

Ainsi, l'acheteur d'un put 97 Sep. dispose du droit de vendre avant septembre 1993 un contrat eurodollars 3 mois auquel est attaché un taux d'intérêt de 3%. Ce droit est acquis moyennant le paiement d'une prime de 0.56%, soit 1,400 dollars par contrat $(0.56\% \times 1,000,000 \times 90/360)$.

15.A.4 Cotation d'une option sur devise

Le tableau 15.A.4, extrait du *Financial Times*, présente les cotations des options sur la livre sterling, en date du 24 mai 1993 à Philadelphie.

Un *call* ou un *put* sur livre sterling représente respectivement le droit d'acheter ou de vendre un montant de 31, 250 livres au prix d'exercice correspondant, exprimé en cents par unité de livre.

Tableau 15.A.4

PHILADELPHIA SE £/$ OPTIONS
£31,250 (cents per £1)

Strike Price	Calls				Puts			
	Jun	Jul	Aug	Sep	Jun	Jul	Aug	Sep
1.475	6.60	6.94	7.25	7.53	0.16	0.90	1.53	2.19
1.500	4.44	5.12	5.57	5.95	0.49	1.56	2.33	3.02
1.525	2.63	3.57	4.12	4.57	1.16	2.50	3.31	4.12
1.550	1.41	2.42	2.98	3.45	2.35	3.74	4.64	5.48
1.575	0.65	1.55	2.12	2.59	4.04	5.35	6.22	7.04
1.600	-	0.94	1.44	1.87	6.14	7.23	8.00	8.75
1.625	0.07	0.53	0.94	1.31	8.40	9.29	9.99	10.67

Previous day's open int: Calls 602,444   Puts 553,125 (All currencies)
Previous day's volume: Calls 6,425   Puts 10,348   (All currencies)

On peut lire sur la première colonne les divers prix d'exercice (*Strike Price*) offerts pour les différentes échéances cotées à cette date, à savoir juin, juillet, août et septembre. Les colonnes suivantes donnent les primes à payer par l'acheteur du *call* ou du *put* pour chacun des prix d'exercice et chacune des échéances.

Ainsi, la prime correspondant à l'option d'achat 1.525 juillet étant de 3.57 cents par lire. Le taux de change effectif auquel l'acheteur d'un *call* peut exercer son droit d'option, c'est-à-dire acheter des lires contre des dollars s'élevait dont à 1.561 $/£ (soit 1.525 + 3.57/100).

De même, le prix d'une option de vente 1.500 juin était de 0.49, donnant au détenteur du *put* le droit de vendre des livres sterling à un cours effectif garanti de 1.495 $/£ (soit 1.500 − 0.49 $/100).

RÉFÉRENCES BIBLIOGRAPHIQUES

- BRI, *Recent Innovations in International Banking*, 1986.
- Conseil économique du Canada. *Le nouvel espace financier: les marchés canadiens et la mondialisation*, 1989.
- DUFLOUX, C. et MARGULICI, L., *Finance internationale et marchés de gré à gré*, Economica, 1991.
- FAYE, J. F. et GUILLOU, J. P., *Le Matif: pratique d'un marché à terme*, Dalloz, 2e édition, 1989.
- HERSENT, C. et SIMON, Y., *Marchés à termes et options dans le monde*, Dalloz, 1989.
- KOURY, N. et LAROCHE, P., *Options et contrats à terme*, Nathan, 1990.
- LUBOCHIŃSKY, C. et MARTEAU, D., *Les marchés à terme d'instruments financiers*, Eska, 2e édition, Paris, 1987.
- PEYRARD, J., *La gestion de la trésorerie internationale*, PUF, 1988.
- TOPSACALIAN, P., *Principes de finance internationale*, Economica, 1992.

Articles:

- Banque des règlements internationaux, «Derivative Financial Instruments and Bank's Involvement in Selected Off-balance-sheet Business».
- BENNETT, R., «Rocket Scientists Produce a Fresh Wave of Solutions», *Euromoney*, mars 1993.
- DUFLOUX, C. et MARGULICI, L., «Évaluation du risque de taux d'intérêt», *La Revue Banque*, mars 1991.
- *Euromoney*, «Derivatives: The Markets Mature», Suppl., juillet 1991.
- LEE, P., «American Exchanges Plan to Fight Back», *Euromoney*, janvier 1993.
- LOMBARD, O., «La nouvelle gestion des taux futurs», *Revue française de gestion*, septembre-octobre 1986.
- REMONOLA, E., «The Recent Growth of Financial derivative Markets», *Fed, Res. Bank of New York*, hiver 1992-1993.
- ROSS, P. S., «La couverture des taux d'intérêt sur les prêts et les dépôts», *Le Banquier*, mai-juin 1989.

Rapports:

- Board of Governors of the Federal System, «Derivative Product Activities of Commercial Banks», janvier 1993.

Chapitre 16

Les marchés organisés de contrats à terme et d'options de taux d'intérêt et de devises

Les bourses où se transigent les contrats à terme et les options sur titres financiers se sont multipliées très rapidement depuis le début des années 1980, témoignage de l'intérêt grandissant pour ces instruments.

Ce chapitre se divise en trois parties : la première analyse les conditions dans lesquelles sont apparus les différents marchés organisés traitant les produits qui nous intéressent ici ; les deux autres passeront en revue les principales bourses dans le monde où ces instruments sont négociés.

16.1 Émergence et développement des marchés organisés

À la fin de 1992, on comptait, dans le monde, 32 bourses où se négociaient des contrats à terme et des options sur produits financiers. De ce total, la moitié traitait des contrats à terme et des options sur taux d'intérêt ou sur devises. Ces marchés organisés ont pu ouvrir dès qu'un certain nombre de conditions favorables ont été réunies, mais les modèles de développement n'ont pas été les mêmes dans toutes les places financières.

16.1.1 Facteurs facilitant l'instauration de marchés organisés

L'implantation d'un marché à terme sur une place financière est un bon indicateur de son dynamisme et de la volonté des intervenants locaux de participer à l'évolution générale des marchés.

Cinq facteurs ont favorisé l'émergence de transactions organisées de contrats à terme et d'options sur titres financiers:

- Une tradition de transactions sur les matières premières et les denrées. Les produits financiers sont venus s'ajouter aux produits déjà transigés dans les bourses de commerce en place.
- Des marchés locaux traditionnels de valeurs mobilières et de titres financiers caractérisés par une certaine profondeur.
- Le degré de déréglementation financière et l'attitude générale des autorités de tutelle face aux innovations financières.
- Un potentiel de transactions suffisant pour assurer un niveau minimal de liquidité des instruments créés et justifier la spécialisation de certains courtiers.
- Une volonté d'ouverture à l'activité internationale et à la globalisation des marchés.

16.1.2 Modèles de développement

Trois modèles de développement ont présidé à l'instauration de marchés organisés de contrats à terme et d'options sur taux d'intérêt ou sur devises.

- Selon le premier modèle, les transactions sur ces produits se sont ajoutées à celles déjà existantes sur les bourses de commerce. Ceci s'est fait en allongeant la liste des contrats à terme négociés ou en créant une division spécialisée, avec sa

Tableau 16.1	
Date de l'introduction des contrats à terme	
ou des options sur instruments financiers sur les principaux marchés	
Chicago Mercantile Exchange (CME-IMM)	1975
Chicago Board of Trade (CBOT)	1975
Philadelphia Stock Exchange	1975
New York Futures Exchange (NYFE)	1979
Commodity Exchange, New York (COMEX)	1979
Sydney Futures Exchange (SFE)	1980
Bourse de Montréal	1981
London International Financial Futures Exchange (LIFFE)	1982
European Options Exchange (EOE)	1982
Mid-America Commodity Exchange	1983
Singapore International Monetary Exchange (SIMEX)	1984
Toronto Futures Exchange	1984
New York Cotton Exchange (FINEX)	1985
Tokyo Stock Exchange (TSE)	1985
Marché à terme international de France (MATIF)	1986
Bolsa de Mercatorias & Futuros (Brésil) (BM&F)	1986
Stockholm Options Exchange (OM)	1986
Osaka Securities Exchange (OSE)	1986
New Zealand Futures Exchange (NZFE)	1986
Swiss Options & Financial Futures Exchange (SOFFEX)	1987
Financial Futures Market Amsterdam (FTA)	1987
Finnish Options Markets (FOM)	1988
Guarantee Fund for Danish Options (FUTOP)	1988
Irish Futures & Options Exchange (IFOX)	1988
Marché des options négociables de Paris (MONEP)	1989
Tokyo International Financial Futures Exchange (TIFFE)	1989
Deutsche Terminborse (DTB)	1990
Mercado Español de Futuros Financieros (MEFF)	1990
Belgian Futures & Options Exchange (BELFOX)	1991
Austrian Futures & Options Exchange (OTOB)	1992
Mercato Italiano del Futures (MIF)	1992
South African Futures Exchange (SAFEX)	1992

propre chambre de compensation. Ce modèle est celui qui a été retenu à Chicago.

- Dans d'autres cas, les transactions sur ce type de produits financiers ont constitué un compartiment additionnel de bourses de valeurs mobilières déjà en place. On retrouve ce modèle assez fréquemment pour les transactions sur options.

- Enfin, il y a eu en plusieurs occasions, création de bourses dont la vocation unique était la négociation de produits dérivés, indépendamment des bourses de commerce ou des bourses de valeur.

16.1.3 Succès et effet d'imitation

Quel que soit le modèle de développement retenu, on ne peut que constater que le nombre de bourses où se négocient des contrats à terme et des options sur produits financiers a augmenté très régulièrement au cours des vingt dernières années.

Ainsi que le montre le tableau 16.1, des transactions sur produits dérivés de nature financière s'effectuaient dans seulement cinq bourses à la fin des années 1970. Elles étaient toutes situées aux États-Unis.

Dans les cinq années qui suivirent, sept bourses supplémentaires s'ouvrirent ou accueillirent ces nouveaux instruments. Mais ce n'est pas moins de vingt bourses additionnelles qu'il faut ajouter à cette liste entre 1985 et 1992.

16.2   Les bourses où se transigent les contrats à terme et les options de taux et de devises aux États-Unis[1]

Indiscutablement, Chicago a été le berceau des marchés à terme et des options aux États-Unis. On retrouve aujourd'hui dans cette ville quatre bourses d'importance: le *Chicago Board of Trade* (CBOT), le *Chicago Mercantile Exchange* (CME), le *Chicago Board Options Exchange* (CBOE) et le *Mid-America Commodity Exchange* (affilié au CBOT).

Historiquement une grande rivalité a toujours existé entre le CBOT et le CME. Mais cette rivalité a bien servi la place financière de Chicago, chacune de ces deux grandes bourses s'efforçant de gagner des parts de marché aux dépens de sa rivale. Cette compétition a largement favorisé l'innovation.

Fondé en 1848, le Chicago Board of Trade est la plus ancienne et la plus importante bourse de commerce du monde. La majeure partie des techniques de base régissant la négociation des contrats à terme y fut définie et testée. Traditionnellement les négociations se font à la criée; l'une des caractéristique du CBOT tient à la présence de mainteneurs de marchés (les *market-makers*) qui contribuent grandement à la liquidité générale du marché. Le CBOT gère sa

---

1.   L'historique du développement des bourses où sont traités les contrats à terme et les options sur produits financiers est exposé de façon très claire dans le livre de Catherine Hersent et Yves Simon intitulé *Marchés à terme et options dans le monde*, Dalloz Gestion, 1989. Ce livre reste vraiment le livre de référence en la matière. Des statistiques sur le volume d'activité dans les différentes bourses peuvent être obtenues auprès de ces établissements qui, en général, disposent de documentations très complètes et qu'il est facile d'obtenir, sur simple demande. D'autres données sont aussi disponibles dans les différentes publications de la Futures Industry Association. On peut également consulter *World Futures & Options Directory* publié par McGraw-Hill. Enfin un travail de compilation récent a été effectué pour une étude du Fonds monétaire international par M. Golstein et D. Folkerts-Landau à l'occasion de la publication intitulée *International Capital Markets, Part II. Systemic Issues in International Finance* dans la série World Economic and Financial Surveys, International Monetary Fund, en août 1993. C'est à cette source principalement que l'on a fait appel principalement pour les tableaux 16.2 à 16.8.

propre chambre de compensation. C'est au CBOT que furent inscrites les premières options sur contrat à terme d'intérêt en 1982.

Créé en 1898, le CME était à l'origine un bourse de commerce traditionnelle. Les contrats à terme sur instruments financiers y furent introduits dès 1972 à sa filiale l'*International Monetary Market* (IMM). Les produits sur taux d'intérêt ont été offerts à partir de 1976.

Les transactions se font sur le parquet, à la criée. La compensation des transactions s'effectue par le biais du *Clearing House Department* qui est géré par le CME.

Deux premières sur les produits dérivés de taux et de devises ont été enregistrées au CME. C'est, en effet, à cette bourse que furent traités, en 1972, les premiers contrats à terme sur devises. On y négocia aussi les premières options sur devises le 24 janvier 1984.

Tableau 16.2
Contrats à terme à Chicago

		Volume (en milliers)		
	Montant nominal	1990	1991	1992
Contrats à terme sur taux d'intérêt				
Chicago Board of Trade (CBOT)				
Fonds fédéraux (30 jours)	5 000 000 $	81	116	234
Notes du Trésor	100 000 $	8 698	10 013	18 105
Obligations du Trésor	100 000 $	75 499	67 887	70 004
Indice d'obligations municipales	1 000 $ x indice	697	549	776
Obligations hypothécaires	1 000 000 $	17	6	—
Swap de taux d'intérêt	25 000 000 $	n.t.	7	2
Chicago Mercantile Exchange (CME)				
LIBOR (1 mois)	3 000 000 $	84	450	919
Eurodollar (3 mois)	1 000 000 $	34 696	37 244	60 531
Billets du Trésor (90 jours)	1 000 000 $	1 870	2 012	1 337
Mid-America Commodity Exchange (Midam)				
Euro dollar (3 mois)	5 000 000 $	n.t.	n.t.	3
Billets du Trésor	5 000 000 $	4	1	2
Obligations du Trésor	500 000 $	1 461	1 397	1 342
Contrats à terme sur devises				
Chicago Mercantile Exchange (CME)				
Yen	12 500 000 ¥	7 437	6 017	4 520
Deutsche mark	125 000 DM	9 169	10 929	11 593
Livre sterling	62 500 £	3 410	3 746	3 053
Dollar canadien	100 000 $ Can	1 490	1 139	1 172
Dollar australien	100 000 $ A	105	76	90
Franc suisse	125 000 FS	6 525	5 835	5 135
Mid-America Commodity Exchange (Midam)				
Yen	6 250 000 Y	54	41	39
Deutsche mark	62 500 DM	83	94	106
Livre sterling	12 500 £	26	30	44
Dollar canadien	50 000 $ Can	9	4	5
Franc suisse	62 500 FS	76	74	63

Source: FMI, *op. cit.*

Comme le montrent les tableaux 16.2 et 16.3, les volumes de certains contrats et de certaines options transigés à Chicago sont considérables. En ce qui concerne les produits dérivés de taux d'intérêt, le CBOT a acquis une position dominante pour les obligations du Trésor américain à long terme, avec plus de 70 millions de contrats échangés en 1992. En revanche, le contrat en eurodollar à trois mois assure au CME un position incontestée de leader pour les contrats sur titres à court terme, avec un volume de 60 millions en 1992. Ces avantages respectifs se retrouvent sur le marché des options.

Dans le domaine des contrats sur devise, le marché à Chicago est dominé par le CME dont six contrats sont très actifs. Ceux portant sur le deutsche mark et le franc suisse ont largement profité de l'absence de transactions de ce type en Europe.

Le volume des transactions au *Mid-America Commodity Exchange* est resté très modeste en comparaison de celui enregistré au CBOT et au CME. De la même façon, le *Chicago Options Exchange* n'est pas actif sur les produits qui nous intéressent ici.

Tableau 16.3
Options à Chicago

	Montant nominal	Volume (en milliers)		
		1990	1991	1992
Options sur taux d'intérêt				
Chicago Board of Trade (CBOT)				
Notes du Trésor	100 000 $	1 024	1 020	3 236
Obligations du Trésor	100 000 $	27 315	21 926	20 259
Indice d'obligations municipales	1 000 $ x indice	86	53	38
Obligations hypothécaires	100 000 $	19	10	—
Swap de taux d'intérêt	25 000 000 $	n.t.	6	—
Chicago Mercantile Exchange (CME)				
LIBOR (1 mois)	3 000 000 $	n.t.	75	99
Eurodollar (3 mois)	1 000 000 $	6 860	7 875	13 763
Billets du Trésor (90 jours)	1 000 000 $	32	49	30
Mid-America Commodity Exchange (Midam)				
Obligations du Trésor	50 000 $	n.t.	2	4
Options sur devises				
Chicago Mercantile Exchange (CME)				
Yen	12 500 000 ¥	3 116	2 397	1 518
Deutsche mark	125 000 DM	3 430	5 643	6 354
Livre sterling	62 500 £	501	650	597
Dollar canadien	100 000 $ Can	284	337	307
Dollar australien	100 000 $ A	27	38	13
Franc suisse	125 000 FS	1 130	998	1 027

Source: FMI, *op. cit.*

La multiplication des bourses dans le monde (dont certaines offrent des contrats proches ou semblables à ceux traités à Chicago), le succès rencontré par des systèmes d'échange automatisé (par opposition au système de transaction à la criée de Chicago) et, enfin, la menace que représente la multiplication des opérations de gré à gré ont conduit le CBOT et le CME à procéder à un certain rapprochement, au début des années 1990. La manifestation la plus évidente fut l'adhésion conjointe au système Globex développé par Reuters en 1991. Ce nouveau système permet d'effectuer des transactions automatisées en dehors des heures d'ouverture.

Si Chicago est la capitale américaine des contrats à terme et des options, cette place financière n'a pas néanmoins l'exclusivité aux États-Unis, mais dans le domaine des contrats à terme et des options de taux et de devise, le volume des transactions à New York reste relativement modeste[2], comme le montre le tableau 16.4.

C'est à Philadelphie que se transigèrent pour la première fois des options sur dépôts (en mai 1985). Mais, faute de liquidité, Philadelphie dut laisser sa place à Chicago dans ce domaine.

En revanche, le *Philadelphia Stock Exchange* (PHLX) connaît beaucoup de succès avec les produits dérivés sur devises. Ainsi, au début des années 1990, huit marchés d'options sur devises fonctionnaient de façon satisfaisante au PHLX. En particulier les options sur deutsche mark et sur livre sterling bénéficient d'une excellente liquidité. Pour ces deux options, les volumes de transaction sont plus importants que ceux enregistrés au CME.

16.3   Les autres bourses dans le monde

16.3.1   À Londres

Centre de l'euromarché, Londres se devait d'avoir un marché organisé de contrats à terme et d'options sur produits financiers, et ce d'autant plus que plusieurs bourses de commerce transigent à Londres, depuis très longtemps, des contrats sur matières premières et sur denrées[3].

En fait, c'est en septembre 1982 que le *London International Financial Futures and Options Exchange* (LIFFE) a vu le jour. Cette bourse est rapidement devenue la principale bourse de contrats à terme en Europe.

Le mode de négociation est celui de la criée sur le parquet. Toutefois au début des années 1990, reconnaissant le besoin de transiger sur une période plus longue, les responsables du LIFFE

---

2.   Pourtant la place de New York possède plusieurs bourses de valeurs et de commerce. Le New York Mercantile Exchange (NYMEX) est la troisième bourse mondiale en matière de contrats à terme, mais elle n'a jamais pu rivaliser avec le CBOT et le CME de Chicago pour les contrats à terme et les options de taux et de devises, malgré plusieures tentatives.

3.   Le London Metal Exchange traite surtout des contrats de matières premières et de métaux ; le London Commodity Exchange et le Baltic Futures Exchange sont surtout spécialisés dans les transactions sur produits agricoles.

Tableau 16.4
Contrats à terme et options à New York et à Philadelphie

	Montant nominal	Volume (en milliers)		
		1990	1991	1992
Contrats à termes				
New York Cotton Exchange				
Notes du Trésor	100 000 $	291	81	81
Dollar (Indice)	500 $ x indice	565	716	678
Écu	100 000 ÉCU	12	2	1
Options				
New York Cotton Exchange				
Dollar (indice)	500 $ x indice	100	1 418	470
Écu	100 000 ÉCU	100	n.t.	n.t.
Philadelphia Stock Exchange (PHLX)				
Yen	6 250 000 ¥	2 990	1 783	1 305
Deutsche mark	62 500 DM	4 892	7 472	7 966
Franc	250 000 F	40	146	1 261
Livre sterling	31 250 £	646	587	789
Dollar canadien	50 000 $ Can	475	204	189
Dollar australien	50 000 $ A	309	186	143
Franc suisse	62 500 F S	773	460	434
Écu	62 500 ÉCU	10	6	4

Source : FMI, *op. cit.*

ont instauré un système électronique de transaction ; ainsi, après la criée, à 16 h 20, la relève est prise par des terminaux jusqu'à 18 h, ce qui permet de couvrir l'ensemble des heures d'ouverture en Europe continentale et une bonne partie de celles des bourses américaines.

La compensation se fait via le *Clearing Processing System* qui est géré par la *London Clearing House*, organisme indépendant propriété de six banques anglaises.

Si les contrats à terme de taux en livres sterling ont su répondre aux besoins des opérateurs locaux et étrangers, il faut souligner le très grand succès qu'a connu le LIFFE avec son contrat sur les obligations gouvernementales allemandes en deutsche mark *(Bund)*. Le volume de transaction a toujours dépassé celui enregistré sur les obligations gouvernementales britanniques (les *gilts*). Très vite le LIFFE a su occuper une place laissée vacante par l'absence de marché, pendant de nombreuses années en Allemagne. Par ailleurs, des événements conjoncturels, comme la montée des taux allemands à la fin des années 1980 et les incertitudes du système monétaire européen en 1992, ont joué en faveur de ce contrat du LIFFE. En revanche, le contrat d'eurodollar n'a pas connu le succès de celui négocié au CME ni même de celui négocié au SIMEX de Singapour.

Le rôle du LIFFE à Londres a été renforcé par l'acquisition, en 1992, du *London Traded Options Market* et, en dépit de la concurrence que lui font maintenant la DTB à Francfort et le MATIF à Paris, le LIFFE conserve encore sa position de leader sur le plan européen.

		Volume (en milliers)		
Tableau 16.5				
Contrats à terme et options à Londres				
	Montant nominal	1990	1991	1992
Contrats à termes				
London International Financial Futures Exchange (LIFFE)				
Eurodollar (3 mois)	1 000 000 $	1 249	994	709
Eurodeutsche mark (3 mois)	1 000 000 DM	2 660	4 784	12 173
Livre sterling (3 mois)	50 000 £	8 355	8 064	11 296
Écu (3 mois)	1 000 000 ÉCU	64	115	317
Eurofranc suisse (3 mois)	1 000 000 F S	n.t.	548	1 970
Eurolire (3 mois)	1 000 000 Lit	n.t.	n.t.	376
Obligations du Trésor américain	100 000 $	756	463	272
Obligations japonaises	100 000 000 ¥	46	106	221
Obligations allemandes *(bund)*	250 000 DM	9 852	10 112	13 605
Obligations italiennes	200 000 000 Lit	n.t.	483	3 773
Obligations anglaises *(gilt)*	50 000 £	5 643	5 639	8 805
Obligations en écu	200 000 ÉCU	n.t.	54	7
Options				
London International Financial Futurs Exchange (LIFFE)				
Eurodollar (3 mois)	1 000 000 $	65	31	3
Eurodeutsche Mark (3 mois)	1 000 000 DM	248	514	1 964
Livre sterling (3 mois)	50 000 £	1 377	1 594	2 648
Eurofranc suisse	1 000 000 FS	n.t.	n.t.	17
Obligations américaines	100 000 $	87	40	68
Obligations allemandes	250 000 DM	1 804	2 453	2 750
Obligations italiennes	200 000 000 Lit	n.t.	16	395
Obligations anglaises	50 000 £	790	844	1 813

Source : FMI, *op. cit.*

16.3.2 À Paris

Le système financier français a connu un profond bouleversement à partir de 1985. Pas à pas, mais de façon très décidée, les autorités françaises ont déréglementé leurs marchés financiers et donné une impulsion nouvelle à leur marché monétaire. C'est dans cette perspective qu'a été créé le *Marché à terme international de France* (MATIF) en 1986.

Le volume d'opérations traité au MATIF, dès son ouverture, montre combien il répondait à un besoin. Il faut porter au crédit des dirigeants du MATIF d'avoir fait preuve d'esprit d'entreprise et de détermination tout en étant assez prudents en termes d'innovations. Par ailleurs, ce marché a bénéficié de la vigueur nouvelle de la place de Paris et de la multiplication des opérations de financement en francs français et en écus.

Dès son introduction, le contrat à terme sur notionnel a été très bien reçu. Les fortes fluctuations sur les taux d'intérêt et la crise du système monétaire européen lui ont été également très favorable. En 1992, plus de 30 millions de contrats sur notionnel ont été transigés, ce qui est le double de ce qui avait été négocié deux ans plus tôt. On notera aussi que le MATIF est devenu le marché par excellence pour les contrats à terme en écus au détriment du LIFFE dont le contrat n'a guère connu de succès.

Depuis 1992, le MATIF est relié au Globex ce qui permet d'assurer des transactions en dehors des heures normales d'ouverture.

Tableau 16.6

Contrats à terme et options à Paris, Francfort, Amsterdam et en Suisse

		Volume (en milliers)		
	Montant nominal	1990	1991	1992
Contrats à terme sur taux et devises				
Marché à terme International de France (MATIF)				
PIBOR	5 000 000 F	1 901	3 000	6 437
Obligations en écus	100 000 ÉCU	56	546	1 354
Notionnel (obligations)	500 000 F	15 996	21 088	31 063
Deutsche Terminbörse (DIB)				
Notionnel obligations à moyen terme	250 000 DM	n.t.	236	1 668
Notionnel obligations à long terme	250 000 DM	60	2 283	5 328
Financial Futures Market (Amsterdam)				
Obligations gouvernementales	250 000 £	54	29	21
Dollar/Florin	25 000 $	n.t.	2	11
Swiss Options and Financial Futures Exchange (SOFFEX)				
Eurofranc suisse (3 mois)	1 000 000 FS	n.t.	122	184
Francs suisses (5 ans)	100 000 FS	n.t.	59	200
Obligations suisses	100 000 FS	n.t.	n.t.	234
Options sur taux et devises				
Marché à terme international de France (MATIF)				
PIBOR	5 000 000 F	710	1 374	2 660
Obligations en écus	100 000 ÉCU	n.t.	21	83
Notionnel (obligations)	500 000 F	7 410	8 412	10 047
Deutsche Terminbörse (DIB)				
Options sur obligations à long terme	250 000 DM	n.t.	164	498
European Options Exchange (EOE)				
Obligations gouvernementales	10 000 £	261	241	270
Dollar/Florin	10 000 $	200	373	538
Livre sterling/Florin	10 000 £	200	373	538

Source : FMI, *op. cit.*

16.3.3 En Allemagne

On a déjà eu l'occasion d'évoquer le courant généralisé de déréglementation des marchés financiers à travers le monde. Mais celle-ci ne s'est pas produite partout à la même vitesse ou avec le même enthousiasme. À cet égard, l'Allemagne a souvent donné l'impression de suivre le mouvement avec retard et presque à contrecœur. En fait des contrats à terme sur les obligations allemandes, sur l'euromark et sur le deutsche mark ont été transigés sur les places étrangères bien avant que ne soit créé un marché organisé à Francfort.

La Deutsche Termin Boerse (DTB) n'a traité son premier contrat qu'en 1990. Elle est régie par un système entièrement automatisé fort semblable à celui fonctionnant en Suisse au SOFFEX (cf. *infra*).

Son contrat vedette est un contrat sur notionnel de titres gouvernementaux à long terme en deutsche mark. Sans atteindre le volume des contrats sur *bunds* au LIFFE, le contrat a su se tailler une part du marché intéressante avec un volume de plus de 5 millions de contrats transigés en 1992. Ce succès a conduit les autorités de la DTB à organiser, dès 1991, un marché d'options sur ce contrat notionnel, puis à introduire un nouveau contrat sur obligations à moyen terme.

16.3.4 À Amsterdam

Pays dynamique et délibérément tourné vers l'activité internationale, les Pays-Bas ont une longue tradition marchande. C'est de très bonne heure que l'on a transigé des contrats à terme et des options dans ce pays.

Créé en 1978, le *European Options Exchange* (EOE) fut le premier marché d'options en Europe; son mode de fonctionnement et d'organisation était à l'origine fortement inspiré par ceux du CBOT de Chicago.

Au cours de ces premières années d'existence, le EOE a eu du mal à se hisser à un niveau international. Le manque de coopération de Londres (notamment sur la question de la création d'une bourse et d'une chambre de compensation uniques, mais avec deux parquets) et la méfiance de Paris expliquent ces difficultés initiales.

Preuve de son dynamisme, l'EOE peut se vanter d'avoir à son actif deux premières mondiales en matière de produits dérivés de taux et de devises. C'est en effet à Amsterdam, le 24 novembre 1981, que furent inscrites les premières options sur obligations gouvernementales. De la même façon, c'est à l'EOE que se sont transigées les premières options sur devises, le 18 novembre 1982.

À la fin des années 1980, le EOE a signé avec les bourses de Montréal, Vancouver et Sidney des ententes pour la création d'une chambre de compensation commune. Ainsi, il est possible pour un opérateur localisé sur l'une des quatre places de fermer une position sur l'une des trois autres sans avoir à effectuer un dépôt additionnel. Comme ces bourses sont situées sur des fuseaux horaires très différents, les opérateurs peuvent transiger sur une plage horaire de près de 24 heures pour certaines options et pour certains contrats à terme ayant des caractéristiques semblables. Les investisseurs institutionnels d'importance peuvent ainsi transférer des positions d'une place à l'autre et multiplier la probabilité de voir leurs ordres exécutés.

16.3.5 En Suisse

Le *Swiss Options and Financial Futures Exchange* (SOFFEX) a été créé en 1988. Ses principaux actionnaires sont les trois bourses de valeur et les cinq plus grandes banques suisses. Cette bourse a la particularité d'être entièrement électronique ce qui procure une grande transparence aux prix et aux transactions, toutes les offres étant affichées sur écran. Les transactions se font par le biais d'un ordinateur central qui reçoit les ordres des intervenants. Dès qu'il y a compatibilité des cours, le système déclenche automatiquement l'établissement du contrat et transmet la nouvelle position au système de compensation.

Ne sont membres de la chambre de compensation (le *SOFFEX Clearing House*) que les institutions ayant le statut de banque suisse et disposant de capitaux importants (de 50 à 500 millions de FS); elles doivent de plus participer à un fonds de compensation allant de 1 à 5 millions de FS pour couvrir les risques de marges inférieures aux niveaux requis.

La gamme des produits négociés sur le SOFFEX n'est pas très étendue, mais cette bourse est reconnue pour son efficacité et pour sa capacité à répondre aux besoins spécifiques des banques locales et des investisseurs internationaux très présents, directement ou indirectement, sur les places financières helvétiques. En plus d'un contrat sur indice boursier, les transactions les plus importantes ont comme sous-jacent une obligation synthétique à 5 ans (d'une valeur faciale de 100 000 francs suisses et portant un coupon de 6 %), et des obligations à long terme du gouvernement suisse.

En 1992, le SOFFEX a signé une entente de coopération avec les bourses d'Amsterdam, de Stockholm et de Londres, conformément à la tendance générale au rapprochement entre les bourses.

16.3.6 Au Canada

Les produits dérivés ont été introduits au Canada peu de temps après leur apparition aux États-Unis. La très grande intégration des économies canadienne et américaine et la possibilité immédiate pour les emprunteurs canadiens d'avoir accès aux innovations des marchés de New York et de Chicago ont incité les places financières canadiennes à agir rapidement. De plus, la rivalité traditionnelle entre Montréal et Toronto a été un puissant stimulant, chaque bourse essayant de précéder sa rivale pour l'introduction de nouveaux contrats ou de nouvelles options.

Les premières options ont été négociées à Montréal en 1975. Cet esprit d'initiative était bien le reflet de la philosophie générale de développement de la bourse de Montréal visant, d'une part, à assumer un rôle de leadership au Canada en matière d'innovation sur les nouveaux produits financiers et visant, d'autre part, à bâtir un réseau de relations avec d'autres bourses dans le monde.

Les premières options ont été transigées au *Toronto Stock Exchange* (TSE) en mars 1976. Quelques contrats à terme furent introduits en 1980, mais sans grand succès, les lois de l'Ontario de l'époque interdisaient l'accès à des spéculateurs agissant pour leur propre compte et aux non-résidents. L'absence de mainteneurs de marché et l'insuffisante participation des opérateurs professionnels ont beaucoup nui à ces premiers efforts. Cette situation aboutit à la création, en 1984, du *Toronto Futures Exchange* (TFE) où tous les contrats à terme de l'époque furent transférés.

Au début des années 1990, en ce qui concerne les instruments qui nous intéressent ici, l'activité était concentrée sur deux contrats à terme et deux options de taux d'intérêt, négociés à Montréal (cf. tableau 16.7).

Tableau 16.7
Contrats à terme et options sur taux d'intérêt au Canada

	Montant nominal	Volume (en milliers)		
		1990	1991	1992
Contrats à terme				
Bourse de Montréal				
Acceptations bancaires	1 000 000 $ Can	88	194	443
Obligations				
gouvernementales (10 ans)	100 000 $ Can	454	421	516
Options				
Bourse de Montréal				
Obligations gouvernementales	25 000 $ Can	139	47	51
Contrat à terme sur obligations	100 000 $ Can	n.t.	15	5

Source: FMI, *op. cit.*

16.3.7 En Australie

La place du secteur agricole et celle des ressources naturelles dans l'économie australienne prédisposaient ce pays à avoir une bourse de commerce active où se transigeraient des contrats à terme. Et effectivement, Sydney accueillit une bourse de commerce dès 1960: le *Greasy Wool Exchange* qui prit le nom de *Sydney Futures Exchange* (SFE) en 1972. Les premiers contrats sur taux et sur devises furent négociés au SFE en 1980; les premières options sur contrats à terme ont été négociées cinq ans plus tard.

Malgré cette précocité, les négociations sur les produits financiers ne connurent pas un succès immédiat en grande partie à cause de la réglementation imposée par les autorités locales. Cette réglementation sera assouplie à partir de 1985 et, en particulier, les restrictions portant sur la participation des opérateurs étrangers seront levées.

Tableau 16.8				
Contrats à terme et options à Sydney, Singapour et Tokyo				
		Volume (en milliers)		
	Montant nominal	**1990**	**1991**	**1992**
Contrats à termes sur taux et devises				
Sydney Futures Exchange (SFE)				
Billets à court terme (90 jours)	500 000 $ A	5 080	4 652	5 698
Obligations (à 3 ans)	100 000 $ A	1 608	2 119	5 435
Obligations (à 10 ans)	100 000 $ A	3 174	3 598	4 253
Singapore International Monetary Exchange (SIMEX)				
Eurodollar	1 000 000 $	3 469	3 433	5 618
Eurodeutsche mark	1 000 000 DM	57	33	5
Euroyen	100 000 000 ¥	816	1 462	2 473
Yen	12 500 000 ¥	16	47	20
Deutsche mark	125 000 DM	64	60	45
Livre sterling	62 500 £	3	4	4
Tokyo International Financial Futures Exchange (TIFFE)				
Eurodollar (3 mois)	1 000 000 $	8	3	n.t.
Euroyen	100 000 000 ¥	14 414	14 666	14 959
Dollar/Yen	50 000 $	n.t.	149	86
Tokyo Stock Exchange (TSE)				
U.S. Treasury bonds	100 000 $	411	125	118
Obligations japonaises (10 ans)	100 000 000 ¥	16 319	12 829	11 872
Options sur taux et devises				
Sydney Futures Exchange				
Billets à court terme (90 jours)	500 000 $ A	606	719	610
Obligations (à 3 ans)	100 000 $ A	75	107	317
Obligations (à 10 ans)	100 000 $ A	512	670	746
Singapore International Monetary Exchange (SIMEX)				
Eurodollar	1 000 000 $	13	5	12
Euroyen	100 000 000 ¥	62	81	81
Tokyo International Financial Futures Exchanges (TIFFE)				
Euroyen	1 000 000 ¥	n.t.	332	486
Tokyo Stock Exchange				
Obligations (à 10 ans)	100 000 000 ¥	1 534	1 850	1 141
Source: FMI, *op.cit.*				

Comme en témoigne le tableau 16.8, les marchés des contrats et options sur titres gouvernementaux bénéficient d'une excellente liquidité et les volumes traités sont importants.

Le SFE participe à un système de compensation mutuelle avec le LIFFE pour les contrats à terme sur obligations du Trésor américain et sur le contrat d'eurodollar.

La position géographique particulière de l'Australie pourrait à l'avenir permettre au SFE de jouer un rôle de relais important, dans le cadre de la tendance actuelle de négociations 24 heures sur 24; mais la compétition dans ce domaine est vive et Singapour possède, en matière d'internationalisation des activités, plusieurs longueurs d'avance.

16.3.8 À Singapour

Singapour a été la première place financière en Asie où se sont transigés des contrats à terme et des options sur produits financiers. En particulier, les autorités de Singapour ont su saisir le potentiel de ces instruments au moment où le Japon se montrait très réticent à se lancer dans ces produits dérivés. Créée en 1978 sous le nom de *Gold Exchange of Singapore* (GES), cette bourse fut rebaptisée *Singapore International Monetary Exchange* (SIMEX) en 1984.

La grande originalité de cette bourse est qu'elle est régie par un système de compensation mutuelle qui, pour un certain nombre de contrats, la lie directement, depuis 1986, au *Chicago Mercantile Exchange* (CME); ceci permet aux opérateurs d'être présents sur les deux marchés simultanément en n'ayant ouvert qu'une seule position. Grâce à ce mécanisme de compensation mutuelle, le SIMEX bénéficie de la profondeur du marché de Chicago. De son côté, le CME se trouve être associé aux marchés asiatiques en plein développement et ses opérateurs n'ont pas à souffrir des décalages des heures d'ouverture entre le marché américain et les marchés du Pacifique.

L'association avec le CME a permis au SIMEX de se hisser parmi les plus importantes bourses au monde.

Le grand succès de Singapour est le contrat à terme d'eurodollar. Le volume de transactions a dépassé les 5 millions d'unités en 1992. L'avance prise en ce domaine par Singapour explique en bonne partie pourquoi le contrat d'eurodollar à Tokyo, introduit en 1990, n'a jamais pu atteindre un volume justifiant son maintien. Le contrat sur euroyen continue de son côté à se développer, à un rythme satisfaisant, puisque le volume des transactions a triplé entre 1990 et 1992.

16.3.9 Au Japon

Pour l'observateur occidental, le fonctionnement des marchés financiers japonais donne l'impression d'obéir à ses propres règles et de progresser par à-coups. D'un côté, on constate que les maisons japonaises ont été particulièrement dynamiques sur les marchés internationaux à certaines époques, de l'autre, que les autorités nippones (et particulièrement le ministère des Finances) ont été particulièrement réticentes à ouvrir largement leurs marchés, à encourager l'internationalisation du yen ou à favoriser des transactions de produits dérivés au Japon.

Cependant en 1989, fut créé le *Tokyo International Financial Futures Exchange* (TIFFE). L'envolée des cours à la bourse de Tokyo, la multiplication des émissions en euroyen à la fin des années 1980 et les premiers effets de la déréglementation avaient engendré des besoins de couverture pour les opérateurs en yen. Il est remarquable que le nombre et la diversité des actionnaires en font une des plus ouvertes au monde, ce qui aurait été impensable dans les années 1980. Les transactions y sont entièrement automatisées.

En dépit de sa récente création, le TIFFE s'est rapidement hissé parmi les bourses importantes. Le contrat le plus actif est le contrat en euroyen à trois mois, avec un volume négocié de près de 15 millions de contrat en 1992. Cependant, la liquidité des autres produits a souvent été plutôt faible. Pour y pallier, le TIFFE a pris un certain nombre de mesures dont les plus significatives sont les suivantes:

- Mise en place d'un système de mainteneurs de marché pour le contrat à terme sur eurodollars à 3 mois.
- Extension des heures de transaction pour les contrats à terme et options sur euroyen à 3 mois (16 h à 18 h). En plus de permettre aux intervenants japonais de réduire le risque de nuit, cette mesure permet aux opérateurs européens d'avoir accès au TIFFE.

La croissance considérable de l'activité économique dans tout le sud-est asiatique entraînera inévitablement une croissance de la demande pour les produits dérivés. La concurrence entre Tokyo et Singapour sera intéressante à suivre dans les années à venir.

16.3.10 Les autres bourses

Ainsi que le mettait en évidence le tableau 16.1, le nombre de bourses où se transigent des contrats à terme et des options sur produits financiers a beaucoup augmenté, mais la plupart d'entre elles n'ont pas de contrats à terme de taux ou de devises libellés dans une autre monnaie que leur monnaie nationale. Les seules exceptions seraient le *Mercadore Optiones y Futuros Financieros* en Espagne et la *Bolsa de Mercadorias e Futuros* au Brésil. Mais les montants transigés ne sont pas encore très importants.

RÉFÉRENCES BIBLIOGRAPHIQUES

Livres:

- GOLDSTEIN, M. *et al., International Capital Markets,* IMF, avril 1993.
- HERSENT, C. et SIMON, Y., *Marchés à terme et options dans le monde,* Dalloz Gestion, 1989.
- LUBOCHINSKY, C. et MARTEAU, D., *Les marchés à terme d'instruments financiers,* Eska, 1987.
- SCHWARTZ, R. J. et SMITH, C. W., *The Handbook of Currency and Interest Rate Management,* New York Institute of Finance, 1990.
- SIMON, Y., *Les marchés à terme de taux d'intérêt,* Economica, 1994.

Articles:

- *Euromoney,* «Dictionary of Derivatives», Suppl., juin 1992.
- MCKEE, T. et GRAHAM, J., «Regulation of Currency and Interest Rate Transaction in Canada», in *The Handbook of Currency and Interest Rate Risk Management,* New York Institute of Finance, 1990.

Chapitre 17
Le marché des swaps

La décennie des années 1980 a amené des bouleversements considérables sur les marchés internationaux des capitaux. Mais un des éléments les plus marquants aura, sans contredit, été l'apparition et la croissance fulgurante du marché des swaps.

L'instabilité de l'environnement économique durant les années 1970 et 1980 a considérablement augmenté les risques et l'incertitude des emprunteurs, des investisseurs et des gestionnaires de portefeuilles d'obligations. La volatilité des taux d'intérêt et les fluctuations des cours de change, ont créé de sérieux problèmes aux firmes dont les actifs et les passifs présentent des conditions de rémunérations différentes et/ou sont libellés en plusieurs devises. Le marché des swaps s'est développé pour répondre à la volonté de réduction des risques associés à cette incertitude.

Une opération de swap est une transaction entre deux parties dont les besoins en matière de devises ou de paiements d'intérêt sont différents mais complémentaires. Le marché vise principalement à offrir une couverture aux risques de taux d'intérêt et de change; il permet également aux emprunteurs d'accéder à de nouveaux marchés tout en réduisant leurs coûts de financement.

17.1 Grandes catégories de swap et mécanismes originels

On présentera, tour à tour, les grandes catégories de swap, les mécanismes originels et les transformations de l'instrument ayant abouti à la création d'un véritable marché.

17.1.1 Les grandes catégories de swap

Un swap est essentiellement une convention passée entre deux parties par laquelle elles s'entendent pour échanger des flux d'intérêt à des dates prédéterminées et selon des modalités convenues entre elles.

Le principe d'un échange de dettes fut utilisé dans un premier temps pour les *back to back loans*. Dans un *back to back loan*, deux compagnies se prêtent mutuellement un montant libellé dans la monnaie nationale du prêteur et à un taux de change prédéterminé, avec promesse de retourner ce montant à une date future et au cours de change prévalant alors sur le marché.

Cet instrument a été développé en Grande-Bretagne dans les années 1970 pour contourner la législation anglaise relative au contrôle des changes. Une filiale de compagnie américaine localisée à Londres pouvait obtenir des livres sterling à un meilleur taux que le taux officiel de la Banque d'Angleterre. En échange, la filiale d'une firme multinationale anglaise œuvrant sur le marché nord-américain obtenait un prêt en dollars à un taux inférieur à celui du marché de New York. Les parties partageaient ainsi les gains obtenus grâce à l'arbitrage permis par la législation anglaise. Cependant, aucun contrat explicite ne liait les deux opérations. Par ailleurs, les *back to back loans* étaient assimilables à des prêts et apparaissaient donc au bilan des intervenants concernés.

L'apparition des swaps a été une réponse à la volonté des intervenants de lutter contre ces deux inconvénients. En effet, lors d'une opération de swap, un contrat explicite prévoit qu'en cas de défaut d'une partie, la contrepartie n'est plus tenue de respecter ses engagements, contrairement au *back to back loan*.

C'est un swap de devises, passé entre la Banque mondiale et IBM en août 1981, qui fit prendre conscience à la communauté financière internationale des immenses possibilités que pouvait offrir le marché des swaps.

Les formes prises par ces opérations d'échange sont multiples, mais elles appartiennent à deux grandes familles: les swaps de taux d'intérêt et les swaps de devises.

Un swap de *taux d'intérêt* est une opération par laquelle deux entités *échangent des flux d'intérêts*, de nature différente, calculés sur la base d'un même montant en principal. C'est donc essentiellement un *échange de flux de paiements sans qu'il y ait échange de créances*. Dans un swap d'intérêt, il n'y a pas d'échange de principal, ni à l'origine ni à l'échéance. On échange des flux d'intérêts sur la base d'un *montant notionnel*.

La majorité de ces opérations de swap de taux d'intérêt porte sur des échanges de flux à taux fixes contre des flux à taux variables. Certains swaps portent également sur des échanges de taux variables contre d'autres taux variables, mais ayant une base de référence différente. Les swaps les plus fréquents dans ce domaine sont:

- LIBOR à 6 mois sur le dollar contre le taux du papier commercial aux États-Unis;
- LIBOR à 6 mois contre LIBOR à 1 mois;
- LIBOR à 6 mois en dollars contre le *prime rate* américain.

Un *swap de devises*[1] est un échange entre deux parties de *flux d'intérêt* libellés dans des devises différentes, à un taux de change convenu à l'avance[2]. Parallèlement à l'échange de flux d'intérêt, il y a *échange du principal*, avec rééchange à l'échéance sur la base du taux de change en vigueur à la signature.

Lorsque le taux servant pour les paiements d'intérêt est constant, la transaction est un *swap de devises à taux fixe* (*Currency Swap*). En revanche, si les paiements d'intérêt se font d'une part sur une base fixe et d'autre part sur une base variable, il s'agit d'un swap dit *hybride* ou *croisé* (*Cross Currency Interest Rate Swap*).

17.1.2 Le mécanisme originel des swaps

Les swaps sont des instruments financiers qui se transigent aujourd'hui selon des modalités qui sont communes à la majorité des instruments utilisés sur les marchés des capitaux. Cependant, avant d'en arriver à ce stade et avant de voir se multiplier les utilisations, les swaps ont d'abord été conçus pour changer les caractéristiques des *conditions de financement*. Il est bon de revenir à

---

1. Même s'il peut y avoir des ambiguïtés au niveau du vocabulaire, on ne confondra pas le swap de devises dont il est question avec le swap tel qu'on l'a décrit sur le *marché des changes*.
    Un swap de devises porte sur une transaction dans laquelle les parties *échangent à la fois* le principal et les intérêts. Les swaps sur le marché des changes ne concernent que le principal; les paiements d'intérêt ne sont pas pris en considération.

2. C'est presque toujours le taux de change en vigueur le jour de la signature.

cette approche originelle avant de présenter les formes plus modernes du marché.

a)   Les swaps de taux d'intérêt

Les swaps de taux ont été possibles quand deux entités se sont rendues compte qu'en échangeant des flux d'intérêt, elles pouvaient tirer parti de certaines particularités du marché et mieux adapter leurs conditions de financement à leurs besoins.

Un exemple:

Considérons[3] deux emprunteurs (A et B) ayant tous deux la possibilité d'emprunter à taux fixe et à taux variable, mais à des conditions sensiblement différentes. A pourrait lever des fonds pour une période de trois ans au taux fixe de 7 $1/2$ % ou au taux variable de LIBOR + $1/8$. Quant à B, pour la même durée, il devrait payer respectivement 9 $1/2$ % ou LIBOR + $7/8$.

Tableau 17.1 Conditions initiales			
Coûts d'emprunt	Firme « A »	Firme « B »	Avantage de « A » par rapport à « B »
• taux fixe (3 ans)	7 $1/2$ %	9 $1/2$ %	2 %
• taux variable (6 mois)	LIBOR + $1/8$ %	LIBOR + $7/8$ %	$3/4$ %

Comme on le voit, A est mieux placé que B sur les deux marchés, mais son avantage est plus net sur le taux fixe (2 %) que sur le taux variable ($3/4$ %). Cet écart engendre la possibilité de tirer profit d'une opération de swap.

Remarquons tout d'abord que si A et B empruntent un même montant, mais chacun sur un segment différent, deux solutions se présentent:

- Si A emprunte sur le marché à taux fixe, le coût global des emprunts faits par A et B est de 7 $1/2$ + LIBOR + $7/8$.
- Si A emprunte sur le marché à taux variable, le coût global des emprunts faits par A et B est de LIBOR + $1/8$ + 9 $1/2$.

Ainsi, la différence de coût entre les deux solutions est globalement de 1 $1/4$ %. Cet écart positif est obtenu lorsque A emprunte sur le marché où il a le *plus grand avantage*, c'est-à-dire le marché à taux fixe. Ce montant est celui dont A et B conjointement peuvent profiter en faisant le swap.

En effet, si l'on peut convaincre A et B d'échanger leurs flux de paiement d'intérêt, ils peuvent en tirer avantage en ayant des

---

3.   On ne présentera ici qu'un exemple de swap taux fixe / taux variable.

coûts d'emprunts inférieurs à ceux qu'ils auraient dû supporter sans le swap.

On le mettra en évidence en supposant, pour simplifier, que le gain résultant du swap (1 $^{1}/_{4}$ %) est divisé en parts égales entre A et B (c'est-à-dire $^{5}/_{8}$ % pour chacun)[4].

Tableau 17.2		
Le swap de taux d'intérêt		
	Firme A	**Firme B**
Financement		
Emprunt à taux fixe	7 $^{1}/_{2}$ %	
Emprunt à taux flottant		LIBOR + $^{7}/_{8}$ %
Le swap		
A paie à B le taux flottant	(LIBOR)	LIBOR
B paie à A le taux fixe + $^{1}/_{2}$ %	8 %	(8 %)
Résultat (a)		
Coût d'emprunt de A	LIBOR – $^{1}/_{2}$ %	
Coût d'emprunt de B		8 $^{7}/_{8}$ %
Coût d'emprunt direct (b)		
à taux flottant	LIBOR + $^{1}/_{8}$ %	
à taux fixe		9 $^{1}/_{2}$ %
Gain à l'échange		
(b – a)	+ $^{5}/_{8}$ %	+ $^{5}/_{8}$ %
Remarques : Pour qu'une telle opération puisse se réaliser, trois conditions devaient être réunies.		

L'opération se présente de la façon suivante: A emprunte à 7 $^{1}/_{2}$ % et B à LIBOR + $^{7}/_{8}$; A verse à B le taux LIBOR alors que B verse à A le taux fixe de 8 %. Ainsi, le coût d'emprunt pour A est égal à LIBOR – $^{1}/_{2}$, (puisque 7 $^{1}/_{2}$ % – 8 % + LIBOR = LIBOR – $^{1}/_{2}$); alors que le coût pour B est de 8 $^{7}/_{8}$, (puisque LIBOR + $^{7}/_{8}$ – LIBOR + 8 % = 8 $^{7}/_{8}$ %).

Pour qu'une telle opération puisse se réaliser, trois conditions devaient être remplies.

- Tout d'abord, il fallait mettre en relation deux entités ayant des emprunts de même durée, pour des montants identiques et surtout désirant, après l'opération de swap, se retrouver avec des financements à des taux différents (l'un fixe, l'autre variable).

- Deuxièmement, il fallait convaincre chacune des parties d'emprunter à un taux (fixe ou variable) qui n'était pas celui dans lequel elle se retrouverait après le swap.

---

4.   Bien sûr, d'autres répartitions auraient été envisageables; elles refléteraient le pouvoir de négociation respectif des deux emprunteurs, mais aussi les conditions du marché et la plus ou moins grande demande pour le taux fixe ou le taux variable au moment de la transaction. D'autre part, par mesure de simplification, on a supposé qu'il n'y avait pas de commission à payer à l'intermédiaire qui aurait mis en contact les deux emprunteurs.

- Enfin, les deux parties devaient être assurées que cette opération ne présentait que peu ou pas de risque[5].

b)   Les swaps de devises

À l'origine, c'est-à-dire au début des années 1980, un swap de devises était essentiellement un contrat passé entre deux emprunteurs qui s'échangeaient le produit d'emprunts faits dans des devises différentes, ainsi que la charge d'intérêt sur ces emprunts. Un tel swap pouvait se faire directement entre les deux emprunteurs ou était effectué avec la collaboration d'une banque qui assurait la garantie de l'opération. Mais l'élément essentiel d'une telle transaction était que le taux de change en vigueur au moment de l'échange et du rééchange était celui qui prévalait au moment de la signature.

Un exemple de swap de devises à taux fixe:

Considérons deux emprunteurs (A et B) ayant tous les deux la possibilité d'emprunter en deutsche mark et en dollars. A est une compagnie américaine qui veut réaliser une euro-émission en marks pour 5 ans à taux fixe, mais elle souhaite convertir le produit de cette émission en dollars. B est une entreprise allemande qui compte faire une émission de même durée et pour un montant équivalent sur le marché de New York et qui, quant à elle, souhaite convertir en marks ses dollars empruntés. Une banque internationale ou un courtier, connaissant ces besoins opposés des deux entreprises, avait alors la possibilité de leur faire réaliser un swap.

Pratiquement, l'opération se passait de la façon suivante: l'entreprise américaine A empruntait en deutsche mark; l'entreprise allemande B empruntait en dollars; chacune s'échangeait le produit des emprunts, s'engageait à verser à sa contrepartie le montant d'intérêt à payer à chaque échéance et convenait de procéder au rééchange du principal au moment du remboursement[6].

c)   Les swaps croisés:

Très rapidement, on s'est aperçu qu'on pouvait combiner les swaps de devises et les swaps de taux pour réaliser des swaps croisés ou swaps hybrides.

Dans une telle opération, les deux entités prenant part à la transaction, s'échangent des paiements d'intérêt qui se font sur une base de rémunération différente (taux fixe, taux variable), dans deux devises différentes. Parallèlement, il y a entre les parties un

---

5.   Dès les premières conventions de swaps, il était bien sûr stipulé que chaque partie n'était plus tenue d'effectuer les paiements d'intérêt prévus si l'autre ne respectait pas ses obligations.

6.   On peut se demander pourquoi chacune des deux firmes n'avait pas au point de départ emprunté dans sa propre devise sur les marchés. Plusieurs explications peuvent être avancées, mais pour le moment, nous en retiendrons qu'une seule, à savoir que chacune des entreprises veut diversifier ses sources de fonds.

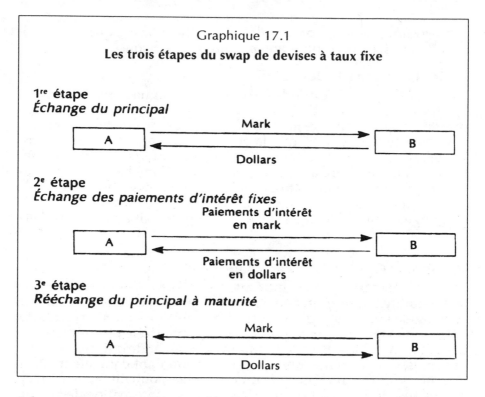

Graphique 17.1

Les trois étapes du swap de devises à taux fixe

1re étape
Échange du principal

Mark

A → B

Dollars

2e étape
Échange des paiements d'intérêt fixes

Paiements d'intérêt
en mark

A → B

Paiements d'intérêt
en dollars

3e étape
Rééchange du principal à maturité

Mark

A ← B

Dollars

échange de principal qui est libellé en deux devises différentes, avec rééchange à l'échéance. Toutes les transactions se font à un taux de change fixe.

Considérons deux entreprises A et B qui ont la possibilité d'emprunter en dollars ou en deutsche mark. A a un avantage sur B sur chacun des marchés. Les conditions d'emprunt sont résumées au tableau 17.3.

Tableau 17.3

Conditions initiales d'emprunt

Coût d'emprunt	Firme A	Firme B	Avantage de A sur B
• à taux fixe en marks à 3 ans	7 %	8 %	1 %
• à taux variable en dollars (6 mois)	LIBOR + ¼ %	LIBOR + ¾ %	½ %

Supposons que le taux de change actuel soit de 3 marks pour 1 dollar et que chacune des entreprises veut emprunter 50 millions de dollars ou 150 millions de marks. Conformément à ce que l'on a vu précédemment, A va emprunter là où elle a l'avantage le plus prononcé, c'est-à-dire sur le marché en marks à taux fixe. B emprunte sur le marché à taux variable en dollars.

Si les deux entreprises effectuent un swap hybride, elles échangent des flux d'intérêt (et le principal). Ceci leur permet de simuler un emprunt dans une devise différente de celle dans laquelle a été effectué l'emprunt et ceci peut leur permettre de réduire leur coût de financement.

Nous illustrerons ici ce swap hybride en supposant (comme dans le cas du swap d'intérêt) que les deux entreprises se partagent le gain réalisé en termes d'intérêt. Ce gain dans le cas présent est de $1/4$% pour chacun des participants.

Tableau 17.4		
L'échange taux fixe / taux variable		
	Firme A	Firme B
Financement		
Emprunt à taux fixe en marks	7 %	
Emprunt à taux flottant en dollars		LIBOR + $3/4$ %
Le swap		
A paie à B le taux flottant		
sur le dollar	(LIBOR + $1/2$ %)	LIBOR + $1/2$ %
B paie à A le taux fixe sur le mark	7 $1/2$ %	(7 $1/2$ %)
Résultat (a)		
Coût d'emprunt de A en dollars	LIBOR	
Coût d'emprunt de B en marks		7 $3/4$ %
Coût d'emprunt direct (b)		
à taux flottant en dollars	LIBOR + $1/4$ %	
à taux fixe en marks		8 %
Gain à l'échange		
(b − a)	$1/4$ %	$1/4$ %

L'opération se déroule donc de la façon suivante: A emprunte 150 millions de marks à 7 % pour 3 ans, B emprunte 50 millions de dollars à LIBOR + $3/4$ %. A cède à B 150 millions de marks et reçoit en échange 50 millions de dollars.

A paie à B les intérêts semestriels en dollars (au taux LIBOR + $1/2$ %) et reçoit en retour le montant des intérêts en marks (sur la base d'un taux annuel de 7 $1/2$ %).

À l'échéance A retourne à B 50 millions de dollars et reçoit 150 millions de marks, montant qui servira au remboursement de leur dette respective.

Le résultat de cette opération est que la compagnie «A» a pu simuler un emprunt en dollars à taux variable en utilisant sa capacité d'emprunter des marks à taux fixe et par ce biais réduire son coût d'emprunt.

17.2 Transformations et constitution d'un véritable marché

Dans tous les exemples précédents, les banques et les maisons de courtage jouent un rôle qui se limite strictement à trouver des contreparties dont les besoins ou les positions sur les différents

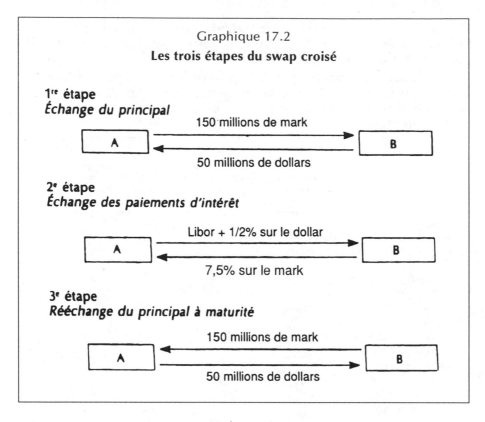

Graphique 17.2
Les trois étapes du swap croisé

1ʳᵉ étape
Échange du principal

150 millions de mark → B

50 millions de dollars ←

2ᵉ étape
Échange des paiements d'intérêt

Libor + 1/2% sur le dollar →

7,5% sur le mark ←

3ᵉ étape
Rééchange du principal à maturité

150 millions de mark ←

50 millions de dollars →

segments du marché sont opposés et complémentaires. Durant les premières années du nouveau marché, les intermédiaires étaient rémunérés sous forme de commission. Cette commission disparut lorsque le marché se structura dans la forme que nous lui connaissons aujourd'hui. On comprend également qu'une très grande coordination et parfaite synchronisation des opérations d'emprunts étaient nécessaires pour qu'un swap puisse avoir lieu. Si l'on s'en était tenu à cette façon de procéder, le nombre de transactions serait resté très limité.

17.2.1 Les banques comme contreparties

Le rôle de strict intermédiaire joué par les banques et les maisons de courtage a rapidement évolué dès qu'elles ont réalisé que leur intérêt propre, combiné au potentiel considérable du marché, les conduisait naturellement à servir elles-mêmes de *contreparties* dans les opérations de swaps. En changeant de rôle, elles changèrent le mode de fonctionnement du marché et ouvrirent toute une nouvelle gamme d'utilisations pour ces instruments.

Plusieurs raisons expliquent que les banques, dès 1986, choisirent de devenir contrepartie.

- Tout d'abord elles y furent poussées pour des raisons de rentabilité; en effet, la concurrence qui s'établit assez vite entre les plus grandes institutions eut pour conséquence de réduire, de façon très significative, la taille de la commission qu'elles recevaient pour mettre en relation deux emprunteurs qui voulaient effectuer un swap et pour rémunérer les coûts associés à la mise en place de cette opération. En fait, la commission disparut aux alentours de 1987.

- Par ailleurs, ainsi que les exemples l'ont montré précédemment, les avantages en matière de coût de financement sont suffisamment importants pour que les banques aient été tentées d'en tirer profit pour leur propre compte, plutôt que d'en faire profiter une tierce partie.

- De plus, comme la répartition des avantages entre les deux contreparties dépend largement de leur connaissance respective des marchés et de leur pouvoir de négociation, les banques se trouvaient dans une position privilégiée.

17.2.2 L'uniformisation de la terminologie et des contrats

Né dans un contexte de concurrence très vive, le marché des swaps a vu chaque maison d'importance, remplissant le rôle d'intermédiaire, essayer d'imposer son type de contrat et sa terminologie. Le risque d'anarchie était certain et le manque d'homogénéité de la documentation interdisait le développement d'un marché secondaire actif.

Conscients de ce problème, les intermédiaires les plus importants du marché ont créé une association internationale connue sous son sigle anglais ISDA (*International Swap Dealers Association*). Elle regroupait en 1986, quarante-deux membres. En avril 1985, l'ISDA a rédigé un «manuel d'utilisation» des swaps qui a permis d'uniformiser la terminologie et la documentation.

17.2.3 Le marché interbancaire des swaps

Comme les banques étaient devenues systématiquement contreparties des opérations de swap, elles durent gérer leurs positions. Dans un premier temps, elles cherchèrent à *adosser* les swaps deux à deux. Cette pratique consiste essentiellement à jumeler deux swaps aux caractéristiques opposées, ayant une même échéance et portant sur des montants semblables. De cette façon, la banque peut réduire la majeure partie des risques auxquels elle s'est exposée.

Cependant, assez rapidement, les banques se mirent à gérer leurs swaps globalement, comme un portefeuille. Comme les besoins des banques pouvaient être complémentaires dans leur recherche de «positions» optimales, elles devinrent naturellement des contreparties entre elles. Les échanges interbancaires prirent alors de l'ampleur et un véritable *marché interbancaire* était né, caractérisé par la présence de *market-makers* et de pratiques de transactions copiées sur celles en vigueur pour les autres produits financiers internationaux.

Ainsi le marché interbancaire des swaps aujourd'hui en place est un marché où se confrontent des offres et des demandes et où l'on enregistre des fluctuations de prix reflétant les conditions changeantes de l'environnement financier et celles du marché des changes.

17.2.4 Deux segments pour un seul marché

On peut donc repérer deux segments du marché des swaps. Il y a, d'une part, le marché *de gré à gré* de swaps entre les banques et les utilisateurs finals et, d'autre part, le marché *interbancaire*. Sur le premier segment, les banques proposent des opérations de swaps à leurs clients (au moment d'une opération de financement ou dans toute autre circonstance). Ces swaps sont «taillés sur mesure» pour s'adapter le mieux possible aux besoins spécifiques des utilisateurs. Sur le second segment, les banques ajustent leurs positions pour, d'une part, couvrir (plus ou moins parfaitement) leurs opérations de gré à gré ou, plus généralement, pour gérer leur portefeuille de swaps.

Ces deux segments sont intimement liés; en effet, les conditions de swap que les banques pourront offrir à leurs clients dans les opérations de gré à gré sont directement influencées par les cotations ayant cours sur le marché interbancaire où elles peuvent immédiatement couvrir toute nouvelle opération.

17.3 Caractéristiques et utilisations

17.3.1 Les caractéristiques d'un swap

Le passage d'un contrat de swap est une opération nécessitant beaucoup d'attention, surtout lorsqu'il s'agit d'une opération de gré à gré, puisqu'alors toutes les composantes sont «taillées sur mesure». Lorsqu'il s'agit de swap interbancaire, la standardisation des clauses et des procédures facilite grandement les choses, néanmoins chaque swap a des caractéristiques propres dont on peut ci-après dresser la liste:

- le montant du swap;
- la contrepartie;
- la ou les devises du swap;
- le taux fixe (et sa base de calcul);
- le taux variable (taux de référence et base de calcul);
- le cours du change (pour les swaps de devises);
- les dates de départ et d'échéance;
- les dates de paiement des intérêts;
- les conventions concernant les jours ouvrables;
- le cadre juridique.

De toutes ces caractéristiques, celles portant sur la détermination des taux demandent une attention spéciale. En effet, les conventions changent d'un pays à un autre et ne sont pas les mêmes sur tous les segments du marché. Ainsi, le taux fixe pourra être un taux annuel basé sur une année de 360 ou de 365 jours; les intérêts peuvent être payés traditionnellement une fois par année ou à chaque semestre. De la même façon, le taux de référence variable n'est pas systématiquement le LIBOR.

17.3.2 Les utilisations des swaps

Chaque contrepartie obéit à des motifs qui lui sont propres pour effectuer une opération de swaps. Cependant, au fur et à mesure que cet instrument gagnait en acceptation et en liquidité, des raisons additionnelles d'utilisation se sont ajoutées aux motifs traditionnels des premières années.

On peut trouver essentiellement cinq grandes catégories d'utilisation des swaps; chacune est associée à un développement du marché.

a) Le swap a tout d'abord été un instrument utilisé pour *réduire les coûts de financement*, ainsi qu'on l'a vu lors de la présentation des mécanismes originels des swaps. Par le biais de cet instrument, les emprunteurs réussissent à effectuer des arbitrages entre différents segments des marchés financiers et tirer avantage de certaines imperfections des marchés.

b) Dans un deuxième temps, on s'est vite rendu compte que le swap est un instrument parfaitement adapté pour *réduire ou transférer* les risques (risques de change ou risques de taux d'intérêt).

c) Les trésoriers des institutions financières ou des grandes et moyennes entreprises ont ensuite eu recours à cet instrument pour *changer la structure* de leur passif ou de leur actif. Une fois que le marché eut gagné en liquidité, les banques, en particulier, trouvèrent là un instrument fort souple pour pratiquer l'appariement des passifs et actifs en termes de durée, de devise ou de taux.

d) Le recours au swap résulte aussi de la volonté de gestionnaires, d'investisseurs et d'intermédiaires de *changer rapidement leurs positions* en termes de taux et de devises en fonction de leurs anticipations sur les marchés obligataires, le marché des changes ou les marchés monétaires.

e) Enfin, on peut parler d'une *demande autonome* pour les swaps avec la mise en place d'un marché interbancaire et l'apparition de mainteneurs de marché.

17.4   Cotations des swaps sur le marché interbancaire

À la suite du développement du marché interbancaire des swaps, leur cotation s'est standardisée, ce mouvement a été favorisé par l'ISDA (International Swap Dealers Association). On peut trouver des cotations indicatives tous les mois dans la revue *Business International Money Report*.

On notera que toutes les cotations se font contre le taux LIBOR 6 mois en dollars.

Tableau 17.5

Cotations des swaps

Years	US $ Interest Rate Swaps Treasury Curve Price/yield	Spread	Dm/$	Sfr/$	£/$	¥/$	A $/US $
2	100.24/3.843	15-19	9.18-9.23	7.44-7.49	10.13-10.17	4.02-4.07	7.17-7.27
3	100.26/4.325	31-35	8.88-8.93	7.31-7.36	9.98-10.03	4.32-4.37	7.95-8.05
4	interpol./4.784	34-38	8.69-8.74	7.25-7.30	9.96-10.01	4.61-4.66	8.36-8.46
5	101.20/5.249	38-39	8.53-8.58	7.16-7.21	9.96-10.01	4.74-4.79	8.61-8.71
7	103.05/5.808	32-36	8.37-8.42	7.10-7.15	9.80- 9.85	5.00-5.05	8.93-9.03
10	100.11/6.325	33-37	8.19-8.24	7.09-7.14	9.62- 9.68	5.27-5.32	9.18-9.28

LIBOR : 3,25 %

17.4.1 Cotation des swaps de taux d'intérêt

Les cotations de swaps de taux d'intérêt se trouvent dans les colonnes 2 et 3.

bid	**offer**
3,843 + 0,15	3,843 + 0,19
= 3,993 %	= 4,033 %

Ainsi en septembre 1992, un mainteneur de marché était prêt à payer le taux fixe pour deux ans à 3,993 % s'il recevait en échange le taux variable LIBOR 6 mois (3,25 %). En revanche, il était prêt à payer LIBOR 6 mois pour recevoir 4,033 % pendant deux ans[7].

17.4.2 Cotation des swaps croisés (colonnes 4 à 8)

Un mainteneur de marché était prêt à recevoir LIBOR 6 mois en dollars US (3,25 %) s'il payait 9,18 % en deutsche mark sur deux ans et à payer LIBOR 6 mois en dollars US s'il recevait 9,23 % pendant deux ans en deutsche mark.

17.4.3 Remarques sur le système de cotation

Le fait que tous les swaps soient cotés en points de base au-dessus des bons du Trésor américain présente plusieurs avantages. En particulier pour un émetteur d'obligations, ce système de cotation permet de comparer les marges (*spread*) sur ce marché avec

---

7.   Toutes les cotations portent ici sur le dollar.

Tombstone d'une opération de swap

$240,000,000

European Economic Community

3 Year Interest Rate Swap

This transaction has been arranged privately in connection with the
issuance of $240.000.000 of 9 ¾% Notes due 1988.

Goldman, Sachs & Co.

New York   Boston   Chicago   Dallas   Detroit
Houston   Los Angeles   Memphis   Miami
Philadelphia   St. Louis   San Francisco
London   Hong Kong   Tokyo   Zurich

August 1985

les marges pratiquées au même moment pour une même échéance sur le marché obligataire[8].

Il faut, en effet, noter que les marges du marché des swaps et celles du marché obligataire ne varient pas avec un parfait synchronisme. Les différences que l'on constate tiennent à ce que les intervenants sur ces deux marchés ne sont pas les mêmes et qu'ils n'obéissent pas aux mêmes critères.

On constate que les marges sur le marché des swaps sont moins volatiles que celles sur marché obligataire. Par ailleurs, certains observateurs[9] avancent que les rendements exigés sur le marché des swaps ne suivent qu'avec retard les mouvements sur les bons du Trésor.

Bien sûr les marges sur les swaps reflètent l'évolution des anticipations des utilisateurs finals et des intermédiaires. Le jeu de l'offre et de la demande à un moment donné fixe les marges. Elles peuvent fluctuer considérablement sans que cela n'affecte la fourchette de cotations (*bid/ask*).

17.5 Détermination de la valeur d'un swap

Comme les taux d'intérêt varient continuellement, comme la structure des taux évolue, comme les conditions du marché des swaps et du marché obligataire changent, la valeur d'un swap d'intérêt n'est pas constante dans le temps.

De la même façon, les fluctuations continuelles du marché des changes affectent la valeur des swaps de devises à tout moment.

Pour les mêmes raisons, les swaps de devises ont également une valeur qui évolue tout au long de leur vie.

Plusieurs méthodes permettent d'effectuer l'évaluation de swap existant.

17.5.1 Les méthodes d'évaluation des swaps d'intérêt

On distingue deux grandes catégories de méthode: la méthode obligataire et la méthode du coût de remplacement.

a) La méthode obligataire

Il s'agit, en fait, de comparer la valeur actualisée du flux des paiements de la branche à taux fixe du swap avec la valeur actualisée du flux des paiements de la branche à taux variable.

---

8. On se souvient que si les émetteurs sont intéressés au taux nominal absolu qu'ils ont à payer lors d'une émission obligataire, ils sont aussi fort sensibles au nombre de points de base supplémentaires à acquitter en comparaison avec le Trésor dont les taux servent de référence (puisqu'ils représentent l'actif sans risque).

9. Cf. «Swaps: versatility at controlled risk», *World Financial Markets*, J.P. Morgan, April 1991, p. 13.

Pour la branche à taux fixe, on considère que les flux de paiement fixes d'intérêt et le remboursement du notionnel à l'échéance sont assimilables aux flux de déboursements d'une obligation classique. L'actualisation se fait donc à l'aide du taux d'intérêt ayant cours à la date d'évaluation pour une obligation qui a une échéance égale à la vie restante du swap.

Pour la branche à taux variable, le calcul est encore plus simple. La valeur d'une obligation à taux variable à la date du prochain paiement d'intérêt peut être considérée (après le versement de l'intérêt sur la période en cours) comme étant égale au principal (ici le notionnel). Dès lors, la valeur de la branche variable est égale à la valeur actualisée de la somme du prochain versement d'intérêt et du notionnel à cette même date.

Une méthode légèrement différente consiste à calculer toute une série de taux coupon-zéro associés aux flux des paiements et de calculer la valeur actuelle de ces flux[10].

D'une façon ou d'une autre, on aboutira à une valeur positive ou négative du swap en comparant la valeur de chacune des branches.

b) La méthode du coût de remplacement

Cette méthode consiste à comparer les flux du swap déjà en place avec ceux d'un swap fictif qui aurait exactement le même profil de paiements, mais aux conditions prévalant le jour où l'on fait l'évaluation. On calcule donc les différences de flux à chaque date de paiement et on les pondère par les taux d'actualisation appropriés. Comme on compare des flux, cette méthode présente l'avantage de ne pas avoir à tenir compte du remboursement du notionnel (puisque ce flux sera identique pour le swap existant et pour le swap fictif).

17.5.2 Évaluation des swaps de devises

Les méthodes d'évaluation des swaps de devises sont sensiblement les mêmes que celles présentées précédemment. Avec la méthode obligataire, on évalue séparément chacune des branches dans sa devise et l'on applique le taux de change en vigueur au moment de l'évaluation. On peut aussi procéder à la comparaison du swap actuel avec un swap fictif reflétant les conditions du marché des changes et la structure des taux d'intérêt à la date d'évaluation. Cette méthode est néanmoins plus complexe[11].

---

10. Cf. ANASTASSIADES, M. et P. PARANT, *Les Swaps*, Eska, 1990, p. 164.

11. Cf. *idem*, p. 180.

17.6 Risques associés aux swaps

17.6.1 Quelques principes de base

Avant d'énumérer les risques associés aux swaps, un certain nombre de principes doivent être rappelés.

- Les contrats de swap sont des contrats comportant des obligations réciproques et conditionnelles. Ainsi, un détenteur de swap sera tenu d'effectuer ses paiements à sa contrepartie seulement si cette dernière respecte ses obligations de paiement.

- Dans les swaps d'intérêt, comme les contrats portent sur un montant notionnel sans qu'il y ait échange de principal, le *potentiel de perte* est réduit. Les sommes en jeu pour un détenteur de swap ne peuvent se comparer avec, par exemple, celles en jeu pour un détenteur d'obligations.

- Dans les swaps de devises, les risques potentiels sont plus importants, car au risque de taux s'ajoute le risque de change. En effet, dans ces swaps, il y a échange de principal au début et à la fin du swap sur la base du taux de change en vigueur au moment de la signature.

- En matière de risque, il y a lieu de distinguer entre les risques intrinsèques d'un swap et les risques associés à la gestion d'un portefeuille de swaps.

17.6.2 Typologie des risques

a) Le risque de contrepartie

Ce risque est celui qui résulte du fait que, pour un détenteur de swap, la contrepartie peut faire défaut et ne pas respecter ses engagements. Il y a lieu, à cet égard, de distinguer entre le risque de crédit classique, lié à la qualité de la signature de la contrepartie, et le risque de marché lié à des mouvements défavorables à la contrepartie des taux d'intérêt (et, le cas échéant, des taux de change). On notera qu'il n'y a perte pour un détenteur de swap que si celui-ci avait, pour lui, une valeur positive au moment du défaut de sa contrepartie.

b) Le risque de liquidité

Le risque de liquidité est complémentaire au risque de contrepartie. En effet, un détenteur de swap, dont la contrepartie a fait défaillance, peut remplir les objectifs qu'il s'était fixés en contractant le swap original, en le remplaçant par un autre swap ayant des caractéristiques identiques, pour la durée de vie restante de l'échange.

Or, la profondeur du marché des swaps n'est pas uniforme pour toutes les échéances et elle varie d'une période à l'autre en fonction des conditions générales des marchés financiers et monétaires et en fonction de l'évolution des anticipations des principaux utilisateurs.

c) Le risque associé aux taux de référence

Au cours de la vie du swap, le taux utilisé pour le calcul des intérêts de la branche variable du swap peut perdre son rôle de référence ou être remplacé par un autre taux. Si tel est le cas, le coût variable effectif peut être plus élevé que celui qu'on avait anticipé.

Ce risque a priori est faible. Néanmoins, au milieu des années 1980, on a vu pendant plusieurs mois le rôle du LIBOR être remis en question et plusieurs opérations de prêts ont été montées, plutôt sur la base du LIBID ou du LIMEAN que sur celle du LIBOR.

Le risque de changement de statut du taux variable est néanmoins mineur en ce qui concerne le marché en dollars américains. Il est sans doute plus important pour les taux variables des autres pays utilisés comme référence.

Ce risque, en tout cas, augmente en cas de difficultés ou d'incertitudes sur le marché interbancaire.

d) Les risques de nature juridique

La documentation des contrats de swaps devrait a priori éliminer les risques juridiques. Cependant, comme beaucoup de clauses standard n'ont pas été l'objet de contestation devant les tribunaux, il reste toujours une incertitude quant à la nature de certaines obligations réciproques des parties engagées dans une opération de swap. C'est d'ailleurs un risque de nature juridique qui a sérieusement ébranlé le marché des swaps à la fin des années 1980, lorsqu'une cour britannique a déclaré que certains swaps passés entre des banques et le comté de Hammersmith and Fulham étaient *ultra vires*[12].

e) Les risques réglementaires

Ainsi qu'on le verra plus loin, le marché des swaps s'est développé de façon particulièrement rapide à l'abri de toute réglementation. Mais l'introduction des ratios Cooke a contraint les banques et institutions financières à respecter des normes de capitalisation qui tenaient compte de leurs engagements sur les produits dérivés.

Or, depuis le début des années 1990, on a vu un fossé se creuser entre les praticiens du marché des swaps (et leurs représentants dans le cadre de l'International Swap Dealer Association) et les autorités de surveillance qui manifestent une certaine inquiétude face à la croissance du marché.

---

12. Cf. «Zapped by its swaps», *The Economist*, March 3, 1990; HARGREAVES, D., «Swaps market still beset by legal uncertainties», *Financial Times*, Feb. 27, 1990.

Il est fort possible que dans les années qui viennent, on assiste à la mise en place d'une réglementation plus virougeuse qui inévitablement se traduirait par un accroissement de la capitalisation. Il en résulterait un accroissement des coûts associés aux swaps et donc à des changements dans l'évaluation des swaps déjà en place.

Bien qu'il soit difficile à estimer, ce *risque réglementaire* est bel et bien présent pour les gestionnaires de portefeuille de swaps.

f)   Le risque de *spread*

Le risque de *spread* est un risque associé à certaines pratiques de couverture d'un portefeuille de swap. Il ne s'agit donc pas vraiment d'un risque intrinsèque de l'instrument, mais plutôt d'un *risque de gestion* d'un portefeuille de swap.

Pour un intermédiaire, ou un mainteneur de marché, la solution idéale pour se prémunir contre des variations inopinées des taux d'intérêt est de trouver un swap de sens inverse, ayant exactement les mêmes caractéristiques. Cependant, un intermédiaire peut se trouver momentanément avec une position non appariée, ou peut avoir accepté d'être partie prenante à un ou des swaps, sans que les swaps inverses soient disponibles sur le marché à des conditions avantageuses.

Dans ce cas, l'intermédiaire peut se protéger contre les fluctuations des taux d'intérêt en prenant des positions sur d'autres marchés (telles que les options et les contrats à terme). Mais on peut se protéger également à l'aide des marchés des titres gouvernementaux (bons du Trésor ou obligations gouvernementales), à la condition que ces marchés offrent une bonne liquidité, de telle sorte que l'on puisse aisément renverser une position. Sur le marché en dollars américains, cette pratique est d'autant plus répandue que la *cotation des swaps se fait en points de base au-dessus des obligations gouvernementales* (les *treasuries*) et que ce marché est le plus vaste de tous les marchés de titres dans le monde.

Ainsi, une banque qui effectue un swap payeur de taux fixe, sans pouvoir l'adosser immédiatement à un swap en sens inverse peut *acheter* des obligations gouvernementales de même échéance et ainsi se protéger contre une baisse de taux. Lorsque le swap inverse sera disponible, elle pourra vendre ses obligations. Si, au cours de la période, les taux ont effectivement baissé, l'intermédiaire réalisera sur le marché des obligations un gain de capital le compensant pour la perte de valeur du swap initial. Cependant, si une telle opération permet de se protéger contre les fluctuations du taux fixe, elle ne permet pas de se protéger contre une *variation du spread* sur le marché des swaps entre la date de signature du swap initial et la date de mise en place du swap de couverture. Si, entre temps, les anticipations des agents ou plus généralement les conditions du marché des swaps ont changé, le spread a pu se déplacer et s'élargir, entraînant par le fait même une possibilité de perte par rapport à la situation initiale, sans que la couverture sur le taux n'ait couvert le *risque de spread*.

17.7 Caractéristiques du marché des swaps

Grâce aux enquêtes menées régulièrement par l'*International Swap Dealer Association*, on connaît assez bien les caractéristiques du marché des swaps. La plus grande partie de ces données se retrouvent dans la publication «International Banking and Financial Market» de la BRI.

17.7.1 Taille du marché

Les tableaux 17.6 et 17.7 donnent une idée de la croissance très rapide de ce marché. En 1988, le montant notionnel des nouveaux swaps de taux d'intérêt était de 568,1 milliards de dollars; cinq ans plus tard, ce montant était passé à 4 141 milliards. L'évolution du marché des swaps de devises a été elle aussi très rapide sans être aussi explosive; sur la même période, le montant de nouveaux swaps de devises est passé de 124,2 milliards à 301,9 milliards de dollars. La croissance de l'encours a été tout aussi spectaculaire, puisqu'à la fin de l'année 1992, il s'élevait à 3 850,8 milliards pour les swaps de taux et 860,4 milliards pour les swaps de devises. En termes de contrepartie, les transactions interbancaires représentent 48 % de tout l'encours des swaps de taux à la fin de 1992, soit une augmentation sensible par rapport à 1988 (33,7 %); elles ne représentent que 27 % des encours de swaps de devises, ce qui ne constitue qu'une faible augmentation par rapport à 1988.

Tableau 17.6 Nouveaux contrats de swap (montant notionnel) (en milliards de dollars)					
	1988	**1989**	**1990**	**1991**	**1992**
Swap de taux d'intérêt	568,1	833,5	1 264,3	1 621,8	4 141,0
Swap de devises	124,2	178,1	328,4	328,4	301,9
Source: ISDA.					

17.7.2 Les monnaies dans les opérations de swaps

Les opérations de swaps étant reliées à des opérations de financement ou de gestion, il n'est pas surprenant de constater que les devises les plus utilisées sur le marché obligataire s'accaparent les parts du marché les plus importantes sur celui des swaps. L'influence des marchés des contrats à terme et de ceux des options est aussi significative puisque c'est là que les intermédiaires couvrent leurs positions. Le dollar, le yen, le deustche mark et la livre sterling occupent les quatre premières places pour les swaps de taux d'intérêt (graphique 17.5). En ce qui concerne les swaps de devises, ces mêmes positions sont tenues dans l'ordre par le dollar, le yen, le franc français et le deutsche mark.

17.7.3 Échéance des swaps

L'utilisation généralisée des swaps et la confiance acquise par les utilisateurs ont eu comme conséquence d'allonger l'échéance moyenne des swaps.

Tableau 17.7				
Swaps de taux d'intérêt et de devises **Encours par contrepartie en fin d'année** (en milliards de dollars)				
Swap de taux d'intérêt	568,1	833,5	1 264,3	1 621,8	4 141,0
Swap de taux d'intérêt				
Utilisateurs finals	668,9	955,5	1 402	1,722,8	1 970,1
Interbancaires	341,3	547,1	909,5	1 342,3	1 880,7
Total	1 010,2	1 502,6	2 311,5	3 065,1	3 850,8
Swap de devises				
Utilisateurs finals	237,0	334,2	422,4	582,7	621,8
Interbancaires	82,6	115,1	155,1	224,5	238,6
Total	319,6	449,1	577,5	807,2	860,4
Source: ISDA; BRI.				

En 1992, 48 % des nouveaux contrats de swaps de taux d'intérêt avaient une échéance de moins de deux ans; pour 34 %, elle était comprise entre deux et cinq ans et 18 % avaient une échéance de plus de cinq ans. Pour les nouveaux swaps de devises, les pourcentages étaient, respectivement, de 23 %, 43 % et 34 %.

17.7.4 Les utilisateurs finals

Le tableau 17.8 donne la ventilation, pour les années 1990 à 1992, des swaps par catégories d'utilisateurs finals. On constate que les institutions financières représentent toujours plus de la moitié des utilisateurs finals des swaps de taux, alors que les entreprises accaparent le pourcentage le plus élevé de swaps de devises, avec environ 45 % du marché.

Année après année, c'est aux alentours de 45 % des utilisateurs finals qui se recrutent en Europe (tableau 17.9). Un peu moins de 30 % des swaps de taux d'intérêt et 15 % des swaps de devises ont comme contrepartie des utilisateurs aux États-Unis. L'Asie quant à elle, fournit 15,2 % des contreparties des swaps de taux et 21,3 % de celles de swaps de devises.

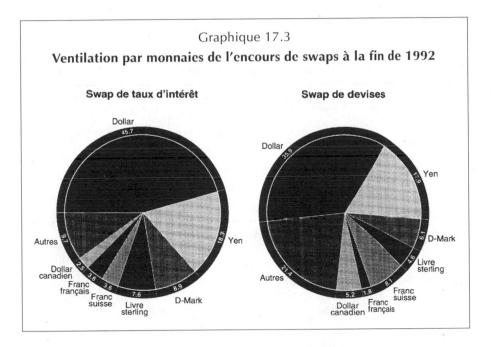

Graphique 17.3

Ventilation par monnaies de l'encours de swaps à la fin de 1992

Tableau 17.8

Swaps d'intérêt et de devises
Ventilation par catégorie d'utilisateurs finals
(en pourcentage)

	1990	1991	1992
Swaps de taux d'intérêt			
	Institutions financières	Gouvernements	Entreprises
1990	58,3	9,8	31,9
1991	57,2	9,6	33,2
1992	53,8	12,3	33,9
Swaps de devises			
	Institutions financières	Gouvernements	Entreprises
1990	35,0	19,8	45,2
1991	42,3	16,7	41,0
1992	36,8	17,8	45,4

Source: BRI.

Tableau 17.9

Localisation des utilisateurs finals
(en pourcentage) 1992

Swap de taux d'intérêt

	1990	1991	1992
États-Unis	36,6	26,2	28,9
Canada	5,1	5,2	3,2
Europe	40,9	44,1	45,0
Asie	10,5	16,7	15,2
Australie/Nouvelle-Zélande	4,8	3,9	4,0
Autres	2,1	3,9	3,7

Swap de devises

	1990	1991	1992
États-Unis	10,8	10,2	14,6
Canada	9,2	7,7	7,9
Europe	46,5	45,1	47,3
Asie	23,4	28,4	21,3
Australie/Nouvelle-Zélande	7,5	5,6	4,9
Autres	2,6	3,0	4,0

Source: BRI.

RÉFÉRENCES BIBLIOGRAPHIQUES

Livres:

- ANASTASSIADES, M. et PARANT, P., *Les swaps*, Eska, 1990.
- Banque nationale du Canada, *Instruments de trésorerie et marchés financiers*, 1990.
- CHAZOT, C. et CLAUDE, P., *Les swaps: concepts et applications*, Economica, 1994.
- DUFLOUX, C. et MARGULICI, L., *Finance internationale et marchés de gré à gré*, Economica, 1991.
- GILLOT, P. et PION, D., *Le nouveau cambisme*, Eska, Paris, 1990.
- MAILLARD, M. et GIRAUD, O., *Trésorie de l'entreprise: nouveaux enjeux*, Éditions Banque, Paris, 1989.

Articles:

- BHOLLA, S., «The Canadian Swap Market», in *The Handbook of Currency and Interest Rate Risk Management*, New York Institute of Finance, 1990.
- BIS, «The Markets for Interest Rate and Currency Swaps and related Dervivative Instruments», *International Banking and Financial Developments*, août 1990.
- BRADY, S., «The Ref Gets Rough», *Euromoney*, 1992.
- CASTRIES, J et MARTIN, G., «Comment évaluer et contrôler son portefeuille de swaps», *La Revue Banque*, avril 1990.
- DAS, S., «The Future of the Swaps Market», *Corporate Finance*, février 1993.
- GRAY, G., «Swap Market Overcome by Optimism», *Corporate Finance*, février 1992.
- HEFFERNAN, P., «Interest Rate and Currency Swaps: a Canadian Bank's Perspective», *Canadian Banker*, juin 1985.
- RICHARDSON, E., «Canadian Tax Treatment of Swaps», *The Handbook of Currency and Interest Rate Risk Management*, New York Institute of Finance, 1990.
- ROSS, P. S., «La couverture des taux d'intérêt sur les prêts et les dépôts», *Le Banquier*, mai-juin 1989.
- SHALE, T., «How ISDA got the message», *Euromoney*, avril 1993.
- WILSON, N., «Portfolio of Trouble», *The Banker*, août 1989.
- *World Financial Markets*, «Swaps: Versatility at Controlled Risk», avril 1991.

Chapitre 18
Autres instruments pour la gestion du risque de taux d'intérêt

Parallèlement aux swaps de taux d'intérêt se sont développés d'autres instruments qui permettent aux emprunteurs, aux prêteurs et aux investisseurs de gérer leurs positions exposées aux fluctuations des taux d'intérêt. Il s'agit essentiellement des caps, des floors, des collars ainsi que des FRA et des options sur swap. Ils seront présentés tour à tour dans ce chapitre.

18.1 Des instruments de gré à gré

Comme on l'a vu précédemment, les marchés des contrats à terme et les marchés d'options se sont développés sur les principales places financières. Leur présence et la liquidité de leurs contrats ont encouragé les banques à offrir des contrats de gré à gré permettant aux gestionnaires de portefeuilles et aux trésoriers d'entreprises de gérer leur risque de taux.

La présentation des marchés organisés de contrats à terme et d'options nous a permis de constater que, sur toutes les places, les volumes transigés sont toujours plus importants pour les contrats de taux que par les contrats de devises. Le même phénomène est enregistré sur le marché des swaps. C'est qu'en fait la demande d'instruments pour la gestion du risque de taux est considérable. Face à cet état de fait, les banques ont offert des instruments «synthétiques», adaptés des marchés d'options et de contrats à terme, pour mieux répondre aux besoins de leurs clients.

On notera que si ces instruments sont habituellement libellés en une seule monnaie, ils ont leur place ici, car leur utilisation dépasse les frontières d'un pays et ils servent à la gestion de positions internationales des emprunteurs ou des prêteurs. Par ailleurs, les banques sont amenées à faire des cotations en plusieurs devises pour ces instruments; enfin, le développement de nombreux marchés domestiques s'est fait par imitation de la pratique internationale.

18.2 Les caps, floors et collars

Les caps, floors et collars sont des instruments conditionnels qui permettent de limiter les coûts imprévus associés à l'utilisation de taux d'intérêt variables.

18.2.1 Le cap

Un cap est un instrument financier sur taux d'intérêt qui permet à un emprunteur (ou un prêteur) à taux variable de limiter le risque lié à l'augmentation de taux d'intérêt pour une période de temps donnée.

Dans un cap, le vendeur s'engage à prendre à sa charge la partie du taux d'intérêt qui excède une certaine valeur déterminée à la signature du contrat. Pour procurer cette protection il reçoit à la signature une prime. Pour l'acheteur d'un cap, cet instrument est une police d'assurance contre des variations défavorables des taux d'intérêt; il choisit quel est le montant maximal qu'il veut ou peut supporter et paie une prime pour être sûr de ne pas avoir à verser, à chaque date de fixation du taux d'intérêt variable, un montant plus élevé que celui qu'il a choisi.

L'achat ou la vente d'un cap peut se faire parallèlement à une opération d'emprunt, mais il s'agit toujours de contrats indépendants. En fait, la durée et le montant d'un cap peuvent être différents de ceux de l'opération de prêt.

Les éléments qui composent un cap sont les suivants:

• Le montant nominal: il s'agit de la somme sur laquelle portera le calcul d'intérêt. Même si le cap se négocie de gré à gré et peut donc être «taillé sur mesure», il porte généralement sur des montants standard multiples de 1 million de dollars[1].

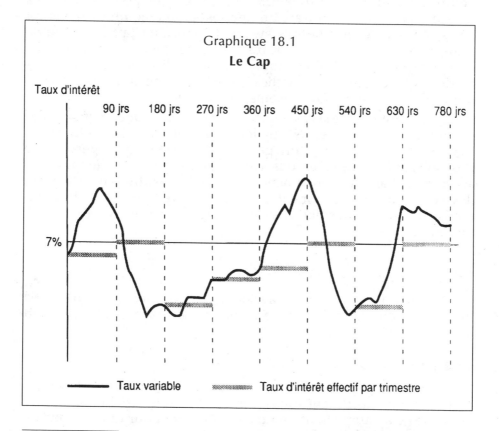

Graphique 18.1
Le Cap

---

1.   Pour les caps en monnaies autres que le dollar, le montant standard correspond à un chiffre rond dans la devise considérée (1 million de livres sterling, 10 milliards de francs, etc.)

- Les taux de référence: le contrat stipule quel est le taux variable (LIBOR, LIBID, acceptations bancaires, etc.) et quel est le taux plafond (appelé parfois prix d'exercice). La périodicité du calcul du paiement éventuel d'un certain montant à payer par le vendeur du cap est déterminée par la périodicité du taux variable (typiquement il s'agit de 3 mois ou de 6 mois).

- La période de couverture: c'est la période au cours de laquelle le taux d'intérêt maximal est garanti à l'acheteur du cap. La durée maximale d'un cap est de 10 ans.

- La prime. C'est le prix de la garantie. En règle générale, il s'agit d'une somme forfaitaire payée à la signature du contrat. On peut aussi ramener cette somme sur une base annuelle ce qui permet d'exprimer en points de base le coût de cette protection.

- Les conditions de paiement. Les parties au contrat s'entendent sur les modalités de paiements éventuels. En règle générale, ce paiement est effectué immédiatement après la constatation que le taux variable dépasse le taux plafond au jour du calcul d'intérêt. (cf. graphique 18.1).

Le montant de la prime, c'est-à-dire le prix du cap, dépend de plusieurs paramètres dont les principaux sont:

- la hauteur du «plafond»;
- la durée du cap;
- la volatilité historique et la volatilité attendue du taux d'intérêt variable;
- la tendance générale des taux d'intérêt.

Pour déterminer le prix d'un cap, une banque peut le traiter comme une série d'options, arrivant à échéance tous les 3 ou 6 mois qui permet de substituer un taux d'intérêt fixe connu d'avance à un taux variable.

18.2.2 Le floor

Un floor est un instrument financier sur taux d'intérêt qui permet à son détenteur de déterminer à l'avance le taux d'intérêt variable minimal qu'il aura à payer durant toute la durée du contrat.

Dans un floor, le vendeur s'engage à payer à l'acheteur la différence entre un taux d'intérêt (dit taux plancher ou prix d'exercice) et le taux variable lorsque ce dernier est inférieur au taux plancher. En contrepartie de cet engagement, le vendeur du floor reçoit une prime (cf. graphique 18.2).

Comme on le voit, un floor est en fait un instrument de même nature qu'un cap, tout en étant l'opposé. Le vendeur d'un floor prend le risque de ne pas bénéficier entièrement de toute variation à la baisse des taux d'intérêt, mais en contrepartie il reçoit

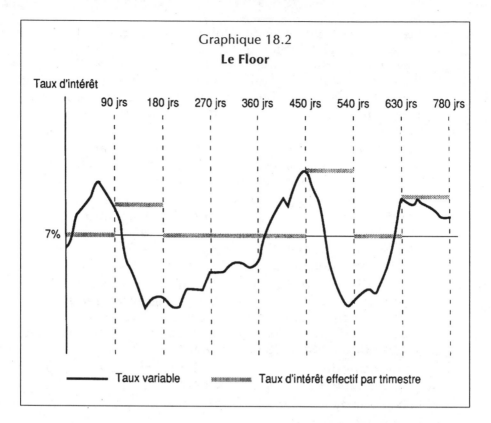

Graphique 18.2
Le Floor

un montant forfaitaire à la signature. L'acheteur d'un floor s'assure d'un taux minimum pour un placement à taux variable. Il est prêt à sacrifier quelques points de base sur toute la période[2] pour s'assurer que jamais son taux de rendement ne sera inférieur à un taux fixe prédéterminé.

Comme le cap, le floor est donc un instrument conditionnel qui peut être assimilé à une série d'options arrivant à échéance tous les 3 ou 6 mois.

Les éléments qui composent un floor sont les mêmes que ceux que l'on a énumérés pour un cap. Les facteurs influençant la prime sont également semblables.

18.2.3 Le collar[3]

Un collar est un instrument financier qui permet à son acheteur de déterminer les bornes maximale et minimale d'un taux d'intérêt variable, pour une période déterminée. Un collar est donc la combinaison d'un cap et d'un floor (graphique 18.3). On peut voir

---

2. Il s'agit du marché de points de base sur une base annuelle équivalant au montant de la prime payée à la signature.

3. On utilise aussi en français collier ou tunnel, mais la terminologie anglaise est largement répandue et acceptée.

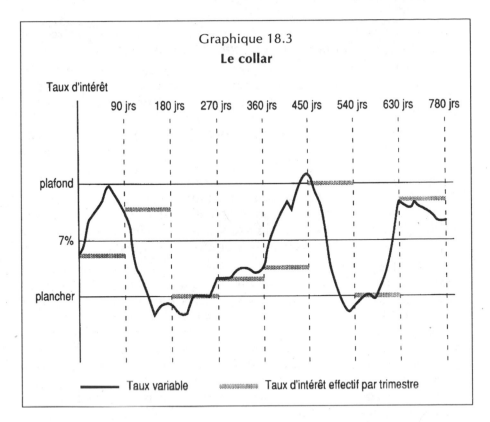

Graphique 18.3
Le collar

dans le collar un moyen pour le vendeur d'un cap de réduire le coût de sa prime d'assurance vers le haut, au prix du renoncement à tirer profit de taux d'intérêt très bas.

Puisqu'en vendant un floor et en achetant simultanément un cap on réalise un collar, il existe plusieurs combinaisons de taux plancher et de taux plafond pour lesquelles le coût du collar est nul: il suffit de trouver des combinaisons pour lesquelles la prime reçue est égale à la prime versée. En jouant avec les échéances et la période de garantie qui peuvent différer pour le cap et pour le floor, on peut aussi aboutir à des combinaisons de coût nul: dans ce cas cependant, les bornes de fluctuations ne seront pas en place pour toute la durée de l'utilisation des deux instruments.

Aux facteurs précédemment énumérés qui influencent les caps et les floors, il faut ici tenir compte, pour la détermination de la prime, de la relative étroitesse du collar.

18.3 Les Fra ou *Forward Rate Agreement*

Un FRA est un accord passé entre deux parties par lequel elles se garantissent un taux d'intérêt fixe pour une période donnée, à une date future, précisée à l'avance. Un FRA permet ainsi à une entreprise de se prémunir pendant une période donnée contre une variation de taux d'intérêt sur un *emprunt* ou sur un *placement* futur.

Le FRA n'est pas un engagement à prêter ou à emprunter, c'est une assurance contre les fluctuations de taux, *séparée* de l'opération d'emprunt ou de placement. Seule la différence entre le taux d'intérêt garanti par le contrat et le taux du marché est livrable. Cette différence, multipliée par le montant sur lequel porte la transaction, représente ce qui devra être versé par une des parties à l'autre. Par définition, l'acheteur du FRA est la partie voulant se protéger contre une hausse des taux alors que le vendeur du FRA désire une protection contre une baisse des taux. Typiquement un FRA est coté de la façon suivante: *six against nine-months*, ce qui signifie que l'accord est valable pour une période de trois mois, à compter du sixième mois après la signature du contrat.

Les FRA permettent aux banques et aux entreprises d'ajuster leurs expositions aux variations de taux d'intérêt sans altérer pour autant leur liquidité et sans tirer sur leurs lignes de crédit. En ce sens, les FRA s'identifient aux contrats à terme et aux options de taux. Cependant, les FRA offrent plus de flexibilité et sont d'utilisation plus simple. Les FRA ne sont standardisés ni sur les montants ni sur les durées; ils ne nécessitent pas de dépôt initial et ne sont pas l'objet d'appels de marges. Ils n'assurent cependant de couverture que pour le court terme: le marché étant peu liquide pour les échéances de plus d'un an.

Le FRA ne doit pas être confondu avec les contrats de gré à gré, terme contre terme (*forward/forward*). En effet dans ces contrats, il y a entre les parties une *obligation de prêt (et d'emprunt)* en plus de la détermination du taux d'intérêt qui sera appliqué à la transaction durant toute la durée du prêt (ou de l'emprunt).

18.4   Les options sur swap

Une option sur swap (*swaption*) est un produit financier de gré à gré qui donne le droit, mais non l'obligation, de devenir payeur ou receveur de taux fixe dans un swap à une date prédéterminée (ou avant). Le détenteur d'une option d'un an d'un swap de taux d'intérêt de cinq ans a donc la possibilité de devenir la contrepartie d'un tel swap dans un an (option de type européen) ou dans l'année qui vient (option de type américain). Même si ces deux genres d'options sont disponibles sur les marchés, en fait la majorité d'entre elles sont de style européen.

Lors de la mise en place d'une option de swap, les parties se mettent d'accord sur le type d'option (s'agit-il d'une option permettant de devenir payeur de taux fixe, ou d'une option permettant de devenir receveur de taux fixe?). Elles doivent déterminer le prix d'exercice, le mode de règlement et le montant de la prime.

Le prix d'exercice reflète les conditions du marché et les besoins respectifs des deux parties. L'amplitude récente des variations des taux d'intérêt est un élément majeur dont il sera tenu compte pour fixer un prix d'exercice qui soit réaliste. En ce qui concerne le mode de règlement, il peut se faire au comptant le jour de l'expiration de l'option ou par la mise en place effective du swap. Le montant de la prime dépend, comme dans toute option, de la valeur intrinsèque, de la valeur temps et de la volatilité des taux d'intérêt. En pratique, les banques utilisent des modèles de type Black et Scholes pour déterminer la valeur de l'option et donc le montant de la prime de départ.

Les options de swap vont attirer les utilisateurs des swaps d'intérêt traditionnels, s'ils estiment que la tendance des taux à court ou moyen terme (durant la vie de l'option) est à la baisse; ils espèrent ainsi payer moins cher dans le futur la possibilité d'échanger leurs paiements d'intérêt. Le recours aux options sur swap s'avère par ailleurs moins coûteux que le recours au cap, mais la protection contre la hausse des taux est moins parfaite.

Les options sur swap sont disponibles dans une dizaine de devises. Mais la grande majorité d'entre elles sont souscrites en trois monnaies: le dollar, le deutsche mark et la livre sterling, avec des parts de marché respectives d'environ 40 %, 30 % et 12 % en 1992.

18.5 Taille du marché

Les chiffres sur le volume d'instruments négociés de gré à gré sont beaucoup moins précis que ceux dont on dispose pour les instruments transigés sur les marchés organisés. De plus, pour les produits dont on parle dans ce chapitre, il n'existe pas une association professionnelle des opérateurs comparable à l'ISDA pour le marché des swaps.

Tableau 18.1				
Produits dérivés autres que les swaps[1] (en millions de dollar)				
	Nouveaux contrats			**Encours à la fin de 1991**
	1989	1990	1991	1992[2]	
Volume en milliards de dollars	335,5	292,3	382,7	293,6	577,2

1. Caps, floors, collars, options sur swap.
2. Premier semestre.
Swap: BRI

On trouvera au tableau 18.1, les estimations fournies par la Banque des règlements internationaux. Pour 1991, dernière année complète, pour laquelle les chiffres sont disponibles, la BRI estime à 382,7 milliards de dollars le montant notionnel des nouveaux contrats de caps, floors, collars et options sur swap. À la fin de cette même année, l'ensemble des encours sur ces mêmes instruments était d'environ 577 milliards de dollars.

18.6   Nouvelles tendances et nouveaux marchés

Ces instruments illustrent bien les tendances sur les marchés depuis le milieu des années 1980:

- Tout d'abord, ils fournissent des véhicules typiques pour *segmenter* et *transférer* les risques. Le risque de crédit ou de liquidité sont, grâce à eux, dissociables du risque de taux d'intérêt. Même si lors d'une opération de prêt, une banque peut offrir elle-même la protection de taux à l'aide d'un cap ou d'un collar, il est fréquent que l'emprunteur choisisse d'obtenir le prêt avec une institution et la protection avec une autre, pour bénéficier des conditions les plus avantageuses.

- Ces instruments, par ailleurs, mettent en évidence que les intermédiaires sont capables d'offrir des instruments *taillés sur mesure*. Plutôt que d'avoir recours aux contrats standardisés sur les marchés des *futures* ou des options, les utilisateurs peuvent obtenir auprès des banques des termes et conditions parfaitement adaptés à leurs besoins.

- Tous ces instruments permettent aux utilisateurs d'accroître leur *flexibilité*. Ils peuvent se protéger contre les risques de taux au moment qui leur paraît opportun, partiellement ou totalement, pour la durée qui leur convient. La protection peut être obtenue à la signature, pour des opérations déjà effectuées (à l'aide de caps et de collars), ou pour des emprunts futurs (à l'aide des FRA).

*   *

*

Par ailleurs, il faut réaliser que les banques ont pu offrir ces instruments parce que se sont développés des marchés actifs et des liquidités d'options et de *futures* leur permettant de couvrir partiellement leurs positions.

Ainsi, à certains égards, les caps, collars et FRA sont la manifestation d'une nouvelle forme d'intermédiation pratiquée par les institutions financières. De cette façon, ils sont beaucoup plus des compléments que des concurrents aux produits des marchés organisés.

Annexe 18.A

Cotations des caps et des floors

Les produits dérivés que nous avons présentés dans ce chapitre sont négociés de gré à gré. Il n'existe donc pas de marché interbancaire pour ces instruments et l'on ne trouve pas habituellement de cotations les concernant dans la presse financière.

Cependant, un certain nombre de maisons se sont fait une spécialité à Londres et à New York de coter des prix d'achat et de vente. On trouvera ci-après les prix cotés au début de 1994 à New York pour des caps. Il s'agit de caps de 1, 2, 3, 4, 5, 7 et 10 ans avec fixations du taux d'intérêt tous les 3 mois. Les prix sont cotés en points de base.

	Strk	1YR/3S	2YR/3S	3YR/3S	4YR/3S	5YR/3S	7YR/3S	10YR/3S
	4.00	54-56	219-221	434-437	673-677	915-920	1392-1400	2052-2065
	4.50	29-32	154-158	331-336	533-539	741-750	1160-1173	1746-1765
	5.00	14-17	105-109	247-253	416-424	594-605	959-976	1473-1497
	5.50	6-9	70-74	181-188	321-331	472-486	784-804	1234-1263
C	6.00	2-4	46-50	132-139	247-257	374-388	637-659	1028-1061
A	6.50	1-2	30-33	95-102	188-199	295-310	513-537	852-888
P	7.00	0-1	19-22	69-75	144-154	232-247	417-441	703-740
S	7.50	0-1	12-15	49-55	109-119	183-198	339-363	577-615
	8.00	0-1	8-10	36-41	83-92	144-158	276-299	481-518
	8.50	0-1	5-7	26-30	63-72	114-127	225-247	402-438
	9.00	0-1	3-5	18-23	48-59	90-102	184-204	336-371
	9.50	0-1	2-3	14-17	37-46	71-82	150-174	274-307

(CAPS)

Le premier chiffre en haut à gauche doit se lire de la façon suivante: le courtier demande 56 points de base pour assurer qu'un taux variable, établi tous les 3 mois, ne dépasse pas 4 % pendant un an. Ce courtier était prêt à acheter ce cap pour 54 points de base.

On notera que le jour de la cotation de ces caps les taux d'intérêt sur le dollar étaient les suivants:

1 semaine	3,5630 %
1 mois	3,5630 %
2 mois	3,7500 %
3 mois	3,8750 %
6 mois	4,1250 %
1 an	4,5630 %

Le même jour, la même maison donnait les cotations suivantes pour un floor.

	Strk	1YR/3S	2YR/3S	3YR/3S	4YR/3S	5YR/3S	7YR/3S	10YR/3S
					FLOORS			
	3.50	0-1	1-2	2-4	3-6	6-9	10-15	18-28
	4.00	3-5	7-9	10-13	14-18	19-24	28-36	43-60
	4.50	15-18	26-29	34-39	44-50	51-60	68-80	98-121
F	5.00	37-39	60-64	79-85	98-104	113-124	143-160	187-217
L	5.50	66-68	109-113	141-148	170-180	198-211	247-287	313-349
O	6.00	98-100	169-172	219-226	284-274	309-323	379-401	474-516
O	6.50	133-135	236-239	310-317	376-390	437-455	537-566	668-713
R	7.00	169-170	308-311	410-417	500-513	581-600	717-746	889-935
S	7.50	206-207	384-388	518-524	638-648	738-753	914-944	1133-1181
	8.00	242-243	463-466	632-637	779-789	908-920	1128-1155	1408-1454
	8.50	279-280	544-546	749-754	925-938	1085-1101	1356-1383	1698-1742
	9.00	316-317	625-627	869-874	1078-1089	1267-1284	1594-1625	1989-2042

On peut, à partir de ces données, calculer le coût d'un collar. C'est en fait la combinaison d'un floor et d'un cap; on peut le réaliser par l'achat d'un cap associé à la vente d'un floor ou par l'achat d'un floor associé à la vente d'un cap pour une même échéance.

À la même date, ce courtier donnait les cotations suivantes pour les FRA.

1YAB	3v6	4.28	6v12	4.93	12v24	5.85
2YAB	6v9	4.69	12v18	5.51	24v36	6.57
3YAB	9v12	5.12	18v24	6.02	36v48	7.05
4YAB	12v15	5.34	24v30	6.31	48v60	7.27
5YAB	15v18	5.61	30v36	6.62	60v72	7.58

RÉFÉRENCES BIBLIOGRAPHIQUES

Livres :

- Banque nationale du Canada, *Instruments de trésorerie et marchés financiers*, 1990.
- BEAUFILS, B. *et al.*, *Les nouveaux instruments financiers : la pratique bancaire des marchés*, 2ᵉ édition, La Revue Banque Éditeur, 1988.
- DE LA BAUME, C., *Gestion du risque de taux d'intérêt*, Economica, 1988.
- DUFLUX, C., et MARGULICI, L., *Finance internationale et marchés de gré à gré*, Economica, 1991.
- GRABBE, J. O., *International Financial Markets*, Elsevier, (seconde édition), 1991.
- MAILLARD, M. et GIRAUD, O., *Trésorerie de l'entreprise : nouveaux enjeux*, La Revue Banque Éditeur, 1989.

Articles :

- *Corporate Finance Suppl.*, mai 1993, «Derivatives».
- LYNN, L. et HEIN, M., «Interest Rate Caps and Collars», *Citicorp Investment Bank Guide*, décembre 1985.

MARQUIS

ACHEVÉ D'IMPRIMER
EN SEPTEMBRE 1994
SUR LES PRESSES DE L'IMPRIMERIE D'ÉDITION MARQUIS
MONTMAGNY (QUÉBEC)